Als leven pijn doet

Van dezelfde auteur

De kwestie van geluk

Bezoek onze internetsite *www.karakteruitgevers.nl*
voor informatie over al onze boeken en softwareproducten.

René Diekstra

(in samenwerking met Sol Gordon)

Als leven pijn doet

Karakter Uitgevers B.V.

© René Diekstra/Sol Gordon
© 2003 Karakter Uitgevers B.V., Uithoorn

Omslag: Select Interface
Afbeelding voorplat: Michelangelo *De schepping van Adam* (detail)
Afbeelding voorflap: Yamantaka mandala ('de opponent van de dood')

ISBN 90 6112 801 3
NUR 740/770

Tweede druk, juli 2003

'Er bestaat maar één werkelijk ernstig psychologisch probleem: de zelfdoding. Oordelen of je als mens wel of niet de moeite waard bent, is antwoord geven op de fundamentele vraag van de psychologie. Al het andere – of intelligentie drie of vier dimensies heeft en liefde een moederlijke en een vaderlijke vorm – komt daarna. Dat is maar spel, is niet meer dan een schermutseling; eerst moet je antwoord geven. En als het waar is zoals Nietzsche zegt, dat een filosoof om gezag te hebben zelf het voorbeeld moet geven, dan is dat minstens zo waar voor een psycholoog. Meer dan wie ook moet hij hierin het voorbeeld geven. Hij moet antwoorden dat een mens, ieder mens, altijd moeite waard is. Dat de waarde van een mens bestaat uit het feit dat hij bestaat. Als hij het belang van dat antwoord begrijpt, dan begrijpt hij ook welke beslissende daad er op moet volgen.' – naar Albert Camus *De mythe van Sisyfus*[1]

---

1. 'Er bestaat maar één werkelijk ernstig filosofisch probleem: de zelfdoding. Oordelen of het leven wel of niet de moeite waard is geleefd te worden, is antwoord te geven op de fundamentele vraag van de filosofie. Al het andere – of de wereld drie dimensies, de geest negen of twaalf categorieën heeft – komt pas daarna. Dat is maar spel; eerst moet men antwoord geven. En als het waar is zoals Nietzsche zegt, dat een filosoof om gezag te hebben, zelf het voorbeeld moet geven, dan begrijpt men het belang van dit antwoord, omdat de beslissende daad er dan op moet volgen.' (Camus, A., *De mythe van Sisyphus*, Amsterdam, 1967 (Uitgeverij De Bezige Bij).)

'The real glory is being knocked to your knees and then coming back. That's real glory. That's the essence of it.'

– Vince Lombardi

Inhoud

Voorwoord [1]

Twee mannen waren zij en ze namen hun besluit op ongeveer hetzelfde moment. De een die een einde aan zijn leven maakte. De ander die besloot dat niet te doen. Dat verschil had weinig te maken met moed of gezondheid. Kennis had er wel iets mee te maken. De ander wist meer van zelfdoding dan de een. Hij had het onderwerp jarenlang bestudeerd zoals een temmer zijn roofdier. Hij had zichzelf gedwongen steeds opnieuw de nabijheid ervan op te zoeken. In die schermutselingen had hij littekens opgelopen. Hoewel hij zich bewust was van het feit dat hij altijd kwetsbaar bleef, had de ervaring hem geleerd welke posities hem de meeste kans boden zich niet te laten verrassen. De een had geen enkele ervaring in dit punt. Toen hij er op een dag plotseling tegenover kwam te staan, was hij hulpeloos, en hopeloos. Een reactie die niet zonder gevolgen kon blijven. Door de wanhoop aangevallen gaf hij zijn zelf op. Aangevallen viel hij zichzelf aan. De ander weigerde zich te doden. Hij meende dat hij zijn zelf kon opgeven zonder zich in de dood te begeven. Hij gokte erop dat de opgave van zijn oude zelf het begin van een nieuw, en het begin van een nieuw leven, kon zijn. Een gewaagde gok. De een nam het zekere voor het onzekere. Hij ontdeed zich in één gebaar van zijn zijn en daarmee van zijn pijn. De ander koos voor zijn zijn, maar daarmee ook voor pijn. Dat was, zoals gezegd, geen kwestie van verdienste. En al evenmin van moed. Het was een kwestie van geoefendheid in het temmen van de wanhoop. Niemand verwerft die uit talent of keuze. Hoogstens uit toeval. Zo pijnlijk licht is het verschil tussen gaan en doorgaan.

René F.W. Diekstra
Leiden, maart 2003

---

1. De twee mannen hebben werkelijk bestaan.

Voorwoord Sol Gordon

Beste lezer,

Het feit dat *Als leven pijn doet* opnieuw wordt uitgebracht, bewijst dat het een belangrijke en heilzame boodschap bevat.

Van de eerste editie werden meer dan honderdduizend exemplaren verkocht en het boek veroverde een plaats in het leven en in het hart van mensen van alle leeftijden. Voor velen was het als een gids en een vriend die zij altijd konden raadplegen wanneer de problemen van het leven hen uit het veld dreigden te slaan. En vaak liet die vriendelijke gids dan zien hoe een tragedie(tje) omgevormd kon worden tot een overwinning(kje). Van deze bijzondere kracht van het boek profiteerde zelfs de belangrijkste auteur ervan: toen René Diekstra in 1996 bijna verpletterd werd door de gebeurtenissen die nu bekendstaan als de affaire-Diekstra, was hij uiteindelijk in staat zichzelf met dezelfde therapie te helpen als die waarmee hij in het boek al die anderen had geholpen. En datgene wat hij zovele anderen voorgeschreven had, hielp ook hem.

In het voorwoord van de eerste editie was René zo grootmoedig om te vermelden dat het boek wemelde van de ideeën en formuleringen uit mijn boek *When Living Hurts*; ik kan alleen maar zeggen dat ik er trots op ben en dat het me een grote voldoening schenkt dat ik en mijn ideeën het leven van zoveel mensen konden veranderen. En ik ben ervan overtuigd dat ook deze nieuwe editie genoeg stof bevat om dat opnieuw te doen. Ik ben dan ook blij dat dit nieuwe boek er nu is en beveel het dan ook van harte aan u allen aan.

Sol Gordon Ph.D.[1]

1. Dear reader,

This new edition of *Als leven pijn doet* convincingly proves that in more than one way its message is a sound and valid one. The first edition sold over one hundred thousand copies and conquered a place in the lives and hearts of people of all ages. For many it served as a guide and friend that they continued to consult whenever the problems of life threatened to throw them off course. Often that guiding friend pointed out to them how a lesser or greater tragedy could be turned into a lesser or greater triumph. This power of the book even extended to its principal author. When René in 1996 was almost crushed by what is now commonly known as The Diekstra Affair, he in the end was able to prescribe unto himself what he had prescribed unto others in the book. And what worked for so many others also worked for him. In the preface of the first edition René generously acknowledged that the book was crowded with ideas and formulations from my book *When Living Hurts*. I cannot but admit that I am proud and satisfied that I could make such a difference in the lives of so many people. And I am sure that I will feel the same about the difference that this new edition will make. I therefore wholeheartedly welcome and recommend this new edition to each of you.
Sol Gordon Ph.D.

Uit de inleiding op de eerste editie

Dit boek gaat uit van het idee dat je niet alleen kunt leven, maar dat samen leven met anderen ook niet alles is. Er zijn een heleboel dingen in het leven die je alleen kunt. Maar er zijn een heleboel andere dingen die je niet alleen kunt. Of liever, niet alleen aankunt. Er reed me eens een auto voorbij met op de achterruit een sticker waarop stond: 'Don't follow me. I am lost too.' (Volg mij niet. Ik ben ook verdwaald.) Het gebeurde net op een moment dat ikzelf de weg kwijt was geraakt.

Blijkbaar is leven altijd een dwaaltocht. Als je alleen bent, dwaal je rond. Als je anderen volgt, dwaal je ook rond. Maar alleen als je ooit een ander hebt gevolgd, heb je een manier, een criterium, om een eigen weg te bepalen, iets om je eigen weg tegen af te zetten. Je moet je eigen weg lopen maar je kunt het niet alleen.

Dit boek is een weg naar je eigen weg.

Het is geschreven voor mensen van alle richtingen, van halve richtingen, voor mensen zonder richting en voor mensen die naar richting zoeken. Ik moedig je aan om ergens op af te gaan, om door veel dingen heen te gaan. Want anders zou je wel eens nergens kunnen blijven.

Dit boek is een weg die ik heb aangelegd door anderen te volgen. Een van die anderen is Albert Ellis, de laatstlevende van de grote psychotherapeuten (zoals Freud, Rogers, Perls). Sol Gordon, net als ik een leerling van Albert in New York, is een ander voorbeeld geweest. Zijn eigen *When Living Hurts* wemelde van de gedachten van Albert en van mij, net zoals dit boek wemelt van Sols en Alberts gedachten en formuleringen. Blijkbaar is het met een boek al net als met een mens. Het is afhankelijk van andere om zelfstandig te kunnen bestaan.

René F. W. Diekstra
Leiden, december 1989

Deel I

Wat je zelf betreft

1 De noodzaak van vernietiging

'Deze mandala,' zegt hij, 'zal vernietigd worden. Moet vernietigd worden. De mandala moet vernietigd worden en vervolgens weer opnieuw worden gemaakt, want zo is de kringloop van het leven.' In mijn verbeelding zie ik een hand die in één enkel gebaar de magnifieke schepping die daar voor me ligt, wegveegt.

Basel, zondagmiddag. In het *Kulturmuseum* volg ik met een groep andere bezoekers de Tibetaanse gids. De tentoonstelling waarvoor ik gekomen ben, is twee dagen tevoren geopend door de Dalai Lama zelf en gaat over Boeddha's, Goden en Heiligen in Tibet. Sinds de bezetting van Tibet door China bevindt de religieuze cultuur van het land zich in een proces van afbraak. Op de een of andere manier ademt de tentoonstelling dat ook uit. Er hangt een welhaast melancholisch-trieste sfeer. Op een gegeven moment betreden we een ruimte waar in het midden op heuphoogte een groot vierkant blok is geplaatst. Om het blok staan de gebruikelijke heuphoge chromen palen met daartussen hangende dikke donkerrode koorden, die signaleren dat bezoekers niet dichterbij dan daar mogen komen. Precies boven het centrum van het blok is een spotlight opgehangen. Het licht daarvan valt op een oogverblindende mandala die op het blok ligt. Een mandala is een cirkelvormig diagram dat als hulpmiddel bij de meditatie dient. Het bestaat uit een aantal bredere en smallere ringen die ieder hun eigen symbolische betekenis hebben. De ringen zijn vaak voorzien van schrifttekens of figuren die Boeddha's, Goden en Heiligen voorstellen en van vormen die staan voor de vijf elementen, aarde, vuur, water, lucht en ether. De binnenste ring omvat wat lijkt op een binnenplein, dat door vier ingangen, twee aan twee tegenover elkaar gelegen, bereikt kan worden. Ze symboliseren de vier hemelrichtingen (zuid, west, noord, oost) die bijeen worden gehouden door of bijeenkomen in de 'vijfde richting', het middelpunt van de mandala. Het is het 'goddelijke' centrum, de plaats waarin alles samenvloeit, waar verschillen of tegenstellingen zijn opgeheven. Een mandala bevat ook de vijf grondkleuren (geel, rood, groen, blauw, wit). Deze mandala, ongeveer twee meter in doorsnee, is gemaakt van strooizand dat zo fijn is dat het voor het oog bijna lijkt alsof het een verfschildering op het blok is. De kleurencompositie is dermate magnifiek, zoals een kring van stralend wit zand ingelegd met zachtgroene symbolen of een blauwe kring met op vier plaatsen een wiel in helder rood, dat het haast onmogelijk is je blik ervan los te rukken.

Op een gegeven moment zegt de gids iets dat op mij, en blijkbaar ook op een aantal andere aanwezigen, het effect heeft van een schok. 'Deze mandala,' zegt hij, 'zal vernietigd worden. Móet vernietigd worden. De mandala moet vernietigd worden en vervolgens weer opnieuw worden gemaakt, want zo is de kringloop van het leven.'

In mijn verbeelding zie ik een hand die in één enkel gebaar de magnifieke schepping die daar voor me ligt, wegveegt. De gedachte beneemt me even de adem en roept een kortstondig maar intens gevoel van droefheid op. Gemengd met een onbestemd gevoel van boosheid. 'Nirvana, of de toestand van verlichting,' gaat de gids op dat moment verder, 'is de laatste fase van geestelijke ontwikkeling, waarin er volledige aanvaarding van die kringloop bestaat. Lijden en lachen, schoonheid en lelijkheid, goed en kwaad, vernietiging en schepping, dood en wedergeboorte, zijn geen tegenstellingen meer, verscheuren de mens niet meer van binnen.'

Terwijl de gids nog doorpraat, beginnen mijn gedachten hun eigen loop te nemen. Ik zie in mijn verbeelding een groep monniken voor me, die na vernietiging van deze mandala een nieuwe maken, 'strooien', en aan dat scheppingswerk vreugde, zin beleven. En opeens wordt me, voor de eerste keer in mijn leven op een voelbare manier, helder dat ik vernietiging eigenlijk altijd gelijk gesteld heb aan verlies en verdriet. De verliezen die ik in mijn leven heb geleden, zijn voor mij tot nu toe steeds 'dingen' geweest die mij niet hadden moeten, niet hadden mogen overkomen. De gedachte 'vernietiging' te zien als een fase in de kringloop van het leven en daarmee als de poort, de enig mogelijke zelfs, tot een volgende fase, een fase van vernieuwing, van creativiteit, van herscheppen van mezelf en mijn leven, is eenvoudig nooit bij mij opgekomen.

Een tijdje later wandel ik in de buurt van het museum door een park. Mijn oog valt op de rododendronstruiken die links en rechts van het pad waarop ik loop, in bloei staan. Ik trek in gedachten een vergelijking tussen de mandala daar in het museum en de bloemen aan de struiken hier. Beide schitteren ze nu in hun pracht. Beide zullen ze binnenkort vernietigd worden. Maar juist daardoor zullen ze opnieuw geschapen kunnen worden, opnieuw kunnen bloeien. Natuurlijk zal de volgende mandala, zal de volgende bloem, nooit precies dezelfde zijn als de vorige. Maar het is daardoor dat verandering, dat ontwikkeling mogelijk wordt. Zonder vernietiging geen ontwikkeling, geen verandering. In de kringloop van het leven is vernietiging nooit alleen maar verlies maar ook kans. Op dat moment besef ik opeens dat wat voor vernietiging geldt, ook geldt voor bloei. Ook bloei is 'slechts' een fase in de kringloop. Bloei is nooit alleen maar winst of kans, maar ook verlies of de voorfase daarvan. Wat jong is wordt oud, wat mooi is lelijk, wat leeft sterft, wie wint verliest, als de maan vol is, neemt ze af.

Om reden die me niet meteen duidelijk is, moet ik denken aan mijn favoriete filmster, Romy Schneider. De eerste bioscoopfilm die ik in mijn leven zag – ik was elf jaar – was *Sissi*, waarin zij de hoofdrol speelde. De beelden van die prachtige jonge keizerin ontroerden me niet alleen, maar ze veroorzaakten ook een gevoel van verliefdheid dat nooit meer helemaal over is gegaan. Ik heb praktisch alle films gezien waarin ze speelde. Daarom was ik diep geschokt toen zij in 1982 in Parijs een einde aan haar leven maakte door middel van een overdosis medicamenten en alcohol. Ik realiseer me terwijl ik dit schrijf, dat haar sterfdag

29 mei was, dezelfde datum als waarop ik de Tibet-tentoonstelling bezocht.

Waarom doodde Romy zichzelf? Mijn verklaring is omdat haar leven in een bepaalde periode een kruispunt van verliezen was geworden: het verlies van haar zoon, het verlies van een liefdesrelatie, en mogelijk het belangrijkste, het verlies van haar uiterlijke schoonheid als vrouw en filmster en daarmee van het centrum van haar identiteit. Romy slaagde er niet in om zowel haar roem en bloei als het verlies daarvan als fases in een kringloop te zien. Ze heeft eens gezegd dat je er recht op hebt te houden wat je hebt. Ik denk dat die houding het recept is voor verbittering. Wie meent dat houden wat hij heeft zijn recht is en verliezen wat hij heeft zijn onrecht is, die loopt onvermijdelijk vast in de loopgraven van zijn verliezen. Omdat veranderingen niet aanvaard worden en geweigerd wordt de volgende fase in te gaan, stagneert de persoonlijke ontwikkeling.

Ik wil daarmee niet zeggen dat mensen maar alles moet slikken wat hen aangedaan en afgenomen wordt. Vechten om de geleden verliezen zoveel mogelijk ongedaan te maken kan wel degelijk heel gezond en zelfs wijs zijn. Maar de nadruk ligt hier op 'zoveel mogelijk'. Onrecht of leed kan nooit volledig ongedaan worden gemaakt. Wat gebeurd is, is gebeurd. Wat geleden is, is geleden. Wie zich terugvecht als een manier om zichzelf te herscheppen, om in een wereld waarin hem allerlei rotgein geflikt is en weer kan worden, toch creatief en liefdevol te kunnen leven, die aanvaardt de kringloop en ontwikkelt zich. Ik verkies daarom te geloven dat als geen vernietiging had plaatsgevonden, ik nu nog altijd zou doen en denken wat ik al vijfentwintig jaar aan het doen en denken was geweest.

Je moet jezelf verliezen om jezelf te hervinden. Maar helemaal op eigen kracht zul je zelden of nooit die veranderingen aanbrengen, waartoe je verliezen je als het ware dwingen. Zij maken de ruimte, scheppen de leegte om het leven een wezenlijk nieuwe inhoud te geven. Je zou dus wel gek zijn om die opgedwongen kansen te laten lopen.

2 Emotionele wijsheid

'Ik denk weleens dat verliezen misschien daarom wel bestaan. Als gelegenheden voor mensen om emotioneel wijzer te worden.'

Maar het is nogal wat om je verliezen, om de mensen of dingen die in je leven verloren gaan, als kansen, of liever gezegd, óók als kansen te gaan zien.

Soms gaat dat eenvoudigweg niet of is dat te veel gevraagd. Want hoe zou je de dood van je kind, zoals Romy Schneider overkwam, of het in de steek gelaten worden door je partner of het verlies van je gezondheid, ooit als een kans kunnen zien? Een kans op wat?

En toch doet zich ook dan de vraag voor hoe verder te leven als je besluit verder te leven. Hoe je leven zin en inhoud te geven en hoe eventueel uit bepaalde aspecten van de tragedie iets nieuws, een kleine triomf zelfs, te maken?

Sommige mensen slagen daarin. Hoe kunnen ze dat? Is het omdat het van die bijzondere mensen zijn? Is het omdat ze hun pijn gewoon ontkennen, verdringen?

Soms zijn het inderdaad bijzondere mensen. Maar vaker zijn het mensen die pas bijzonder werden door hun verlies. Omdat ze een deel van de energie van hun verlies wisten om te zetten in iets nieuws. In iets dat nieuwe zin gaf aan hun eigen leven of aan dat van anderen. Een déél van de energie van het verlies, want een ander deel blijft vaak aan het verlies vastzitten. Veel verliezen komen bij tijd en wijle hun verdriet of boosheid of angst opeisen. Blijven kwetsbare herinneringen die steeds weer op kunnen spelen. Zoals littekens steeds weer op kunnen spelen. Het is belangrijk verlies te geven wat verlies toekomt. Maar niet meer en niet minder dan dat. Dat is de kern van emotionele wijsheid.

Ik ben in de afgelopen jaren, waarschijnlijke mede vanwege mijn eigen verliezen, met een aantal 'gewone' mensen in contact gekomen die bijzondere mensen zijn geworden door de manier waarop ze met een groot verlies zijn omgegaan. Ze zijn niet verbitterd geworden, wel emotioneel wijzer. Ik denk weleens dat verliezen misschien daarom wel bestaan. Als gelegenheden voor mensen om emotioneel wijzer te worden.

Een musicus en andere emotionele wijzen

'We leven omdat we ons repareren en de wijsheid van ons ik levert ons daarvoor de lijm.'

— GEORGE VAILLANT

Een 30-jarige musicus schreef aan zijn vriend: 'Ik leid een ongelukkig leven, lig met de natuur en haar schepper overhoop en vervloek de laatste, omdat hij zijn schepselen ten prooi geeft aan het naakte toeval, dat vaak de mooiste vruchten kapot maakt.'
Aanleiding voor deze brief was de toenemende doofheid die hem geleidelijk aan van allerlei sociale contacten en gebeurtenissen uitsloot. Steeds vaker dacht hij erover zelf een einde aan zijn leven te maken. Een jaar later maakte hij zijn testament, een document van pure vertwijfeling: 'Wat een vernedering voor mij om naast iemand te staan, die al van verre de tonen van een fluit kan horen – en ik, ik hoor niets... Met vreugde haast ik me om de dood te ontmoeten.'
Maar een kwart eeuw later was deze musicus, zoals de Duitse psycholoog Heiko Ernst in een artikel getiteld *Het afweersysteem van de psyche*[1] beschrijft, nog altijd in leven. Sterker nog, op de leeftijd van 53 jaar stond hij op het podium van het Hoftheater in Wenen en dirigeerde daar de eerste opvoering van wat zijn meest vermaarde werk en een van de meest indrukwekkende muzikale scheppingen van de menselijke geest zou blijken te zijn: zijn negende symfonie.

1. Ernst, H., *Das Immunsystem der Psyche*. Psychologie Heute, 2001, nr. 6 (compact).

In de film *Immortal Beloved* over het leven van Ludwig van Beethoven, met Jeroen Krabbé als een van de hoofdrolspelers, komt een prachtige scène voor waarin de stokdove Beethoven, als die eerste opvoering al is afgelopen, nog op zijn notenblad staat te kijken terwijl een van de solisten hem aan zijn arm trekt. Om zijn aandacht te trekken naar het publiek achter hem, zodat hij zien kan wat hij niet kan horen: het uitzinnige enthousiasme, het overweldigende applaus, het omhoog werpen van hoeden en bloemen.

Zoals Ernst schrijft, een grotere tegenstelling als die tussen de 30-jarige suïcidale Beethoven en de 53-jarige Beethoven van het slot-koor van de negende symfonie, nota bene 'Ode an die Freude' (Loflied op de vreugde) getiteld, lijkt nauwelijks denkbaar. Al helemaal niet voor wie bedenkt dat een van de zinnen uit dat slot-koor luidt: 'Achter de sterrentent [het heelal] moet een goede va-der wonen.' Want Beethovens eigen vader was een alcoholicus, die hij vaak vervloekt heeft, en zijn goddelijke vader was degene die hem, zoals hij dat althans zelf zag, met doofheid had geslagen. Maar Beethoven verdronk niet in zelfmedelijden, hij pleegde geen zelfmoord. Met behulp van zijn muzikale talent overwon hij, leerde hij leven met zijn lichamelijke en psychische proble-men.

Hoe slaagde hij daarin? En hoe zijn zovele andere mensen erin geslaagd om ondanks traumatische gebeurtenissen of uiterst pijnlijke problemen of verliezen die zich in hun leven voorde-den, niet alleen overeind te blijven maar zelfs gezonder, wijzer, creatiever uit de ellende te voorschijn te komen?

Ik heb zelf een groot deel van mijn werk in de afgelopen zes jaar besteed aan het zoeken naar antwoorden op deze vraag. Behalve interviews en hulpverleningsgesprekken met tientallen vrouwen en mannen met dreigende of geleden ernstige verliezen, heb ik ook het beschikbare psychologische onderzoek op dit gebied uit-voerig bestudeerd.

Tijdens die zoektocht stuitte ik onder andere op het volgende, op Sasha.

Een handvol wijsheid: leven met Sasha

In 1938 werd er aan de universiteit van Harvard begonnen met een wel heel bijzonder onderzoek. Aan eerstejaars studenten werd gevraagd of ze bereid waren zich voor de rest van hun leven om de zoveel tijd door psychiaters en psychologen te laten bestuderen. Wat betreft hun gezondheid, hun gedrag en de successen en problemen in hun leven. In de volgende zestig jaar deden ruim 800 mannelijke studenten aan het onderzoek mee. De schat aan onderzoeksgegevens die over die periode is verzameld, is met name gebruikt voor het beantwoorden van de volgende vraag: welke factoren voorspellen of jonge mannen zich ontwikkelen tot gezonde, emotioneel evenwichtige en goed functionerende mannen van middelbare en hogere leeftijd? George Vaillant, leider van het onderzoek over de afgelopen dertig jaar, heeft daaraan een drietal boeken gewijd met veelzeggende titels als *Adaptation to Life* (Aanpassing aan het leven), *The Wisdom of the Ego* (De wijsheid van het ik) en *Aging Well* (Goed ouder worden).[1] Een conclusie die als een rode draad door die drie boeken loopt, is deze: psychische gezondheid is een kwestie van reageren op problemen, niet van de afwezigheid ervan. Het antwoord op de vraag wat dan psychisch gezonde reacties op problemen zijn, is in één zin samen te vatten: maak zoveel mogelijk gebruik van Sasha. Wie of wat is Sasha? Iedere letter van Sasha vormt steeds de beginletter van een van de vijf gezondste manieren om op levensproblemen te reageren. Vaillant noemt die manieren *psychische afweermechanismen.* Die ingewikkelde term heeft een belangrijke diepere betekenis. Op ons lichaam worden voortdurend aanslagen gepleegd. Door ziekteverwekkers zoals bacteriën en virussen, door schadelijke stoffen uit de omgeving,

---

1. Vaillant, G., *Adaptation to Life*, New York, 1977 (Uitgeverij LittleBrown & Co); Vaillant, G., *The Wisdom of the Ego*, 1995 (Harvard University Press); Vaillant, G., *Aging Well. Surprising Guideposts to a Happier Life from the Landmark. Harvard Study of Adult Development*, New York, 2002 (Uitgeverij LittleBrown & Co).

en door voorwerpen, variërend van een mes waarmee we ons in de vingers snijden tot een auto die ons aanrijdt. Het lichaam reageert daar op twee manieren op. Het bouwt een afweersysteem op om ziekteverwekkers onschadelijk te maken voordat ze ziektes kunnen veroorzaken. Maar ziektes en beschadigingen zijn niet altijd te voorkomen. Dus is ons lichaam behalve met afweren ook voortdurend bezig met repareren.

Wat voor ons lichaam geldt, geldt ook voor onze psyche, onze geest. Ook op onze psyche, ons emotioneel evenwicht, worden voortdurend aanslagen gepleegd. Door gebeurtenissen in onze relaties, op ons werk, in onze buurt, in de wijdere wereld om ons heen. We hebben daarom ook een psychisch afweer- en reparatiesysteem nodig om psychische problemen te voorkomen of om ons te herstellen van emotionele problemen, zoals angsten, depressies en stressreacties. 'Leven,' zegt Vaillant treffend, 'betekent jezelf voortdurend repareren. Sterker nog, we leven omdat we ons repareren.' Uit zijn onderzoek blijkt dat degenen die zich tot relatief gelukkige en gezonde mensen op middelbare en hogere leeftijd ontwikkelen – de 'happy-well' – zich onderscheiden door de volgende zes langdurige kenmerken: weinig of niet roken, matig alcoholgebruik, 'matige' lichaamsbeweging, geen overgewicht, een stabiele partnerrelatie en het gebruikmaken van Sasha. Sasha blijkt van die zes het belangrijkste. Want behalve dat ze grote invloed heeft op hoe mannen, en naar uit later onderzoek is gebleken ook vrouwen, met hun lichaam en relatie(s) omgaan, heeft ze ook direct effect op hoe ze met hun gevoelens en emotionele problemen omgaan. Sasha staat, zoals gezegd, voor de vijf meest effectieve psychische afweer- of reparatiemechanismen. Ik ga ze in het volgende een voor een beschrijven.

Omsmeden
De eerste letter verwijst naar het vermogen om je pijn, of in ieder geval een belangrijk deel ervan, om te smeden tot iets dat niet alleen nog maar pijn is of doet, maar een zekere zin of zelfs een

nieuwe inhoud of betekenis geeft aan je pijn. Vaillant noemt dat vermogen *sublimatie*, het voornaamste psychische afweermechanisme. Sublimatie of omsmeden van pijn betekent dat je de pijn die (dreigende) verliezen of problemen veroorzaken, niet verdringt of ontkent maar erkent. Maar het betekent ook dat je een belangrijk deel van die pijn op een andere, minder schadelijke en vaak zelfs positieve manier uitdrukt. Het is het vermogen om met een deel van je pijn iets te scheppen, iets te creëren, iets aan het of aan jouw leven toe te voegen. Dat kan zoiets 'eenvoudigs' zijn als een (dag)boek, een relatie met lotgenoten, een schilderij, muziek, een beweging, een stichting, een vrijwilligersactiviteit. Het is het omsmelten van je pijn en dat levert niet zelden iets 'subliems' op. Daarom is sublimatie het afweer- of reparatiemechanisme waaraan we talloze belangrijke, ontroerende, wereldverbeterende, 'sublieme' scheppingen van de mensheid te danken hebben. Zoals van kunstenaars die hun emotionele pijn of ontreddering in muzikale composities hebben omgezet of schrijvers die datzelfde hebben gedaan in boeken. In feite is de centrale vraag bij omsmeden of sublimatie deze: 'Wat kan ik nog meer met mijn pijn doen dan eronder lijden?'

Een indrukwekkend sociaal voorbeeld daarvan is Jan Kloppenburg. In 1996 werd Jans zoon Joes 'zomaar' vermoord omdat hij zich op straat op een moedige en terechte manier ergens mee bemoeide. Jan zette een deel van zijn diepe pijn over de moord op zijn zoon om in het op gang brengen van wat inmiddels een nationale beweging is geworden, die tegen zinloos geweld (de stichting 'Kappen Nou!'). Jan werd op die manier niet alleen slachtoffer van, maar ook schepper uit de pijn.

Voor de pijn van anderen

Dat brengt me op de tweede letter in Sasha. De 'a' van *a*nderen of van, zoals Vaillant het noemt, *altruïsme*. Dat is het vermogen om voorbij je eigen pijn te reiken naar die van anderen die mogelijk dezelfde pijn ervaren of zullen ervaren. Altruïsme is het verlangen en het besluit om dingen te doen die bijdragen aan het voorkomen of verminderen bij andere mensen van de emotionele pijn, die jezelf hebt ervaren of nog ervaart. Altruïsme is een vorm van sublimatie, maar niet alle sublimatie is altruïstisch. Een ontzettend belangrijke 'winst' van altruïsme, behalve dat het voor anderen heel veel kan betekenen, is dat het jou helpt om niet in zelfmedelijden te verzinken en uit de slachtofferpositie te blijven. Wie vastgevroren is in de slachtofferpositie denkt en gelooft dat hij of zij speciaal door het leven is geselecteerd om deze pijn te ondergaan. De pijn wordt dan als het ware een 'oplosmiddel' voor relaties, doet ze uit elkaar vallen. Altruïstisch omgaan met je eigen pijn betekent dat die pijn een bindmiddel is, een prikkel tot solidariteit met anderen.

Maar het blijft tegelijkertijd belangrijk je zelf op bepaalde tijden toestemming te geven om stil te staan bij je eigen pijn, er aandacht aan te geven en er aandacht voor te vragen. Dat stelt je in staat om op andere tijden niet al te zeer door je pijn gestopt of gesaboteerd te worden.

Bewust stilstaan

Naar dat vermogen verwijst de derde letter van Sasha. Vaillant noemt het *suppressie*. Hij omschrijft suppressie als het vermogen om op bepaalde momenten bewust en intens de pijn of gevoelens te willen ervaren die een gebeurtenis of een verlies bij je hebben veroorzaakt en op andere momenten de aandacht bewust naar andere dingen te verleggen. Suppressie is een belangrijke reden voor en winst van 'in therapie gaan', of in een gesprekgroep gaan, of je partner of vrienden om aandacht te vragen, of een boek als dit lezen. Want door dat te doen schrijf je jezelf voor om op bepaalde tijden gericht aandacht te besteden aan je emotionele blessures. Dat maakt het mogelijk om op andere momenten als die blessures opspelen, tegen jezelf te zeggen dat je toch doorgaat met waar je mee bezig bent omdat je later, tijdens je therapieuur, je (groeps)gesprek of je lezen de gelegenheid zult hebben en nemen je intensief met je pijn bezig te houden. Suppressie is het gezonde alternatief voor twee andere, ongezondere reactiepatronen, namelijk depressie en repressie. Depressie betekent dat je veel te veel aandacht besteedt aan je verliezen of problemen en de pijn die je daarvan hebt. Je kunt aan niets anders meer denken en komt er volledig in vast te zitten. Repressie betekent dat je te weinig aandacht besteedt aan de emoties van je verliezen of problemen. Je gumt ze als het ware uit je bewustzijn weg. 'Ze zijn er zogenaamd niet.' Omdat je ze niet meer voelt, neem je, vaak ten onrechte, aan dat ze er niet meer zijn en geen rol meer spelen.

Huilen en (glim)lachen

Dat brengt me op de vierde letter van Sasha. Huil op gezette tijden om je pijn of je verlies, maar laat niet na om op andere momenten ook te lachen. Geef *humor* een plaats. Niet per se humor om je pijn of verlies als zodanig, hoewel daar soms (maar lang niet altijd) een droevige-humoristische kant aan kan zitten. Maar dan in ieder geval humor om dingen die het lachen of glimlachen waard zijn. Ik ben altijd diep onder de indruk geweest van het verhaal van Norman Cousins, redacteur van het tijdschrift *Saturday Review*, die toen hij met een levensbedreigende ziekte werd geconfronteerd en vermoedelijk ook nog maar een paar maanden te leven zou hebben, besloot die bedreiging als een uitdaging te zien. Hij ontsloeg zichzelf uit het ziekenhuis, betrok een hotelkamer en schreef zichzelf een bepaald dieet en leefpatroon voor. Een belangrijk onderdeel daarvan was dat hij zichzelf dwong naar komedies en lachfilms te kijken. Met andere woorden, hij mengde zijn pijn en angst met humor. Toen hij zijn ziekte overwonnen had, schreef hij over dat proces het boek *De anatomie van een ziekte.*[1] Maar nog indrukwekkender vind ik het feit dat Cousins dat kunststuk nog een keer wist te herhalen. Vijftien jaar later kreeg Cousins een hartaanval die hem bijna het leven kostte. En opnieuw pakte hij zichzelf op de vroegere manier aan. Het verslag daarvan publiceerde hij in het boek

---

1. Cousins, N., *The Anatomy of an Illness*, New York, 1981 (Uitgeverij Bantam Books).

The Healing Heart.[1] 'Pas' tien jaar later, op 75-jarige leeftijd, overleed Cousins.

Humor is het vermogen de pijn van verlies of de spanning van problemen te kunnen zien vanuit een ander, relativerender perspectief. Dat betekent soms ook er de ironische, lachwekkende kanten misschien zelfs van te zien, in plaats van alleen de treurige. Vaillant geeft het voorbeeld van een man die een medewerker ten onrechte de schuld had gegeven van een grote fout in een berekening waardoor zijn bedrijf veel geld dreigde mis te lopen. Het had tot een hooglopend en zeer pijnlijk conflict geleid dat ten overstaan van een groot deel van het personeel was uitgevochten. Toen hij vervolgens ontdekte dat hijzelf de rekenfout had gemaakt, had hij ten overstaan van die medewerker en het personeel over zichzelf gezegd: 'Je vergissen is menselijk – iemand anders er de schuld van geven is blijkbaar nog menselijker.'

Het is overigens wel oppassen met humor als afweermechanisme. Het is niet geschikt voor alle pijn, en soms kwetst het, voegt het pijn toe.

Aandacht voor pijn die komt

De laatste letter van Sasha, ten slotte, verwijst naar het belang van het vermogen om te kunnen en te willen anticiperen op pijn en verlies. *Anticipatie* is het vermogen om je in gedachten en in gesprekken met anderen of in het doen van bepaalde dingen, zoals lezen en het verzamelen van informatie voor te bereiden op verlies of pijn waarvan je zeker weet dat die binnenkort gaat komen of dat die vroeg of laat komt. Als je weet dat je je baan gaat verliezen, is het belangrijk op dat verlies te anticiperen, zowel op de pijn die het met zich mee kan brengen als op de praktische kanten ervan en hoe daarmee om te gaan. Hetzelfde geldt als je partner een ernstige medische ingreep moet ondergaan. Het samen bespreken van allerlei risico's daarvan plus de bijbe-

1. Cousins, N., *The Healing Heart*, New York, 1983 (Uitgeverij W.W. Norton).

horende gevoelens uiten en delen is behalve gezond ook heel liefdevol. Het belang van dit afweermechanisme, spreekt 'klassieke'
recepten tegen als 'de dag van morgen heeft genoeg aan zijn
eigen zorgen' en 'wie dan leeft, die dan zorgt'. Natuurlijk bestaat
er altijd het gevaar, dat je je zodanig zorgen maakt over een komend verlies, dat je aan niets anders meer denken kunt. En dan
raak je natuurlijk alleen nog maar verder van huis. Daarom is het
belangrijk de vijf psychische afweermechanismen van Sasha met
elkaar en door elkaar te leren gebruiken. Als je zowel aan anticipatie, je voorbereiden op een komend verlies, als aan suppressie
doet, op bepaalde tijden uitdrukkelijk wel maar op andere tijden
uitdrukkelijk niet aandacht besteden aan dat dreigende verlies,
dan bescherm je je geluk en gezondheid zo goed mogelijk. Maar
anticipatie zonder suppressie wordt al gauw obsessie.

De moraal: het is voor alle mensen van deze wereld te hopen dat
hun partners een intieme relatie met Sasha hebben. (Zie sche-
ma.)

Sublimatie	• <u>S</u>meed een deel van je pijn en verlies om tot creatieve energie, veredel het. <u>S</u>chep iets uit je tragedie, een kleine triomf als het even kan. Vraag jezelf regelmatig: wat kan ik nog meer met mijn pijn en verlies dan eronder lijden?
Altruïsme	• Reik voorbij je eigen pijn naar <u>A</u>nderen, om te helpen soortgelijke pijn bij hen te verminderen of te voorkomen
Suppressie	• <u>S</u>ta bewust <u>s</u>til bij je pijn of verlies op bepaalde tijden en geef er aandacht aan of vraag er aandacht voor en <u>S</u>top op andere tijden bewust met er aandacht aan te geven.
Humor	• <u>H</u>uil om je pijn of verlies maar breng jezelf er ook toe het op bepaalde momenten te relativeren en er misschien zelfs 'Humor' in te zien. Probeer de pijn of het verlies te zien als iets dat niet exclusief voor jou geschapen is. Breng jezelf ertoe af en toe te (glim)lachen, is het niet om je eigen pijn of verlies dan in ieder geval om de absurditeit van het leven en het gedrag van mensen. Gebruik daarbij eventueel 'hulpmiddelen' zoals komedies.
Anticipatie	• <u>A</u>nticipeer, bereid jezelf op gezette tijden voor op pijn of verlies waarvan je weet dat die voor jou of je dierbaren gaat komen. Breng jezelf ertoe op de dreigende broosheid en eindigheid van je bestaan en je relaties af en toe vooruit te lopen en je bezig te houden met wat je dan zult voelen en wat je dan te doen staat.

3 De belangrijkste vaardigheid: tegen je verlies kunnen

Het onderzoek van Vaillant en zijn medewerkers draait in wezen om de volgende vraag. Wat moet een mens goed kunnen? Toen die vraag ooit aan de psycholoog Sigmund Freud werd gesteld, antwoordde hij: 'Liefhebben en werken.' Het is een antwoord waar je het moeilijk mee oneens kunt zijn. Maar het is onvolledig. Het volledige antwoord op de vraag wat een mens goed moet kunnen, moet luiden: liefhebben, werken en tegen je verlies kunnen. Freud wist dat ook wel, hij schreef niet voor niets veel over humor als manier om met pijn om te gaan. En toch noemde hij dat laatste, tegen je verlies kunnen, niet. Hij was net als heel veel andere mensen iemand die slecht tegen zijn verlies kon en ook zo min mogelijk aan zijn verliezen herinnerd wilde worden. Toch was dat onwijs van hem, want op de keper beschouwd is ons leven een aaneenschakeling van verliezen. Maar we zijn ons daar voor het grootste deel van ons leven niet erg van bewust of willen dat niet zijn.

Daar zijn een paar 'goede' redenen voor is. Een is dat we het ons vaak heel lang kunnen permitteren om dat niet te doen. Zolang de verliezen in ons leven niet groot zijn, zolang het ons voornamelijk voor de wind gaat, waarom zouden we? Er zijn wel leukere dingen om te doen. Toch is dat niet erg slim, of in ieder geval niet erg wijs. Zoals een schaker of een voetballer de partijen die hij heeft verloren nog eens naspeelt of terugkijkt op de video, zo is het ook wijs om de verliezen die we elders in het leven hebben geleden of de dingen die we niet goed hebben aangepakt, af en toe nog eens de revue te laten passeren. We leren nu eenmaal meer van onze verliezen dan van onze overwinningen.

Bovendien lopen de meesten van ons vroeg of laat zelf tegen grote verliezen aan of krijgen te maken met grote verliezen van mensen die hen dierbaar zijn. Een partner die een broer door suïcide verliest, een vriendin die ernstig gehandicapt raakt, een zus wier man een ernstig misdrijf pleegt.

Dat brengt me op een andere reden waarom wij ons maar liever niet altijd al te veel rekenschap willen geven van de verlieslijst in ons leven of die van de dierbare mensen om ons heen. We hebben een soort van instinctieve afkeer van 'losers'. We vermijden bij voorkeur hun gezelschap, wensen er zo min mogelijk geassocieerd mee te worden, ons zo niet te voelen en er zeker door anderen niet toe gerekend te worden. De uitdrukking 'Een overwinning heeft vele vaders, maar een nederlaag is een wees' geeft daarom een keiharde sociale waarheid weer.

Oppervlakkig gezien lijkt dat ook zo logisch als wat. Want een overwinning levert de overwinnaar meestal een aantal persoonlijke en maatschappelijke voordelen op. Dus valt bij een overwinnaar ook voor anderen meer te halen dan bij een verliezer. Maar voor wie bereid is onder de oppervlakte te kijken, wordt algauw duidelijk dat dat absoluut niet het hele verhaal kan zijn. Denk maar eens aan de merkwaardige gewoonte, in psychologisch opzicht dan, om overwinnaars geluk te wensen. Goed beschouwd is dat raar, want overwinnaars hebben al geluk gehad, ze hebben immers gewonnen. Het zou dus veel psycho-'logischer' zijn om verliezers geluk te wensen, want die hebben dat nog nodig. De reden waarom wij toch de overwinnaars gelukwensen is dan ook niet dat zij dat nodig hebben, maar dat wij dat nodig hebben. Wij hebben het nodig om ons zoveel mogelijk met overwinnaars te vereenzelvigen. Want op een fundamenteel niveau beseffen we dat we allemaal, niemand uitgezonderd, 'aan het eind van de dag' zelf verliezers, zelf 'losers' zullen zijn.

Overigens begint dat verliezen al 'aan het begin van de dag', vanaf het moment van onze geboorte, of eigenlijk nog eerder, vanaf onze conceptie. Van dat ogenblik af hebben we een bepaalde levenstijd ter beschikking, die bij iedere volgende hartslag afneemt. We verliezen voortdurend tijd en dus leven.

Er zijn tijden geweest dat we met het verlies van de 'aardse levenstijd' minder problemen hadden dan nu. Zolang we geloofden in de eeuwigheid, in een eeuwig leven in een hiernamaals, werd het verlies van ons aardse leven daardoor nog voor een deel gecompenseerd. Nogal wat mensen zagen het zelfs niet als een echt verlies. Hoe minder tijd ze hier hadden, hoe meer tijd daar. Voor bepaalde groepen mensen geldt die rekensom nog altijd. Maar voor de meeste mensen staat oud worden gelijk aan verliezen, op meerdere fronten. Vandaar dat bij veel mensen die voelen dat ze ouder worden, dat ze beginnen af te takelen, ook hun zelfrespect begint af te takelen. Zoals bij de filmster Romy Schneider, over wie ik het eerder had.[1] Dat is, opnieuw, een onwijze reactie. Want het staat vanaf het allereerste begin in ons voorhoofd gegrift: we zijn allemaal 'losers', we gaan allemaal verloren. Kortom, hoeveel we ook liefhebben en hoe vruchtbaar we ook werken, waar we het uiteindelijk voor ons korte levensgeluk vooral van moeten hebben, is van ons vermogen tegen ons verlies te kunnen.

Positie kiezen tegenover je verliezen

Bij tijd en wijle stilstaan bij de verliezen die je geleden hebt en de pijn die je daarvan gehad hebt en mogelijk nog hebt of nog zult krijgen, is jezelf emotioneel een dienst bewijzen. Dat is de heldere conclusie, dat is de strategie van suppressie uit het onderzoek van Vaillant, waar we het hiervoor over hebben gehad. Het maakt je emotioneel weerbaarder en wijzer.
Bij tijd en wijle stilstaan bij de verliezen die dreigen of die je onvermijdelijk zult lijden en bij de pijn die dat oproept of zal oproepen, is evengoed jezelf een dienst bewijzen. Dat is de strategie van de anticipatie. Het neemt de pijn niet weg als het verlies zich werkelijk aandient. Maar het maakt je wel weerbaarder en wijzer als het gebeurt.

1. Zie hoofdstuk 1: De noodzaak van vernietiging.

Wat je altijd vermijdt, waar je altijd voor op de vlucht gaat, daardoor laat je jezelf opjagen. En dat maak je op die manier groter en sterker dan jezelf.

Maar af en toe stilstaan, je blootstellen, de pijn con*fronte*ren, is letterlijk en figuurlijk dat: een front tegen de pijn optrekken, er een grens aan stellen. Daarmee is die niet weg, maar neemt wel minder emotionele plaats in. Waardoor er meer ruimte komt voor andere emoties, andere ervaringen. Daardoor wordt het weer mogelijk de energie van je pijn te mengen met andere energieën, met je talenten, je creatieve mogelijkheden. Pijn wordt zo voor een deel tot creatieve energie die je ertoe brengt voorbij je eigen pijn te reiken, anderen te helpen, iets moois te maken, iets te componeren, te schrijven, iets te doen of te zeggen dat ergens iemand kan helpen. Het is subliem als je dat uit je pijn maakt. Dat is sublimatie. En altruïsme.

En er gebeurt nog iets. Iedere keer dat je voor je eigen gevoelens niet op de vlucht slaat, maar er grensgevechten mee aangaat, is een kans om je zelfvertrouwen, je geloof in jezelf, te vergroten. (Zoals iedere keer wanneer je meteen op de vlucht slaat, een moment is waarop je je zelfvertrouwen vermindert).

Zelfs als het je soms te veel wordt en je je tijdelijk terug moet trekken (suppressie!), dan ben je het gevecht in ieder geval niet uit de weg gegaan. Zoals de Amerikaanse president John Quincy Adams ooit zo treffend zei: 'De eerste vraag bij een gevecht is niet of je zult winnen of verliezen, maar waarvoor je het bent aangegaan.'

Een lijst van verliezen

Uit eigen ervaring weet ik maar al te goed dat het nogal wat is om met je verliezen of dreigende verliezen de confrontatie aan te gaan. Om de lijst op te maken van wie of wat in je leven gesneuveld is of sneuvelen zal.

Op mijn lijst, bijvoorbeeld, staan het verlies door de dood van mijn vader, van mijn moeder, van een broer, van een schoon-

broer. Er staat ook het verlies door de dood op van drie intieme,
ik moet eigenlijk zeggen drie grote, vrienden. Terwijl ik dit opschrijf, realiseer ik me dat hun dood op een bepaalde manier een
groter verlies betekent dan de dood van mijn ouders. Alsof de
dood van je ouders eerder bij het leven hoort dan de dood van
je vrienden.

Een van die vrienden was ook een leermeester op het gebied van
de zelfdoding. Hij maakte een einde aan zijn leven. Het lezen
van zijn afscheidsbrief aan mij, wat ik een enkele keer nog doe,
voelt altijd weer als een dolksteek. Maar het is een pijn die ik wil
voelen, omdat het klopt bij wat hij voor mij betekende en bij wat
vriendschap betekent. Het is ook pijn die klopt bij de dubbelzin-
nigheid van zijn dood. Ik begrijp zijn besluit en ik treur erom.

De andere vriend was ook een leermeester, mijn zangleraar van
ruim twaalf jaren. Hij leed aan maagkanker en wilde absoluut
niet dood. Twee dagen voordat hij stierf, greep hij me nog vast
alsof hij daardoor ook het leven vast kon houden en riep huilend
als een wanhopig kind: 'René, ik wil niet dood, ik wil niet...' Het
brak mijn hart. En dat doet het nog, telkens als ik eraan denk.

De derde vriend stierf aan ALS (amyotrofe lateraal sclerose), een
vreselijke spierziekte, die onderaan, bij de voeten, begint en langzaam naar boven kruipt, spier voor spier uitschakelend. Zoals een
rij kaarsen, die een voor een worden uitgeblazen. Ik ben het proces met hem meegelopen tot de laatste kaars, tot zijn ademhaling
werd uitgedaan. Aan de laatste nachten waarin ik thuis bij hem
aan het bed zat, de beademingsmachine stampend in een hoek
van de kamer, denk ik nog regelmatig terug. Het zijn beelden
die verdriet oproepen, maar gek genoeg is dat ook een goed gevoel. Alsof ik nog met hem verbonden ben. Misschien klinkt het
arrogant, dat moet dan maar, maar ik ervaar ook een beetje trots.
De trots van iemand die niet heeft opgegeven, die gebleven is zolang het kon. Twee mannen die in het holst van de nacht zo lang
en zo dicht mogelijk bij elkaar blijven omdat ze weten dat het niet
lang meer kan. In mijn herinnering is het de ontroerende winst
van een beroerd verlies.

Op mijn lijst staat ook het verlies van een aantal vrienden en vriendinnen van wie ik aannam dat ze dat waren totdat het een periode slecht ging in mijn leven. Ze hebben zich toen van mij afgekeerd. Sommigen van hen hebben zelfs geprobeerd persoonlijk beter te worden van mijn afgang. Waren dat dan toch geen echte vrienden? In ieder geval geloofde ik vóór die tijd dat ze dat wel waren. Door af en toe aan ze terug te denken herinner ik mezelf eraan dat ik me wat vaker moet afvragen waarom mensen met mij contact zoeken, maar zonder meteen een motie van wantrouwen tegen ze in te dienen.

Op mijn lijst staat ook het verlies van een aantal werksituaties, van maatschappelijke posities, van reputatie. De herinnering daaraan roept naast verdriet ook boosheid op. Op mezelf omdat ik het me heb laten gebeuren en toen onvoldoende heb teruggevochten. Op anderen omdat ze me erge dingen hebben aangedaan en daarmee nog zijn weggekomen ook. Maar het verdriet en de boosheid vormen inmiddels geen depressieve valkuil meer. Het is me gelukt ze om te smeden tot de energie die ik nodig heb om terug te vechten. Af en toe teruggaan naar de pijn prikkelt mijn strijdbaarheid. Stuwt deze zelfs op. Voor mezelf noem ik dat 'het Monte Cristo-gevoel'.[1]

Op mijn lijst staat ook het verlies van een aantal denkbeelden of opvattingen. Sommige daarvan ongetwijfeld kinderlijk-naïef. Zoals het denkbeeld dat mensen in laatste instantie elkaar toch eerder welgezind dan kwaadgezind zijn. De ervaring dat sommige mensen onder bepaalde omstandigheden fanatiek uit kunnen zijn op de ondergang van andere mensen, heeft daar weinig van heel gelaten. Peter Gay sloeg in zijn boek *The Cultivation of Hatred* (Het cultiveren van haat)[2] de spijker op zijn kop van mijn naïeviteit toen hij schreef: 'Dezelfde cultuur die liefde kweekt, kweekt haat. Want liefde en haat zijn onafscheidelijk.

---

1. Naar de roman *De Graaf van Monte Cristo* van Alexandre Dumas.
2. Gay, P., *The Cultivation of Hatred*, New York, 1993 (Uitgeverij W.W. Norton & Company).

De naïeveling die altijd heeft gehoopt dat hij het een kon hebben zonder het ander, wordt op een dag, tenzij zijn geluk eindeloos duurt, wakker door de alarmklok van de haat. En hij zal denken dat hij de wereld verloren heeft. Dat hij iets verloren heeft is waar, maar niet de wereld. Die heeft zich alleen duidelijker kenbaar gemaakt.'

Dat is precies wat het maken van je verlieslijst teweeg kan brengen. Dat de wereld, jouw emotionele wereld daarbij inbegrepen, zich duidelijker kenbaar maakt. Hoe beter je beide werelden kent, hoe weerbaarder je bent of kunt worden. Kennis is macht. Emotionele kennis is emotionele macht.

4 Depressie en het ergste verlies

Pas toen ik klaar was met het schrijven van het vorige hoofdstuk, werd me iets belangrijks duidelijk. Onbewust had ik nagelaten (of had ik vermeden?) om op de lijst van mijn verliezen het verlies op te schrijven dat ik als het ergste, of in ieder geval als het meest beangstigende, heb ervaren. Dat is het verlies van controle over mijn gevoelens en gedachten, en daarmee ook over mijn gedrag. Ik heb het over de keren dat ik in een diepe depressie terecht ben gekomen.

Precies dat is wat psychische stoornissen – of het nu depressie of paniekstoornis of fobie of verslaving is – zo onzettend, zo existentieel bedreigend maakt: het verlies van controle over je gevoelens, gedachten en gedrag. Dat is overigens, gek genoeg, wat ook verliefdheid zo beangstigend, zo pijnlijk kan maken. Want ook dan ben je vaak de controle over je gevoelens, gedachten en gedrag kwijt.

Dat is niet alleen bedreigend voor de depressieve, angstige of verliefde persoon zelf, maar ook voor mensen in de directe omgeving. Je zult maar te maken hebben met een depressief-suïcidale partner die niet meer voor zichzelf in kan staan. Of met een verliefde partner die voortdurend met zijn of haar gevoelens en gedachten bij een ander is.

Het is overigens opmerkelijk dat degenen die in een diepe depressie terechtkomen ook vaak degenen zijn die de meest uitzinnige, extatische verliefdheid kennen. Het beroemde boek *Het lijden van de jonge Werther*, in 1774 geschreven door het Duitse genie Wolfgang von Goethe[1], gaat daar in feite over. Een van verliefdheid bezeten jongeman, die als hij zijn geliefde niet kan krijgen in wanhoop en diepe depressie vervalt en een einde aan zijn leven maakt. Zelfdoding als de laatst overgeble-

---

1. Goethe, W. von, *Die Leiden des Jungen Werthers*, Leipzig, 1774.

ven manier om aan op hol geslagen pijn een einde te maken. Maar we hoeven geen twee eeuwen terug te gaan voor dat patroon van existentieel beangstigend controleverlies.

De zon- en schaduwzijde van de berg

De jonge vrouw die op die bewuste ochtend mijn behandelkamer binnenkwam, leek zo te zijn afgestapt van de omslag van een van die chique modebladen als *Vogue* of *Elle*. In zekere zin was ze dat ook. Ze had al een carrière als mannequin achter de rug en leidde nu zelf een modellenbureau. In de psychologische kliniek in New York[1] waar ik in die tijd in opleiding was, was ik inmiddels wel gewend geraakt aan de merkwaardige problemen die mensen uit Manhattan kunnen hebben. Haar probleem vormde daarop geen uitzondering.

In het kort kwam het hierop neer. Als 29-jarige had ze al vier relaties achter de rug, die allemaal met een haast uitzinnige verliefdheid waren begonnen. Maar na een jaar of langer op de golven van extase te hebben rondgeraasd, was het elke keer op een dag plotseling over en uit. Daarna brak er voor haar een periode van intens verdriet, neerslachtigheid en vreetbuien aan. Omdat die gevoelens vaak pas weer verdwenen als ze een nieuwe partner ontmoette, had ze enerzijds voor zichzelf het idee ontwikkeld dat de volgende relatie het medicijn voor de vorige was. Anderzijds voelde ze ook wel aan dat ze zo niet eindeloos moest doorgaan. Daarom had ze op aanraden van een vriendin het idee opgevat naar een psycholoog te gaan.

Haar vraag aan mij was eenvoudig de volgende: 'Leer mij om me achteraf niet zo verdrietig en neerslachtig te voelen en alleen de geweldige herinneringen vast te houden.'

Het kostte me nogal wat moeite haar duidelijk te maken dat niet

---

1. Dat was het Institute for Advanced Study in Rational Psychotherapy van Dr. Albert Ellis.

haar reactie op het verlies van een liefdesrelatie, maar haar vraag aan mij 'gestoord' was. Want een berg is net zo hoog als het dal diep is. Een mens die geen pijn of verdriet kan ervaren, kent ook geen echt geluk. Bij het verlies van iets dat ons werkelijk geluk heeft geschonken, zeker als dat verlies plotseling is, is verdriet en gedeprimeerdheid, en zelfs soms een zekere mate van depressie, een normale reactie. Daarom kon mijn patiënte alleen zo extatisch verliefd worden als ze zo ellendig verdrietig en depressief kon zijn. Blijkbaar verkoopt het leven ons beide soorten gevoelens alleen maar in één pakket. Los zijn ze moeilijk of niet verkrijgbaar.

De diepere waarheid hierachter is dat iets alleen bestaat door zijn tegenpool. Het kan alleen nacht worden als er een dag is. En omgekeerd kan het straks alleen licht worden als het nu donker is. Een bloemkweker, die het blijkbaar niet aan levenswijsheid ontbrak, drukte het ooit zo uit: 'Om een mooie, heerlijk geurende roos te kweken moet je heel wat mest aanslepen.'

Degene die zowel met de roos als met de mest kan leven, is een 'harmonisch' mens in de oorspronkelijke betekenis van het woord. De Grieken uit de Klassieke Oudheid hadden namelijk in hun overbevolkte godengalerij ook een godin met de naam Harmonia. Volgens de overlevering was zij de dochter van de god van de oorlog, Ares, en de godin van de liefde, Aphrodite.

Voor de Grieken was harmonie dus niet de toestand van sereen, innerlijk en uiterlijk evenwicht waaraan wij meestal denken als we het woord gebruiken, maar een proces van voortdurende wisselwerking tussen strijd of onenigheid en liefde of 'eenwording'. Harmonische mensen liggen de ene keer met zichzelf of met anderen overhoop en de volgende keer is het rozengeur en maneschijn. Het is nooit alleen en nooit steeds het een of het ander.

We kunnen ons harmonie ongeveer voorstellen als een dans, waarbij de partners zich nu eens naar elkaar toe, dan weer van elkaar af bewegen. Beide bewegingen zijn wezenlijk voor de dans en als er een ontbreekt, is er geen beweging, geen ontwikkeling, geen dans dus.

Tao en Harmonia

Opmerkelijk is de overeenkomst in de benadering van het leven als spel van tegenstellingen tussen de oude Grieken en de oude Chinezen, zoals neergelegd in de leer van het Taoïsme. Taoïsme (of Daoïsme) is het volgen van de Tao, het woord voor 'weg' of 'rechte weg'. De Tao is de oorsprong van de schepping en de kracht die we niet direct kunnen kennen maar alleen kunnen waarnemen via zijn manifestaties achter alle verschijnselen en veranderingen in de natuur. In de Tao, op de rechte weg, bestaan geen tegenstellingen, is er harmonie, zijn tegenstellingen opgeheven. Zoals de opheffing van de tegenstelling tussen Yin en Yang, twee taoïstische termen die vrijwel iedereen in het Westen kent zonder te weten dat het taoïstische begrippen zijn. Meestal denken we dat ze verwijzen naar het vrouwelijke (Yin) en het mannelijke (Yang), maar dat is een veel te beperkte interpretatie. De oorspronkelijke betekenis van Yin is 'schaduwzijde van een berg' en van Yang 'zonzijde van een berg'. Yin en Yang verwijzen naar het spel van de tegenstellingen dat onze tastbare, waarneembare wereld vormt, zoals licht en donker, positief en negatief, dag en nacht, zomer en winter, klein en groot, mannelijk en vrouwelijk, mooi en lelijk, haat en liefde. Het volgen van de weg betekent dat we tegenstellingen kunnen zien als onze ideeën, in plaats van als fundamentele verschillen. In de Tao, op het meest wezenlijke niveau, zijn ze er niet. Een berg is altijd zo hoog als haar dal diep is.

Op dezelfde manier is een harmonische communicatie van iemand met zichzelf of met anderen een voortdurende ritmische wisseling van tevredenheid en ontevredenheid, van geluk en gedeprimeerdheid, van complimenten en kritiek. Nooit enkel het een of het ander. Voortdurend kritiek op jezelf of een ander hebben zonder enige vorm van waardering of genegenheid staat gelijk aan vijandigheid. Steeds maar waardering of lof toezwaaien zonder enige kritische kanttekening is dweperij, manipulatie of toneelspel.

De tragiek van veel levens is dat ze bloedeloos, saai, vervelend of ongelukkig worden, helemaal vastlopen, omdat de mensen die ze leven maar één kant van de werkelijkheid willen aanvaarden.

Blijkbaar kunnen we harmonie voor onszelf alleen veroveren door innerlijke strijd. Dat wil onder andere zeggen: durven toe te geven dat we onszelf op bepaalde momenten niet aankunnen, dat we de controle over onszelf verloren hebben, dat we de pest hebben aan onszelf, onze ouders, onze kinderen en onze partners, dat we ons daarover slecht of schuldig kunnen voelen, maar dat dat niet wegneemt dat het soms gewoon zo is en soms terecht zo is. Hoe pijnlijk het ook kan zijn. Voor onszelf en voor die anderen.

Geluk is dus niet simpel een kwestie van succes of van positieve gevoelens. Het is vooral een kwestie van het spel van tegenstellingen kunnen spelen, van goed met tegenstellingen kunnen omgaan. Van het onderhouden van een goede verhouding daartussen. Van flexibel tussen de polen van het leven heen en weer kunnen bewegen. Depressie, de meest 'ongelukkige' gevoelstoestand waarin we terecht kunnen komen, betekent in een pool vast te zitten. Vastgevroren zijn in een gevoel de controle over je gemoedsbewegingen verloren hebben. Depressie is emotionele gevangenschap. Suïcide is een vluchtpoging daaruit.

Waarom depressie zo erg is

'Ik wil je nu even iets over mijn toestand schrijven. Niets en niemand kan mij meer wat schelen. Elke dag is een lange eindeloze tunnel, ik stik in zijn mond als ik wakker word en ik moet er toch in. Als ik de tering had kon je mij troosten, helpen genezen. Maar nu kun je niets voor mij doen. Dat is de ellende. Dit is de hel van de onbereikbare eenzaamheid, van de volkomen verlatenheid.'

Met deze woorden gaf de schrijfster Carry van Bruggen[1] ooit uitdrukking aan de geestelijke foltering door de diepe depressie
waaraan ze leed. Alleen al het schrijven ervan moet haar enorme
inspanning gekost hebben. Want een van de kenmerken van een
ernstige depressie is, zoals gezegd, volslagen vast(gevroren) zitten, volslagen passiviteit, tegen zelfs de geringste inspanning op-
zien als tegen een loodzware opgave. Voor mensen die zelf zoiets
nooit hebben meegemaakt en actief in het leven staan, is het
daarom vrijwel onmogelijk zich in te leven in wat het betekent
een ernstige depressie te hebben.
Niet alle depressies zijn zo ernstig als die van Carry van Bruggen,
maar alle depressies zijn ernstig. En moeten daarom ernstig genomen worden, zowel door jezelf, als je eraan lijdt of risico daarop loopt, als door anderen.
Helaas gebeurt dat vaak niet. De Wereldgezondheidsorganisatie[2]
waarschuwde dat depressie omstreeks 2020 een van de belangrijkste problemen van de mensheid zal zijn. Maar die waarschuwing is tot op heden niet erg serieus genomen door diezelfde mensheid, of in ieder geval niet door het grootste deel
daarvan.
Ik vind dat erg. Want depressie komt steeds vaker voor, ongeveer
1 op de 4 tot 5 mensen zal er een of meer keren aan lijden. Depressie komt ook steeds vaker op jonge leeftijd voor. Depressieve
kinderen van 10 of 11 jaar zijn bepaald geen uitzondering meer.
Depressie is gevaarlijk, en niet zelden dodelijk. Van de mensen
die lijden aan een depressie maakt 10 tot 20 procent vroeg of laat
een einde aan zijn of haar leven. Daaronder ook kinderen. Depressie gaat verder schuil achter een groot aantal andere problemen, verslavingen bijvoorbeeld of relatieproblemen of problemen op school of werk. Zelfs misdrijven, zoals het doden van

---

1. Zie voor haar levensbeschrijving: Jacobs, M.A., *Carry van Bruggen, haar leven en li-
teraire werk*, Hasselt, 1962 (Heideland).
2. World Health Organisation, *Mental Health: New Understanding. New Hope* (World
Health Report 2001) Geneva: 2002.

eigen kinderen of (ex-)partner, gebeuren niet zelden in een depressieve toestand.
Er zijn verschillende soorten of typen van depressie. Maar voor alle depressies geldt dat ze beslist iets anders zijn dan hevig verdriet ergens over hebben of ergens gedeprimeerd of pessimistisch over gestemd zijn. Iemand die voor een examen zakt, een dierbare verliest of te horen krijgt dat hij aan een ernstige ziekte lijdt, kan daar terecht een tijdlang verdriet over hebben of somber gestemd door zijn. Maar van een echte depressie is pas sprake als die gevoelens maar blijven duren (enkele weken of langer), als je de controle erover verliest (je kunt jezelf niet meer afleiden of op andere gedachten zetten), en als ze je zowel lichamelijk, emotioneel als sociaal gaan ontwrichten.

Beantwoord voor jezelf eens de volgende vragen:
– Ik heb me de laatste veertien dagen somber, droevig of radeloos gevoeld.
– Ik heb de laatste veertien dagen geen interesse meer in de mensen en dingen om me heen.

Als je op een van deze vragen volmondig 'ja' moet antwoorden, dan is er goede reden om voor jezelf na te gaan of je inderdaad aan een depressie lijdt. Belangrijke symptomen van een depressie zijn een sombere, negatieve stemming en/of een gevoel van ongeïnteresseerdheid in mensen en dingen die je eerder nog wel aanspraken. Verder gevoelens van intense moeheid en lusteloosheid, verlies van eetlust of juist enorme vreetbuien, de neiging je sociaal terug te trekken. Ook slaapstoornissen, moeilijk inslapen of veel te vroeg wakker worden of juist veel te veel slapen, zijn een symptoom. Voorts concentratieproblemen. Het lukt je niet of nauwelijks meer om iets te lezen, een televisie-uitzending te volgen of bij een gesprek te blijven. Daarnaast is piekeren een symptoom. Veel depressieve mensen hebben de ervaring dat steeds dezelfde gedachten in hun hoofd ronddraaien en ze voelen zich machteloos om dat stop te zetten.

Typerend zijn ook gevoelens van nutteloosheid, waardeloosheid, en minderwaardigheid: 'Ik ben niks, ik kan niks, ik ben iedereen tot last.' Begrijpelijk zijn er dan ook vaak sterke schuldgevoelens of zelfverwijten. Gedachten aan de dood, doodswensen of gedachten aan zelfdoding zijn een symptoom van depressie.

Bij bepaalde depressies kan er sprake zijn van heftige angstgevoelens zonder dat je precies kunt zeggen waarvoor je angst hebt. Ook paniekaanvallen kunnen een symptoom van depressie zijn. Een kenmerk van depressie kan ten slotte nog zijn een heel sterke neiging tot twijfelen, geen besluiten meer kunnen nemen of alleen nog maar met grote moeite.

De ernst van de symptomen kan van depressie tot depressie verschillen, maar bij vrijwel alle depressies komen zes of meer van de genoemde symptomen voor.

Soms is een depressie zo ernstig, dat de persoon in een psychose raakt. Hij of zij heeft dan wanen of hallucinaties, waarin dingen gezien of ervaren worden die absoluut niet op feiten berusten of voor anderen niet waarneembaar zijn. Een voorbeeld is een patiënt die zijn bed niet meer uit durfde, omdat daar volgens hem de duivel onder zat die hem zou grijpen en voor zijn zonden naar de hel slepen zo gauw hij op de vloer zou stappen.

Bij ernstige depressies zonder psychose kunnen de symptomen vaak vele maanden duren, tenzij het lukt door een bepaalde behandeling de depressie op te klaren. Bij mildere vormen van depressie duren de klachten soms maar enkele weken.

Maar er zijn ook mensen bij wie de symptomen jaren achter elkaar bestaan of zelfs nooit helemaal verdwijnen. Perioden waarin het hen redelijk goed gaat, worden dan afgewisseld met min of meer ernstige perioden. In zulke gevallen wordt wel gesproken van dysthymie (chronische ontstemming), van een depressieve persoonlijkheid of een depressieve persoonlijkheidsstoornis.

Het is goed om te weten dat depressie uiterlijk soms helemaal niet zichtbaar hoeft te zijn en kan schuilgaan achter eigenaardigheden die niets met somberheid te maken lijken te hebben. Veel depressieve personen hebben een sombere gezichtsuitdrukking die zo star of onveranderlijk kan zijn dat het lijkt alsof hij uit graniet is gehouwen.

Maar sommige depressieve mensen hebben juist vaak weer een min of meer vage glimlach op hun gezicht. Dat wekt de indruk alsof hun stemming goed is. Maar als je goed oplet, zie je vaak dat ook die glimlach eigenlijk op het gezicht bevroren ligt. Het is een uiterlijk masker waarachter de innerlijke somberheid schuilgaat. Psychologen spreken bij zulke mensen daarom wel van een 'gemaskeerde' of een 'smiling' depressie.

Depressieve mensen die ook angstig zijn, zijn vaak overdreven bezorgd over hun gezondheid. Als ze bepaalde pijntjes of klachten hebben, denken ze algauw dat ze ernstig ziek zijn. Ze kunnen dan zo intensief en 'deskundig' met hun lichamelijke klachten bezig zijn dat anderen, ook dokters, niet in de gaten hebben dat deze in feite symptomen van een depressie zijn en dat die depressie – niet de lichamelijke klachten – moet worden behandeld.

Veel depressieve mensen proberen hun somberheid, pessimisme en angst te verdrijven met behulp van alcohol of andere verslavende stoffen, zoals soft- of harddrugs. Het is daarom belangrijk uit te vinden of iemand (jezelf meegerekend) die de neiging heeft in een bepaalde periode veel te veel te drinken of te blowen, aan een depressie lijdt.[1]

Naar het ontstaan van depressies is al heel wat onderzoek gedaan en er is en wordt heel wat over gediscussieerd. Aan de ene kant is er een groep wetenschappers die meent dat depressies vooral biologisch bepaald zijn. De biologische oorzaken worden vooral gezocht in bepaalde stoornissen in de stofwisseling en in de stoffen die verantwoordelijk zijn voor de geleiding van zenuwprik-

---

1. Uit een onderzoek in zeven landen komt naar voren dat van de mensen die aan een depressie lijden 38% verslaafd is aan roken, 21% aan alcohol, 15% aan drugs en dat 13% een eetstoornis heeft (zoals impulsieve vreetbuien). Datamonitor: Londen, januari 2003.

kels in de hersenen. Het gebruiken van antidepressiva om die stoornissen op te heffen of te verminderen is dan de behandeling bij uitstek.

Aan de andere kant is er een groep deskundigen die stelt dat depressie (of althans de meeste vormen daarvan) psychologische oorzaken heeft. Daarin wordt de hoofdrol gespeeld door stressvolle of verliesgebeurtenissen en bepaalde manieren van daarop reageren. Zoals het er nu voorstaat lijken beide groepen het gelijk voor een deel aan hun kant te hebben. Psychologische factoren kunnen biologische veranderingen teweegbrengen en gezamenlijk kunnen ze depressie veroorzaken. En omgekeerd. Biologische factoren kunnen psychologische veranderingen teweegbrengen en hun gezamenlijk effect kan, opnieuw, depressie zijn.

Maar de vaststelling dat biologische en psychologische factoren een rol spelen bij depressies is natuurlijk niet erg verrassend. Wat belangrijker is, is de vraag om wat voor biologische en psychologische factoren het precies gaat en wat daar aan te doen is. Hetzij om depressie te genezen of te verminderen, hetzij om het te voorkomen.

Ik ga het in dit boek vooral hebben over de psychologische kenmerken en factoren van depressie en daarop lijkende emotionele pijn. Mijn professionele en persoonlijke ervaring is dat kennis daarvan en gebruik van die kennis – kennis is immers macht – voor de meeste mensen het verschil tussen gevoelens van hulpeloosheid/hopeloosheid en realistisch optimisme kan betekenen. George Vaillant, de 'ontdekker' van Sasha, heeft dit gegeven in een van zijn boeken heel treffend verwoord[1]: 'Geestelijke gezondheid is een manier van reageren op problemen, niet de afwezigheid ervan.'

---

1. Vaillant, G., *Adaptation to Life*, New York, 1977 (Uitgeverij LittleBrown & Co).

5 Naar de psychologische kern van depressie

Als de 'oplossing' van depressie, zoals we in het vorige hoofdstuk gezien hebben, voor een belangrijk deel ligt in het kennen en het leren hanteren van de psychologie ervan, wat is dan precies de psychologische kern van depressie? Brokstukken daarvan zijn we al tegengekomen. Maar waar het nu om gaat is die kern in zijn geheel naar boven te halen en te begrijpen.

Je kunt je die psychologische kern het beste voorstellen als een figuur die bestaat uit drie concentrische cirkels.

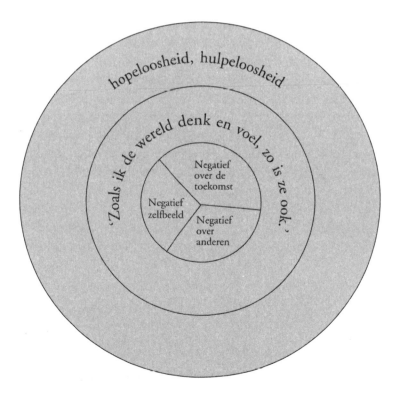

In de binnenste cirkel, de feitelijke kern, zitten drie elementen, namelijk:
— een negatief beeld van jezelf (minderwaardigheidsgevoelens, zelfveroordeling, zelfwantrouwen);
— een negatief beeld van anderen (angst voor afwijzing en verlating, maar ook weinig geloof in wat ze kunnen betekenen en de waarde die ze aan je hechten, daarom ook niet zelden gevoelens van vijandigheid jegens anderen);
— een negatief beeld van de eigen toekomst (en niet zelden ook van de toekomst van de samenleving of de wereld).

Voor alle duidelijkheid, die drie 'beelden' zijn meestal niet zomaar 'inbeeldingen', dat wil zeggen voorstellingen die je zelf in je hoofd hebt gehaald, maar waar in de werkelijkheid geen enkele reden voor is. Heel vaak liggen er ervaringen met anderen, zoals ouders, partners, collega's, en levensgebeurtenissen onder of achter die beelden. Er zijn dus vaak heel begrijpelijke of zelfs goede redenen voor.

Er is normaal gesproken ook niets dramatisch aan de hand wanneer mensen bepaalde negatieve beelden hebben van zichzelf of van anderen of de toekomst, zolang die beelden en de erbij behorende gevoelens openstaan voor beïnvloeding van buitenaf. Openstaan voor nieuwe ervaringen of contacten of inzichten. Maar in geval van een depressie zijn die beelden meestal moeilijk of helemaal niet meer toegankelijk.

Dat komt omdat om de cirkel waarin ze zich bevinden, een tweede cirkel ligt. In die tweede cirkel staat, als ware het in steen uitgehouwen, het volgende: Zoals ik de wereld denk en voel, zo is ze ook.

Zoals een van mijn depressieve patiënten het ooit zo treffend tegen mij zei: 'Ik denk dat ik minderwaardig ben omdat ik dat ben.'

Kenmerkend voor een depressie is dat je niet (goed) in staat bent je eigen denkbeelden te relativeren. Dat woord 'relativeren' moet je letterlijk nemen. In een depressie kun je geen relatie met je denkbeelden aangaan. Een relatie kun je immers verbreken, Maar voor jou zijn het geen denkbeelden. Het is eenvoudig zo. Dus kun je de relatie met je denkbeelden ook niet verbreken. Je kunt er geen 'nee' tegen zeggen.

Daarom is het 'nee' van anderen ('da's helemaal niet waar wat je denkt', 'je kijkt er veel te somber tegen aan') ook vaak machteloos. Het komt natuurlijk wel vaker voor dat mensen de wereld zoals zij die denken en voelen, gelijkstellen aan de wereld zoals die 'objectief' is. Voor iemand die verliefd is bijvoorbeeld – we hebben het daar hiervoor al over gehad – is die ander echt de enige met wie hij of zij ooit gelukkig kan worden. Maar behalve dat die persoon dan geen last hoeft te hebben, en meestal ook niet heeft, van de denkbeelden in de binnenste cirkel van depressie, verschilt hij ook nog in een ander opzicht. Hij of zij zal zich meestal actief inspannen om de geliefde te veroveren, aan zich te binden. Dat doet de depressieve persoon meestal niet. Die wordt niet actief. Die blijft vooral passief. De reden daarvan is de derde en buitenste cirkel. Daarin staan twee woorden: hopeloosheid en hulpeloosheid. Hopeloosheid is door een van mijn collega's wel eens omschreven als 'het gevoel dat dit gevoel nooit meer overgaat'. Hulpeloosheid is het gevoel dat ik of anderen niets kunnen doen om dit gevoel over te doen gaan. Het is in wezen hetzelfde als wat we eerder 'verlies van controle over voelen en denken' genoemd hebben. Maar het is eigenlijk correcter om te spreken van 'het geloof geen controle over je voelen en denken te hebben'.

Op deze manier wordt begrijpelijk waarom depressie zo'n levensgevaarlijke toestand of aandoening kan zijn en vaak is. Want soms ontdekt iemand in een depressie dat hij of zij niet helemaal hulpeloos is. Dat er een manier is om in één klap de keten van de buitenste cirkel te verbreken. Een zelfdoding op de televisie, in de krant of door iemand in de directe omgeving, slaat bij depressieve mensen niet zelden een gat in die buitenste cirkel, waardoor de krachten uit de kern zich plotseling een weg naar buiten kunnen banen. Een volgende zelfdoding of poging daartoe is dan vaak het gevolg. Soms, vanwege de kracht van de negatieve gevoelens jegens anderen, voorafgegaan door het doden van anderen.

De 'oplossing' van depressie ligt dus niet in de weg van buiten naar binnen, maar van binnen naar buiten. In 'nee' leren zeggen tegen de negatieve gevoelens ten aanzien van jezelf, de gevoelens van minderwaardigheid. In 'nee' leren zeggen tegen de negatieve gevoelens ten aanzien van anderen; althans voor zover die gevoelens algemeen zijn. En meestal ook, in 'nee' leren zeggen tegen negatieve gevoelens ten aanzien van je eigen toekomst of die van de wereld. Maar let op wat dit laatste betreft: 'meestal ook'. Niet altijd.

De eerlijkheid gebiedt mij te zeggen dat voor sommige mensen de toekomst gewoon hopeloos, uitzichtloos is. Terecht zijn ze daar verdrietig over, lijden ze daaronder. En terecht besluiten ze op een bepaald moment dat het genoeg is geweest, dat ze niet verder willen leven. Ook dat is 'nee' zeggen.

Waar het om gaat, ook dan, is dat ze waardig, dat ze goed het leven kunnen verlaten. Zonder gevoelens van minderwaardigheid over zichzelf of vijandigheid jegens anderen. Zelfdoding zonder depressie, zonder ontreddering, met realistische hopeloosheid wat betreft de toekomst. Kan dat? Ja, dat kan, zoals we later nog zullen zien.

Maar veel vaker, gelukkig, is ook het negatieve gevoel over de toekomst niet realistisch, onnodig hopeloos. Waar het dan op aankomt, is om ook tegen dat gevoel 'nee' te leren zeggen. Maar dat kan natuurlijk alleen maar zolang je nog leeft. Letterlijk en figuurlijk is er alleen maar hoop als er leven is. (Hoewel het omgekeerde dus niet waar is, namelijk dat als er leven is er ook altijd hoop is). De eerste kwestie die we dus onder ogen hebben te zien, is deze: hoe zelfdoding op afstand te houden zolang niet duidelijk is of de toekomst inderdaad uitzichtloos is.

Laten we het dus maar eerst over de vraag hebben waarmee het volgende hoofdstuk opent.

6 Wat te doen als je zelf of iemand die je dierbaar is uit het leven wil stappen?

'Waarom wil iemand zichzelf doden?' vraagt Klaus Mann, de zoon van de grote Duitse schrijver Thomas Mann, zich af in zijn autobiografie *Het keerpunt*.[1] Om daarop vervolgens zelf het antwoord te geven: 'Omdat men het volgende halfuur, de volgende vijf minuten, niet meer beleven wil, niet meer beleven kan. Plotseling is men op een dood punt, op het doodspunt. De grens is bereikt...'

Zelfdoding of een poging tot zelfdoding is een poging om een einde te maken aan een als ondraaglijk ervaren situatie, uitgevoerd in een gemoedstoestand waarin het er niet meer toe doet of alles werkelijk verloren, werkelijk uitzichtloos is. Het is alleen het gevoel van hopeloosheid dat nog telt. Dat gevoel duurt meestal maar kort – een uur, een paar uur, een avond, misschien een paar dagen – maar voor sommigen van ons weegt het zo zwaar, dat ze letterlijk tot het uiterste gaan om zich ervan te bevrijden. Soms duurt de hopeloosheid ook lang, maanden of jaren.

Ongeveer vijftienhonderd mensen maken elk jaar een einde aan hun leven. Maar zo'n cijfer zegt op zichzelf niet zoveel. Het zegt al meer als je weet dat zo'n vijfendertig- tot veertigduizend mensen een poging tot zelfdoding doen, waaraan ze gelukkig (vrijwel altijd) niet doodgaan. Dus 'maar' vier of vijf op de honderd mensen die een poging doen, sterven aan de gevolgen daarvan.

Hoe zit het met die vijfennegentig anderen? Meestal pikken ze de draad van het leven vroeg of laat weer op. Vinden ze een reden – een relatie, een project – om door te gaan. Hun poging was een uiting van opeengestapelde frustraties, boosheid, teleurstelling, verdriet door de wereld, door de anderen. Een stop die doorslaat,

---

1. Mann, K., *Der Wendepunkt*. Rororo Taschenbuch, 1089. (*Het keerpunt. Een autobiografie*. Privé-Domein 87, vertaald door W. van Toorn (1999)).

waarna het even donker wordt. Meestal duurt het een tijdje voordat we in de gaten hebben wat er precies is gebeurd en we het licht weer aan krijgen. Zulk 'doorslaan' blijkt uiteindelijk vaak helemaal niet zo slecht, want we ontdekken er bijvoorbeeld door dat er te veel spanning op het 'relatienet' stond of dat wij, of anderen om ons heen, in bepaalde opzichten gevaarlijk bezig waren. Er is niets pijnlijkers dan mee te moeten maken dat we zonder goed op te letten de spanning op het levensnet tussen ons en anderen zozeer hebben laten oplopen dat de klap, als die komt, meteen dodelijk is. Vermoedelijk ken je wel iemand die zelf een einde aan zijn of haar leven heeft gemaakt. Dan weet je ook hoe ontzettend pijnlijk het kan zijn aan die persoon te denken, je hem of haar voor de geest te halen. Alsof in je hart een mes een slag wordt gedraaid. Dat gevoel alleen al is voldoende reden om in staat te willen zijn iemand te helpen (jezelf inbegrepen), die serieus aan zelfdoding denkt.

Denken aan zelfdoding is normaal

Denken aan zelfdoding is normaal. Talloze mensen hebben een of meer keren in hun leven zulke gedachten, meestal op momenten dat ze zich ongelukkig voelen, iets ergs meemaken. Het betekent lang niet altijd dat ze zichzelf iets aan zouden willen doen, of dat ze dood zouden willen of voorgoed van de wereld zouden willen verdwijnen.

Spelen met de gedachte aan zelfdoding is meestal zoiets als spelen met het idee hoe (gemakkelijk) het zou zijn als je alles hier en nu even niet mee hoefde te maken, hoe de wereld eruit zou zien als je er niet meer bij bent, hoe anderen zich dan zouden voelen. Zulke gedachten komen daarom meestal in je op als dingen niet zo goed gaan, als alles je tegenzit, je iets ergs of teleurstellends is overkomen. Sommige mensen schrikken van zichzelf als ze merken dat ze aan 'zoiets bizars' als zelfdoding denken. Maar eigenlijk is er niets geks aan als je weg wilt van een pijnlijke plaats of een pijnlijk gevoel, en daarbij aan verschillende manieren waarop je weg kunt gaan – waaronder zelfdoding – denkt. Net zo goed als er niks geks is aan de gedachte een bank te beroven als je om geld verlegen zit. Tussen de gedachte aan zoiets vergaands en de werkelijke daad gaapt voor de meesten van ons zo'n grote kloof, dat we er gelukkig meestal nooit toe komen. Zo is het ook met de gedachte aan zelfdoding.

Het wordt pas oppassen als de gedachte aan zelfdoding of suïcide heel regelmatig terugkomt, als we erop voortborduren, als we gaan nadenken over hoe, waar en wanneer we het eventueel zouden doen en ons in dat proces steeds meer voor anderen gaan afsluiten. Hoe vaker we dat gaan doen, hoe meer die gedachte bezit van ons kan nemen en de kans krijgt onze belevingswereld te gaan beheersen. Daarom gaan ernstige depressie en ernstige suïcidegedachten vaak samen. Want depressie is een toestand waarin je niet of nauwelijks openstaat voor wat de wereld jou te bieden heeft. Iemand die depressief is, is in zichzelf gekeerd, heeft weinig of geen binding meer met iets of iemand anders, heeft geen zin meer en ziet dus ook geen zin meer in iets anders, ziet geen alternatieven meer. Zo kan het idee ontstaan dat het enige 'zinnige' dat je kunt doen is, er een eind aan te maken. Hoe meer je daarvan overtuigd raakt en hoe meer je de wereld gaat bezien door de ogen van iemand die dadelijk toch weggaat, hoe minder zin allerlei dingen (je werk, je opleiding, afspraken om iets met anderen te gaan doen, bijvoorbeeld vakantie vieren) krijgen. Je bent op de terugtocht en al doende wordt de afstand tussen jou en de wereld almaar groter.

Soms kan het gevoel dat steeds meer verbindingsdraden afknappen zo beangstigend worden, en de behoefte om toch iets met anderen te hebben en te houden zo groot worden dat je in een toestand van wanhopige paniek terechtkomt. De neiging om dan iets in te nemen – zoals een overdosis pillen – om zo een soort noodsignaal 'help me, ik wil dood' uit te zenden, kan haast onbeheersbaar groot worden. Maar alsjeblieft, probeer voor je dat doet eerst nog een ander, duidelijker noodsignaal uit te zenden. Vertel iemand die je vertrouwt precies dit: 'Help me, ik wil dood.'

Ik zelf heb ooit, toen ik zestien was en het een tijd absoluut niet meer zag zitten, op een school een ruit ingeslagen. Dat gaf zo'n consternatie, dat ik vervolgens met iemand in gesprek kwam die me ertoe kreeg mijn hart uit te storten. Ik zeg niet dat je dus maar overal ruiten moet gaan intikken; ik zeg wel dat er andere, constructievere signalen uit te zenden zijn dan een suïcide-poging.

Je bent niet gek als je aan zelfdoding denkt; je bent niet gek als je anderen laat weten dat je niet meer voor jezelf kunt instaan. Je bent juist letterlijk stom (want stom zijn betekent: niets zeggen) en figuurlijk stom als je anderen niets laat weten. Je hebt gelijk als je zegt dat jij niet om dit leven gevraagd hebt. Maar bedenk dat anderen, inclusief je ouders, je partner, je kinderen, ook niet om hun leven gevraagd hebben. Toch ben jij wel mooi (een stuk van) hun leven, en wat jij doet, beïnvloedt dus hun leven. Bij zelfdoding gebeurt dat op een manier waar zij niet alleen niet om gevraagd hebben, maar waarmee ze ook niets aankunnen. Want wat ze ook nog met of voor je zouden willen doen, het is dan te laat.

Het is terecht als je zegt dat het onzinnig is om uitsluitend vanwege anderen, enkel omdat zij dat willen, in leven te blijven. Maar het is ook onzinnig als je anderen geen mogelijkheid zou geven om jou redenen aan te reiken waardoor jij op een voor jou zinnige manier zou kunnen voortleven. En dat kan natuurlijk alleen maar als je hun duidelijk laat merken wat je van plan bent.

Er zijn mensen die denken dat als ze tijdens hun leven niets goed kunnen ze in elk geval door het einde ervan nog een daad kunnen stellen. Zo van: 'Eind goed, al goed.' Voor hun gevoel is het enige zinnige dat hen nog rest er op een goede, zorgvuldige manier een einde aan te maken. Het wordt dan in zekere zin dé heroïsche daad van hun leven. Maar meestal is er niks goeds of heroïsch aan zelfdoding. Ook aan de zelfdoding van Herman

Brood bijvoorbeeld was niets heroïsch of majestueus zoals sommige 'domme' journalisten schreven. Laat ik dat eerst maar eens uitleggen. (Opgepast: dat wil helemaal niet zeggen dat zelfdoding dus laf is of dat er geen voorbeelden zijn waarin het wel degelijk iets heroïsch is.)

7 Herman Brood of hoezo een majestueuze dood?

In 1970 publiceerde ik samen met een collega een vragenlijst voor de beoordeling van het risico op zelfdoding. De lijst bestaat uit 14 vragen. We stelden vast dat bij mensen die een score van 8 of hoger behalen op de vragenlijst en op acht van de vragen met het antwoord 'ja' scoren het risico op zelfdoding sterk verhoogd is.[1] In 1976 werd de voorspellende waarde van die vragenlijst in een onafhankelijk onderzoek door een groep Britse psychiaters bevestigd. Ik heb Herman Brood op de vragenlijst gescoord. Zijn score komt uit op ten minste 9 en mogelijk 10. Hij valt (viel) daarmee in de groep van mensen met een zeer hoog zelfdodingsrisico. Kortom, psychologisch gezien was er niets onverwachts, uitzonderlijk of bijzonder aan Broods zelfdoding. En in elk geval niets 'majestueus' (zoals *de Volkskrant* schreef op 16 juli 2001). Integendeel, Herman moet al langere tijd een ongelukkig en eenzaam man zijn geweest, die duidelijk besefte dat hij de controle over zijn gevoelsleven en lichamelijk welbevinden was kwijtgeraakt. En die ook de verantwoordelijkheden die hij in de loop van de tijd op zich had genomen, zoals kinderen, niet meer aan kon. De manier waarop hij uit het leven is vertrokken, onderstreept dat. Zijn zelfdoding was een vlucht naar voren, of eigenlijk naar beneden. En zoals de meeste mensen die vluchten, heeft hij niet goed afscheid genomen van degenen die daar relationeel gezien enige aanspraak op konden maken. Zijn kinderen, zijn ex-vrouw, bepaalde vrienden. Ook in dat opzicht was zijn zelfdoding allerminst majestueus, en vooral verdrietig. Helaas is maar heel weinigen onder ons het vermogen gegeven om naar

---

1. Loo, K.J.M. van de, en R.F.W. Diekstra, *Construction of a Questionnaire for the Prediction of Subsequent Suicidal Attempts.* In: Nederlands Tijdschrift voor Psychologie, 25, 2, 95-100 (1970).

anderen toe te gaan, hun te vertellen dat we besloten hebben voorgoed weg te gaan, dat besluit uit te leggen, het verdriet en de boosheid daarover aan te horen en te respecteren en na openlijk en waardig afscheid genomen te hebben, de laatste deur achter ons dicht te trekken.

Een van die weinige mensen is naar verluidt Socrates geweest. Althans als we mogen afgaan op zijn biograaf Plato.[1] Socrates was door een Atheense rechtbank veroordeeld op aanklacht van ondermijning van de jeugd en het niet vereren van de staatsgoden. De straf die hem uiteindelijk werd opgelegd was dood door het drinken van een beker gif. Zijn vrienden uit binnen- en buitenland hebben in de weken volgend op zijn veroordeling talloze malen aangeboden hem vrij te kopen of te helpen ontsnappen om ergens buiten Athene zijn laatste levensjaren te slijten. Ze hebben zelfs op allerlei manieren geprobeerd hem onder druk te zetten en er zo toe te bewegen het leven te kiezen in plaats van van dood.

Zijn beste vriend en leeftijdgenoot, de steenrijke Crito, zegt bijvoorbeeld twee dagen voor Socrates' dood tijdens een gesprek in diens gevangeniscel: 'Ik geloof niet [...] dat het te rechtvaardigen is, Socrates, wat je nu aan het doen bent, jezelf opgeven terwijl je leven gered had kunnen worden. [...] Bovendien laat je naar mijn idee ook je eigen zoons in de steek. Terwijl je de kans hebt hen groot te brengen en op te voeden, vertrek je en laat je hen achter en wat jou betreft moeten ze maar zien wat er met hen gebeurt. [...] Nee, je moet ofwel geen kinderen maken of alle lasten om hen groot te brengen en op te voeden tot het einde toe te helpen dragen. Ik geloof dat jij de weg van de minste weerstand kiest [...].'

Het is nogal wat om in het voorportaal van de zelfgekozen dood zoiets van vriend tot vriend te zeggen. En toch. Het zijn precies de dingen die in een waardig afscheidsproces gezegd moeten kunnen worden. Want degene die op weg naar zijn zelfgekozen dood deze confrontaties niet uit de weg gaat maar aangaat en

1. Ik gebruik hier de vertaling van Gerard Koolschijn, getiteld *Plato, schrijver*.

desondanks toch weggaat, diens dood is geen vlucht maar een overtuiging. Geen nood maar deugd. Toen ik me naar aanleiding van Herman Broods zelfdoding opnieuw verdiepte in het relaas van Plato over de laatste uren van Socrates, werd ik met name getroffen door een passage die een manier van voorbereiding op de dood beschrijft, waarvan ik echt gewenst zou hebben dat Herman dat had gekund.

Socrates wilde schoon, ook lichamelijk schoon, de dood ingaan en waste zich daarom kort tevoren. Daarover schrijft Plato vervolgens: 'Toen hij zich gewassen had, werden zijn kinderen bij hem gebracht – hij had twee kleine zoons en een grote – en kwamen de vrouwen van zijn familie, je kent ze wel. Nadat hij in het bijzijn van Crito met hen had gesproken en enkele wensen had geuit, liet hij de vrouwen en kinderen weggaan.'

Waarom zijn er zo weinig mensen als Socrates? Waarom heeft Socrates' voorbeeld, nota bene zo'n tweeënhalf duizend jaar oud, nog altijd zo weinig navolging? Waarom is zelfdoding nog zo ontzettend vaak een noodgreep? Haastig en slordig uitgevoerd, met onnodig veel ellende voor de betrokkene maar ook voor degenen die achterblijven? Is het omdat veel zelfdodingen een vorm van noodweer zijn door mensen met psychische problemen, en vooral depressies? Ik geloof er niets van. Het is veeleer omdat wij, de mensheid, grote moeite blijven houden om de suïcidant serieus te nemen.

Neem Herman Brood. Hij had met vrienden gesproken over de gedachte om van het Okura-hotel in Amsterdam te springen. Een van hen had naar verluidt daarop voorgesteld dat Herman het Hilton zou nemen. Ik geloof met als argument dat dat dichter bij huis was en hij het eventueel zelfs nog zou kunnen zien tijdens zijn sprong. Als het verhaal waar is, is het een schrijnend voorbeeld van hoe belachelijk wij zelfdoding op de keper beschouwd vinden. Zelfs of misschien juist zelfdoding van vrienden. Wie iemands keuze voor de dood echt serieus neemt, neemt ook iemands keuze tegen het leven serieus. Zeker een vriend, zoals Crito was voor Socrates, wil dan spreken over wat de dood tot iets goeds, het leven tot iets slechts, ondraaglijks, heeft gemaakt. En zoals een vriend betaamt die hecht aan het voortbestaan van de vriendschap, zal hij zich opwerpen als verdediger van het leven, overigens zonder de dood aan te vallen. Maar hij zal zeker niet allerlei variaties van doodgaan aanprijzen zoals een banketbakker soorten gebak.

Een vriend zal alles uit de kast halen dat kan helpen om de keuze alsnog richting leven om te buigen. En als hij desondanks moet buigen voor de onmogelijkheid dat te realiseren, zal hij zijn verlies aanvaarden en tot op het allerlaatst mogelijke moment de vriendschap blijven onderhouden door te helpen van de dood een deugd (letterlijk 'iets goeds') te maken.

Het is veelzeggend dat de uitdrukking 'een deugdelijke dood' in onze taal en denken niet eens bestaat. In een onderzoek naar de dodelijkheid van verschillende methoden van zelfdoding toonde de Amerikaans onderzoekster Josefina Card[1] aan, dat zelfs bij de meest 'zekere' methoden toch vaak wat misgaat. Zelfs bij het gebruik van vuurwapens volgt bij ongeveer 1 op de 10 gevallen de dood niet en blijft de betrokkene niet zelden ernstig gewond en gehandicapt in leven. Bij methodes als ophanging en springen van een hoogte of voor een auto of trein zijn die percentages nog vele malen hoger. Zelfdoding door middel van een sprong van het Hilton of Okura en zonder op een goede manier afscheid genomen te hebben van dierbaren en misschien zelfs zonder echt serieus genomen te zijn in het voornemen met het leven te stoppen, is geen 'deugdelijke dood'. Want wat als Herman zijn sprong in puin had overleefd? Het is niet omdat hij dood is, maar om de manier waarop waarom ik treur om Herman Brood. Voor de zoveelste keer hebben mensen gefaald om op een goede manier uit elkaar te gaan. En ook deze keer ligt dat zeker zozeer aan de blijvers als aan de vertrekker.

1. Zie voor een uitvoerige bespreking van dit onderzoek en ook voor een denkwijzer bij zelfdoding: Diekstra, R.F.W., en G. McEnery, *Je verdriet voorbij*, Rijswijk, 2001 (Uitgeverij Elmar).

Maar wat is dan een deugdelijke zelfdood? Voor mij is het de dood die volgde op de laatste woorden die Socrates tegen zijn rechters sprak: 'Maar nu is het tijd dat wij vertrekken, ik om te sterven, u om te leven. Wie van ons een beter lot wacht, is niemand duidelijk behalve God.'

8 Zelfdoding als mislukking

Zelfdoding is meestal (niet altijd overigens!) een gevolg van een mislukking. Wat mislukt is, is het opbouwen van geloof in jezelf, van zinvolle relaties en het verzamelen van zinvolle ervaringen met andere mensen. Met mensen die vaak wel zouden willen en zouden kunnen 'geven, geloven en liefhebben', maar die meestal falen uit zichzelf aan te voelen hoe anderen er emotioneel aan toe zijn. De meeste mensen uit de omgeving van iemand die speelt met suïcidegedachten zijn niet slecht of kwaadaardig. Ze zijn vaak zo ontzettend druk met zichzelf (hun werk, hun sport, hun elektronische speelgoedjes, hun uiterlijk, hun boodschappen, hun eigen problemen), dat er nauwelijks tijd en energie overblijft om zich ook nog emotioneel in anderen te verplaatsen. Ze worden zich meestal pas van de emotionele verwaarlozing van hun medemens bewust als er iets mis dreigt te gaan. Maar dan nog duurt het vaak een hele tijd voordat ze 'de goede connectie maken' en in een crisis kun je, mag je daar soms niet op wachten. Daarom is het vaak zo belangrijk zo snel mogelijk goede hulp te vinden.

Hoe dringend hulp te krijgen?

Als je je echt heel beroerd voelt of speelt met de gedachte om aan je leven een einde te maken, ben je mogelijk niet in de stemming om een heel boek te lezen. Lees dit hoofdstuk, sla daarna de inhoudsopgave op en lees die onderwerpen die op jou van toepassing zijn. Neem dan iemand in vertrouwen. Zeg niet dat er niemand is, want in werkelijkheid is er altijd wel iemand, als jij maar de stap durft te nemen. Praat over wat je bezighoudt. Dat is belangrijk, zelfs als je bij verschillende mensen moet aankloppen vóórdat je de reactie krijgt die je zoekt. Probeer eerst je partner, een vriend(in) – of een ouder, desnoods van een ander –

zelfs als je ervan overtuigd bent dat ze het niet begrijpen. Ga dan naar iemand met wie je in vertrouwen kunt praten, zoals een dokter, een leraar, mentor, geestelijke, of bel de telefonische hulpdienst of een crisiscentrum. Zij zullen beslist reageren.

Begin gewoon met te zeggen: 'Help me, ik voel me echt ontzettend rot.' Het is een eerste stap om eruit te komen: iemand vinden die weet hoe te reageren op een manier die jou aanspreekt. Overigens, het doet er niet toe of je deze raad al eens eerder hebt opgevolgd en het toen niets hielp. Deze keer zou het wel kunnen helpen. En bovendien, de tijd is op je hand. Met de tijd zou je over een heleboel dingen van gedachten kunnen veranderen.

Vooral als je die tijd gebruikt om iemand te ontmoeten die bereid is je bij de hand te nemen en je te laten zien dat wat jou bedreigt niet alleen van buiten, maar (vaak) ook van binnen komt. Vaak huilen we om of vluchten we voor de dingen die ons door onze eigen gedachten gesuggereerd worden. Misschien begrijp je beter wat ik daarmee wil zeggen na het lezen van het volgende verhaal.

De haas en de oude man[1]
Op een dag lag er onder een mangoboom een haas te slapen. Opeens schrok het dier wakker van een hard geluid. Het dacht dat dit het einde van de wereld betekende en begon te rennen. Toen de andere hazen hem zo zagen hollen, vroegen ze: 'Waarom ren je toch zo hard?'

De haas antwoordde: 'Omdat de wereld vergaat.'

Toen de andere hazen dat hoorden, werden ze, angstige dieren als ze zijn, ook bang en begonnen ook te rennen.

De herten zagen de hazen voorbijrennen en vroegen: 'Waarom lopen jullie toch zo hard?'

De hazen antwoordden: 'Omdat de wereld vergaat.'

'Verrek,' zeiden de herten, 'vergaat de wereld?' En ze werden zelf zo bang, dat ze zich op den duur bij de vluchtende groep aansloten.

1. Uit: Fromm, E., *Psychoanalyse en religie*, Utrecht, 1976 (Uitgeverij Bijleveld).

En zo voegde zich op den duur de ene diersoort na de andere bij de al vluchtende meute, totdat het hele koninkrijk der dieren in een panische vlucht was verwikkeld, die tot een zekere vernietiging zou hebben geleid, want dieren kunnen niet buiten het woud leven. Ware het niet dat...

Ware het niet dat bij de uitgang van het bos een oude, wijze man stond. Hij zag tot zijn verbazing de dieren in paniek voorbijhollen. Omdat hij maar al te goed begreep welke ramp zich op het punt stond te voltrekken, greep hij een van de reeën bij zijn korte staart en vroeg: 'Waarom rennen jullie zo hard?'

Het dier antwoordde: 'Omdat de wereld vergaat.'

'Wat!' zei de oude man. 'Dat kan niet waar zijn, want de wereld loopt nog niet op zijn einde. Ik zal dus moeten uitzoeken waarom jullie dit denken. Maar wie heeft je dat gezegd dan?'

'Dat hebben de hazen gezegd,' antwoordde de ree.

Daarop verzamelde de oude man zijn krachten, zette het zelf op een rennen, greep een van de hazen bij zijn oren en vroeg: 'Wie heeft jullie gezegd dat de wereld verging?'

'Die eerste daar,' antwoordde de haas.

Opnieuw verzamelde de oude man zijn krachten, zette het op een rennen, greep de eerste haas bij zijn oren, hield hem voor zich en vroeg: 'Waar was je en wat deed je, toen je dacht dat de wereld zou vergaan?'

De haas antwoordde: 'Ik lag onder een mangoboom te slapen.'

Toen zei de oude man: 'Dan kan het ook zo gegaan zijn: terwijl je lag te slapen viel er een mango uit de boom; door het geluid schrok je wakker, je dacht dat de wereld verging, werd bang en begon dus te rennen. Laten we de anderen vragen hier te wachten en teruggaan in het woud om te kijken wat het meest waar is.'

Terwijl de overige dieren wachtten, gingen de haas en oude man terug het woud in. Na enige tijd vonden ze de boom met daaronder een kuiltje waaraan je kon zien dat een haas daar geslapen had. Op de rand van de kuil lag een mango.

En zo redde de oude man het rijk van de dieren.

Het leven is om te piekeren

Het verhaal van de haas en de oude man moet je niet opvatten als: 'Het is je eigen schuld als je bang of depressief bent.' Of als: 'De oorzaak van je eigen ongeluk ben je zelf.' Vat het op als een illustratie van het belang van een *second opinion*, van de noodzaak met ogen van anderen te kijken naar je situatie en zo te zien of er nog andere reacties of alternatieve oplossingen zijn. Dan ontdek je niet zelden dat jouw keuze van een voorbarig pessimisme getuigt.

Het kan overigens ook heel goed zijn dat jouw visie reëler is dan de optimistische visie van de mensen om je heen. Het gebeurt nog wel eens dat anderen je een wereld voorhouden die rooskleuriger is dan de werkelijkheid.

Veel ouders zeggen tegen hun kinderen: 'Het maakt me niet veel uit wat je met je leven doet, zolang je je maar gelukkig voelt.' Natuurlijk, we zijn er niet altijd zeker van of ze dat ook echt zo bedoelen, maar zeggen doen ze het vaak. Onze vrienden, kennissen en collega's groeten ons vaak met de woorden: 'En, hoe gaat het? Alles goed?' Wat word je dan anders verondersteld te zeggen dan: 'Ja hoor, en met jou ook?'

Advertenties proberen ons ervan te overtuigen dat producten ons gelukkig zullen maken en van de top-40 krijgen we te horen dat *Life is life* en *Don't worry be happy*.

Maar in de kern van de zaak steekt het leven zo helemaal niet in elkaar. Het leven is soms geen leven. Het zit vol tegenslagen, teleurstellingen: overlijden of vertrek van mensen van wie je houdt, ernstige ziekte, langdurige perioden van slecht weer, ontrouw, verraad, gevoelens van waardeloosheid en wanhoop, tijden waarin je alleen nog maar verdwaasd kunt uitroepen: 'Waarom ík?' en je rondwentelt in een poel van zelfmedelijden. Maar de meeste mensen vinden manieren om met dit soort deprimerende ervaringen om te gaan en overtuigen zichzelf ervan dat er betere tijden zullen aanbreken, zelfs als dat er op het moment van de crisis absoluut niet naar uitziet.

Laten we nog eens even de verschillen tussen normale gedeprimeerdheid en depressie op een rijtje zetten.

Normale gedeprimeerdheid, al dan niet overgaande in een kortdurende depressie, is het gevolg van een ontwrichtende gebeurtenis, van iets dat verkeerd is gegaan. Soms blijkt dat wat 'verkeerd' ging alleen jouw visie op een gebeurtenis was, van hoe jij
ertegen aankeek. Bijvoorbeeld, jij had de indruk dat je vriend(in)
je bedroog of je achter je rug om afviel en vervolgens ontdekte je
dat dat niet zo was. Zoals Sol Gordon zegt: 'Normale depressies
duren niet heel lang. Rouw na de dood van iemand van wie je
hield kan een eeuwigheid lijken te duren, maar als het goed is,
accepteer je dat je vrienden of ouders of kinderen je bijstaan en
troosten. Ook al voel je je in het algemeen slecht, je reageert op
den duur op positieve aandacht en steun.'

Depressiestickers

Als je aan een depressie lijdt, draag je in je hoofd als het ware een
soort drukpers mee, die steeds dezelfde boodschap op een sticker
afdrukt. Die boodschap luidt ongeveer als volgt: 'Het heeft toch
allemaal geen zin.' 'Ik heb al zoveel geprobeerd en het haalt niks
uit.' 'Ze zijn beter af zonder mij dan met mij.' 'Die man heeft
gemakkelijk praten, maar hij moest eens voelen wat ik voel.'
Wat anderen ook aandragen aan voorstellen of adviezen, je hebt
de neiging om er steeds zo'n zwarte sticker op te plakken.

Als je dit leest, denk je misschien ook wel: makkelijk gezegd, maar
wat moet ik dan, het heeft toch ook allemaal geen zin meer? Let op!
Dan heb je dus ook zo'n sticker op deze bladzijde of op dit boek
geplakt. En misschien concludeer je nu wel meteen: 'Dus het is
nog allemaal mijn eigen schuld ook dat ik er zo aan toe ben'.
Dan plak je dus ook nog eens zo'n sticker op mijn voorlaatste zin.
Misschien heb je het gevoel dat je op dit moment niet anders
kunt, dat je hoofd niet anders kan dan zulke 'zelfsaboterende'
boodschappen afgeven. Dat zou best nog eens waar kunnen zijn

ook. Vraag daarom iemand anders om zand tussen de raderen van die drukpers te gooien. Iedereen die levensmoe is en suïcidegedachten heeft, heeft op de een of andere manier deskundige hulp nodig en soms ook medicijnen. Maar psychologen, psychiaters of andere deskundigen kunnen een depressieve persoon vaak niet voldoende helpen zonder de hulp van vrienden of familie. Vandaar dat ik het nu vooral wil hebben over wat zij kunnen doen.

Wat te doen als iemand om wie je geeft suïcideneigingen heeft?

Wat te doen als iemand die je kent, zegt er een einde aan te willen maken? Mogelijk is het iemand op wie je gesteld bent en die jou in vertrouwen heeft genomen.
Om Sol Gordons adviezen te volgen: 'Besef allereerst dat je niet zomaar alleen op je eigen oordeel af kunt gaan om te bepalen of het serieus is of niet. Het is gevaarlijk om je reactie te baseren op gedachten als:
– Hij is er het type niet voor.
– Ze doet het alleen maar om aandacht te krijgen.
– Ik kan niet geloven dat hij zoiets serieus meent.
– Mensen die erover praten doen het niet.
– Als ze het echt wil, kan ik er toch niks aan doen.

Doe het anders. Ga niet zitten argumenteren of proberen te bewijzen dat wat hij of zij doet of denkt onzin is, irreëel is, of dat 'je zoiets gewoonweg niet kunt maken'.
In plaats daarvan: nodig uit en luister, ook al ben je bang voor wat je te horen zult krijgen. Nodig de persoon in kwestie uit gevoelens en problemen met je door te praten. Probeer vooral goed te luisteren en laat merken dat je bereid bent hem of haar te willen begrijpen:
– Zou je me willen vertellen wat er aan de hand is?
– Misschien helpt het en lucht het op als je me vertelt hoe je je voelt.

– Hoe lang voel je je al zo rot?

Soms lukt het niet een-twee-drie het gesprek op gang te brengen. Blijf uitnodigen:
– Het valt me op dat je er de laatste tijd erg ongelukkig uitziet.
– Als ik je zo zie zitten, krijg ik de indruk dat je de problemen niet meer aankunt.
– Het ziet ernaar uit dat je het de laatste tijd erg moeilijk hebt gehad.
– Wat zit je dwars?
– Het lijkt erop of je de laatste tijd jezelf niet meer bent.
– Ook als je problemen iets met mij te maken hebben, zal ik proberen te luisteren zonder je in de rede te vallen.

Ook als je merkt dat de ander eigenlijk niet wil praten, blijf je dan toch open opstellen. Vraag uitdrukkelijk of hij of zij eraan denkt zichzelf iets aan te doen:
– Gaat het zo slecht met je dat je voelt dat je het niet langer aankunt?
– Heb je er wel eens aan gedacht om er een eind aan te maken?

Als het antwoord op de laatste vraag 'ja' is, wees dan niet bang om uitvoerig over eventuele suïcideplannen te spreken. Openlijk daarover praten lokt zelfdoding echt niet uit. Over zelfdodingsideeën praten, ze aan een ander toevertrouwen, kan opluchten. Vraag dus 'rustig' wat de precieze plannen zijn. Hoe preciezer het plan, hoe groter het risico dat het ook inderdaad wordt uitgevoerd.

Signalen
Vaak geven mensen die een suïcidepoging doen vóór die poging expliciet aan hoe hopeloos en hulpeloos zij zich voelen. Maar ook als ze vooraf niets aangeven, kun je aan hun gedrag vaak merken dat de dood als enige uitweg wordt gezien of dat suïcideplannen bestaan. Bij sommige mensen ontwikkelt het plan zich

heel geleidelijk. Bij anderen, vooral bij impulsieve jongeren of mensen die heel veel alcohol of drugs gebruiken, wordt de beslissing tot zelfdoding vaak heel plotseling genomen. Je kunt dikwijls door goed te reageren op het gedrag van een vriend(in) een suïcidepoging helpen voorkomen.

Welke uitingen kunnen belangrijk zijn?
Op de eerste plaats uitlatingen die direct wijzen op doodswensen of suïcidegedachten:
— Ik wou dat ik dood was.
— Alles loopt toch altijd verkeerd, dus wat heb ik hier nog te zoeken?
— Ik kan er niet meer tegen op.
— Over mij hoef je je binnenkort geen zorgen meer te maken.
— Ik zou willen slapen en slapen, en nooit meer wakker worden.
— Soms denk ik dat ik er maar beter een einde aan kan maken.
— Als ik dood ben, dan zouden ze (jullie) pas spijt krijgen over hoe ze (jullie) mij behandeld hebben...

Welke gedragingen kunnen belangrijk zijn?
— Een sombere, depressieve, droeve stemming.
— De neiging zich uit contacten terug te trekken.
— De neiging de dingen die hij of zij vroeger graag deed niet meer leuk te vinden.
— Stiller dan vroeger te zijn, en onwillig om ergens over te praten.
— Weggeven van persoonlijke spullen, waaraan hij of zij gehecht was.
— De neiging zich op een bepaald moment heel agressief, vijandig en onredelijk te gedragen of zelfs met anderen op de vuist te gaan.
— De neiging verward, onlogisch of onredelijk te praten.
— De neiging lichaam en kleding te verwaarlozen.
— Snel afvallen of aankomen.
— De neiging weg te lopen.

- Vaak betrokken zijn bij ongelukjes en de neiging onverantwoorde risico's te nemen.
- Alcohol- en drugsmisbruik.

Op school of op het werk doen zich vaak tegelijkertijd veranderingen voor:
- Verslechtering van prestaties.
- Vaker afwezig zijn.
- Slechte concentratie, slecht (huis)werk, zitten slapen of suffen.
- Agressiever en vervelender gedrag tegenover medestudenten of collega's.
- Het schrijven van een opstel over de dood of zelfdoding, of de fascinatie voor boeken, films of songs over de dood of zelfdoding.

Bij iedere persoon met suïcidegedachten zal op een bepaald moment wel iets van bovenstaand gedrag voorkomen. Er is pas reden tot ongerustheid als er meer symptomen tegelijkertijd zijn, als die langer gaan duren en als de symptomen invloed krijgen op het hele leven. Meestal zijn er dan ook duidelijk aanwijsbare problemen in het leven van die ander. Wees hierop attent en neem mogelijke signalen serieus.

Hoe te reageren?
Naast praten over achterliggende problemen is het ook belangrijk, zoals gezegd, om naar concrete suïcideplannen te vragen. Stel vragen als:
- Hoe denk je het te doen?
- Wanneer ben je van plan het te doen?
- Waar wil je het doen?
- Heb je de middelen om het te doen (pillen of andere middelen)?
- Heb je zoiets eerder gedaan? (Een eerdere poging is een belangrijke aanwijzing voor een nieuwe poging.)

Blijf tijdens het gesprek de persoon aandacht geven en blijf geconcentreerd. Maak duidelijk dat je voor de problemen een oplossing wil helpen vinden. Het kan de ander geruststellen dat je over het gevoel van hopeloosheid/hulpeloosheid wilt praten en mee wilt zoeken naar deskundige hulp.

Als je merkt dat de ander er erg slecht aan toe is, laat hem of haar dan niet alleen. Soms kom je in de positie te verkeren dat je direct hulp moet zien te krijgen voor iemand die suïcidaal is en die weigert hulp te zoeken. Als dat zo is, haal dan zelf hulp. Wees niet bang dat je dan niet loyaal bent. Veel mensen die suïcidaal zijn, hebben de hoop (in elk geval tijdelijk) opgegeven. Ze geloven niet meer dat ze geholpen kunnen worden. Ze hebben het gevoel dat hulp toch niks uithaalt. De waarheid is dat ze meestal wél geholpen kunnen worden. De meesten van ons die vandaag suïcidegedachten hebben, vinden morgen, overmorgen, op een dag... weer mogelijkheden om hun leven zinvol in te kleuren.

Maar op het moment dat ze zich absoluut hopeloos voelen, is hun beoordelingsvermogen gebrekkig. Op zo'n moment is het aan jou om jouw beoordelingsvermogen te gebruiken om te zien dat ze de hulp krijgen die ze nodig hebben. Wat nu een gebrek aan loyaliteit of een schending van vertrouwen kan lijken, zou uiteindelijk wel eens het geschenk van een leven kunnen blijken te zijn.

Soms moet je eenvoudig de moed hebben even het commando van iemand over zijn eigen leven tijdelijk over te nemen. Niet door hem onmondig te verklaren, te dwingen iets te doen wat hij absoluut niet wil of hem daarheen te slepen waarheen hij niet wil gaan, maar door die alternatieven om hem heen te zetten waar hij iets aan kan hebben. Door die deuren voor hem open te maken die hij zelf dicht zou houden of waarvan hij niet eens (meer) wist dat ze open konden.

Besef dat veel mensen met suïcideneigingen in een slechte lichamelijke toestand verkeren, onder andere door de spanningen en het slechte slapen van de laatste tijd, en vaak ook te moe en te uitgeput zijn om nog iets te willen.

Maar opgepast: soms is iemand tijdenlang depressief en levensmoe geweest en dan op een dag lijkt er opeens rust over hem of
haar neer te dalen. Die verbetering kan heel bedrieglijk zijn. De
kalmte kan betekenen dat het definitieve besluit tot zelfdoding is
gevallen, waardoor er innerlijke rust ontstaat: straks is alles voorbij. De buitenste van de drie depressiecirkels is dan doorbroken,
en de negatieve gevoelens en gedachten uit de kern gaan zich in
gedrag omzetten. Leg in zo'n geval je ongerustheid zonder om-
wegen aan de ander uit. Vraag hem gewoon of hij inderdaad
tot zijn dood beslist heeft. En vraag om uitstel. Als het niet voor
hem is, dan in elk geval voor jezelf.

Zoals Sol Gordon met grote stelligheid aangeeft: 'Het is cruciaal
te beseffen dat het voornemen er een eind aan te maken meestal
tijdelijk is. Met de tijd kan het verdwijnen.'

Als je erin slaagt de ander naar je te laten luisteren, dan geeft hij
jou tijd, en vaak de tijd, die je nodig hebt om iets op gang te kunnen brengen. Maar voor de meeste (wanhopige) mensen geldt
dat ze pas zelf kunnen luisteren als er eerst naar hen geluisterd is.

Wat je niet (en wel) moet doen
– Onderschat de heftigheid van de gevoelens van de ander niet.
  Probeer hem (of haar) die gevoelens ook niet uit het hoofd te
  praten.
– Probeer geen oordeel te geven. Praat de ander ook geen
  schuldgevoel aan. Het enige dat je daarmee bereikt, is dat die
  zich nog wanhopiger gaat voelen. Dat maakt de situatie alleen
  maar erger. Depressieve mensen vinden het al moeilijk genoeg
  om een ander te vertrouwen. Ook als die ander hen probeert
  te begrijpen.
– Wees eerlijk. Beloof nooit dat je er met niemand over zult praten. Zeg wel dat je vertrouwelijk met de jou toevertrouwde
  informatie om zult gaan.
– Laat de ander niet alleen zolang goede hulp niet is geregeld.

Vaak is er iets gebeurd dat de crisis heeft uitgelokt: afwijzing in een liefdesrelatie, de dood van een dierbare, een dreigende scheiding, (dreigend) verlies van werk. Het doet er niet toe of jij vindt dat de reactie van de ander daarop overdreven is of dat de problemen gering zijn in vergelijking met de problemen die jij hebt. Het gaat er op zo'n moment om hoe degene die suïcide wil plegen zich voelt.

Van alle aanleidingen tot zelfdoding is emotionele verlating – het verlies van een liefdesrelatie of het gevoel in de steek gelaten te worden door anderen op wie je had gerekend – de meest voorkomende. Reageer daarop door de pijn van de verlating te onderkennen en probeer eventueel pas daarna een andere manier van kijken, van denken over, aan te reiken. Een paar voorbeelden:

'Ik weet dat je het gevoel hebt dat je niet zonder haar (hem) kunt leven, maar jij weet ook dat mensen meer dan één keer verliefd kunnen worden, dat ze van verschillende mensen kunnen houden. Het is niet waar dat je eens en voor altijd op een enkele persoon verliefd wordt. Het is niet eerlijk een ander te dwingen van jou te houden. Dat lukt ook niet trouwens. Wat als iemand van wie jij niet meer houdt, zou proberen jou te dwingen van haar (hem) te blijven houden? Begrijp me niet verkeerd, ik weet dat het moeilijk is, en dat het terecht is dat je je nu rot voelt en teleurgesteld.'

Je kunt ook zeggen: 'Het zou goed zijn als je jezelf gewoon toestemming gaf om te huilen.' Of: 'Ik weet dat je ouders je niet precies begrijpen. Ze geven om je, maar op hun manier. Je mag je daar best boos of verdrietig om voelen. Dat wil heus niet zeggen dat je hen afvalt of verraadt. Het wil wel zeggen dat ze niet precies zulke mensen zijn als jij graag gehad had, en dat doet pijn.'

Ga alsjeblieft niet op de schuld- of religieuze toer, zo van: 'Door er een einde aan te maken scheep je iedereen, je ouders, je vriend (in) en mij op met een huizenhoog schuldgevoel.'

Hoofdzaak is dat je de ander aanmoedigt om te praten, zich te uiten, zich aan je toe te vertrouwen, naar je te luisteren. Maar

ga geen leugens zitten vertellen als: 'Zij (hij) houdt echt van je.'
Of: 'Iedereen mag je ontzettend graag.'
Probeer, ook als je over problemen praat, tegelijk nog andere
dingen samen te doen.
Blijf zo lang mogelijk bij de ander. Maak een duidelijke, definitieve afspraak voor de volgende keer. Zeg: 'Bel me wanneer je
wilt, al is het midden in de nacht.' Ga samen ergens iets eten of
een kop koffie drinken. Samen met iemand een maaltijd gebruiken kan een depressie helpen opklaren, ook al is het maar eventjes. Ga samen wandelen of zoiets. Ga niet steeds rokend en
drinkend onderuitzitten, want drank en stilzitten maken alleen
nog maar meer depressieve gevoelens los. Ga eventueel samen
joggen of sporten.
Lok de persoon in kwestie niet uit om de problemen weg te lachen. Bezoek niet samen feestjes of andere plaatsen waar mensen
alleen maar komen om plezier te maken. (De meeste depressieve
mensen worden daar alleen nog maar depressiever van.) Maar samen naar een film kijken en om bepaalde scenes lachen, kan wel
heel 'opklarend' werken.
Probeer niet met gemakkelijke of vlugge oplossingen te komen
of alle problemen in één keer uit de wereld te helpen.
Werk samen met de ander aan het probleem dat het zwaarst
drukt. Vraag dingen als: 'Is dit het ergste dat je ooit is overkomen?' (Dat kan namelijk best zo zijn.)
Laat hem of haar niet zonder commentaar de dood verheerlijken
(dat is ook een soort leugen): 'Luister, als je er een eind aan maakt,
is het over en uit. Alleen de achterblijvers zullen wat voelen.'
Bedenk en leg (soms) uit dat iemand die over suïcide denkt (dat
is dus helemaal niet ongewoon, ook niet op een heel serieuze manier), dikwijls het gevoel of de hoop heeft dat hij op het laatste
moment toch wordt gered. Maar soms gebeurt dat niet en sterft
hij toch. Of hij klunst met zijn poging en eindigt levend, maar
wel als invalide.
Durf het aan, als het contact tussen jullie zich goed ontwikkelt,
om ook uitdagende, prikkelende gedachten te berde te brengen.

Het is verbazingwekkend hoe veel opluchting een (kleine) verandering in de gebruikelijke manier van reageren al kan geven. Maar wat niet werkt is verwijt, wrok of vijandigheid. Laat hoe dan ook merken dat je om de ander geeft en dat je bezorgd bent. Iedereen heeft behoefte aan iemand die in hem gelooft. Reageer op de 'roep om wraak' (in veel pogingen zit agressie tegen anderen) met:

'Luister, er is maar één echt goede wraak, en dat is zo goed mogelijk leven.'

Durf het aan op een bepaald moment zoiets te zeggen als: 'Ik begrijp dat dit het ergste is dat je ooit is overkomen. Maar zou er ook iets goeds uit kunnen voortkomen? Kun je er iets uit leren dat je in de toekomst van pas zou kunnen komen? Zelfs tragische gebeurtenissen hebben ons iets te leren. Waarom zou je de demonen uit je verleden toestemming geven te bepalen wat je vandaag doet?'

Nog vier belangrijke overwegingen

1. Vraag: Wat doe je als jou in vertrouwen wordt verteld dat iemand om wie je geeft eraan denkt om zelfdoding te plegen? Praat je er met iemand anders over? Het juiste antwoord is: ja.

   Maar: moedig je suïcidale vriend(in) ook aan er zelf met iemand anders over te praten. Geef hem of haar dit boek te lezen. Probeer een manier te vinden om anderen van wie je weet dat ze op een goede manier betrokkenheid kunnen opbrengen, in te lichten.

2. Vergeet niet je suïcidale vriend(in) te vertellen dat niet iedere hulpverlener/therapeut voor iedereen goed is: als je een bepaalde hulpverlener niet mag of niet vertrouwt (zelfs al is het je huisarts), dan is het terecht om iemand anders op te zoeken. Er is niks met je mis als je de eerste de beste therapeut die beschikbaar is, niet mag. Het doet er niet toe hoe belangrijk of beroemd die persoon is.

3. Ondanks alles wat jij en anderen geprobeerd hebben, kan het toch gebeuren dat je de persoon in kwestie niet voor het leven hebt kunnen laten kiezen. Een zelfdoding betekent voor iedereen die achterblijft een geweldige emotionele opgave, die in ieder geval maanden maar vaker jaren in beslag neemt. Het is niet waar dat die opgave altijd groter is dan na een ander overlijden (ziekte, ongeval, moord), maar groot is hij in elk geval wel. Je zult, wil je van die klap herstellen, moeten rouwen en jezelf moeten toestaan dat te doen op een 'normale' manier. 'Normaal' wil in dit verband zeggen dat je even lang, heftig en openlijk mag en durft te rouwen als je bij een andere doodsoorzaak gedaan zou hebben. Iedereen die bij een suïcide betrokken is geweest, heeft daar recht op, of het nu je partner, kind, vader of moeder, of 'zomaar' een vriend(in) betrof.

Ik vind het daarom ongezond, zelfs discriminerend, om te stellen dat rouw na zelfdoding iets heel anders is dan na andere soorten overlijden. Ik vind het ook discriminerend om daarvoor aparte rouwgroepen, organisaties, of wat al niet meer, aan te wijzen. Voor sommige mensen is suïcide een 'natuurlijke' dood, of we dat nou leuk vinden of niet. Minstens zo natuurlijk is het dan dat de nabestaanden daar 'gewoon' om rouwen.

4. Als je niet anders dan tot de conclusie kunt komen dat zelfdoding het meest 'natuurlijke', en misschien zelfs wel het enige natuurlijke antwoord is op de situatie waarin iemand verkeert, dan krijg je letterlijk en figuurlijk een enorme verantwoordelijkheid op je toegeschoven. Want, wat moet dan je antwoord zijn?

Mijn antwoord is dat opgeven soms de meest liefdevolle manier van geven is. Maar als er iets moeilijk is om te geven in dit leven dan is het dat wel: opgeven. Want je laat iemand de ultieme vrijheid, de vrijheid om te gaan. Maar die ultieme vrijheid is tegelijk ook de ultieme eenzaamheid. Denk ik. Lees maar.

9 Hannelore Kohl: ultieme vrijheid en ultieme eenzaamheid

In de nacht van 4 juli 2001 stierf ze. Hannelore Kohl, vrouw van de vroegere bondskanselier van Duitsland Helmut Kohl, was 68 jaar, toen ze, alleen thuis, zich in haar slaapkamer terugtrok en op bed gezeten een dodelijke cocktail van tabletten innam. Op haar slaapkamerdeur had ze een gele post-it geplakt met daarop de mededeling dat ze niet gestoord wilde worden omdat ze wilde uitslapen. Haar dode lichaam werd gevonden door Hilde, de huishoudster van de familie. Zij vond ook een aantal afscheidsbrieven, die Hannelore in de uren voor haar dood had geschreven aan degenen die haar het meest nabij waren geweest, haar man, haar zonen, enkele vrienden en familieleden. Ik heb me proberen voor te stellen hoe het voor Helmut geweest moet zijn, toen hij hals over kop uit Berlijn naar huis gekomen, haar laatste woorden aan hem las: 'Ik heb altijd van je gehouden. Ik dank je voor alles wat je me geschonken hebt.' Er is pijn waarover je niet kunt spreken. Niet omdat woorden te kort schieten. Omdat woorden er geen plaats in hebben. Ik heb me ook proberen voor te stellen hoe het voor Hannelore geweest moet zijn toen ze op die woensdagavond aan haar schrijftafel gezeten zin voor zin voor altijd afscheid nam van alles dat en allen die haar dierbaar waren. In een verlaten huis waarin bovendien geen licht meer mocht branden. Haar lichtallergie had in de afgelopen anderhalf jaar zulke vormen aangenomen dat ze geen zonnestraal, geen lamplicht, zelfs geen televisiebeeld meer verdragen kon. Ze moest letterlijk in vrijwel volstrekte duisternis leven. De enige momenten waarop ze haar donkere kamer kon verlaten was in het holst van de nacht. Alleen dan kon ze naar buiten, de tuin in, de straat op, wandelen, buitenlucht ademen. Hannelore was een wees in de nacht geworden. Ze had moeten ervaren hoe het leven in de zon, in het licht, in de vrolijkheid was doorgegaan zonder haar. In april was haar jongste zoon Peter in Istanboel getrouwd met zijn Turkse bruid. Een feest dat dagen had geduurd en waarvoor tal van familieleden en vrienden waren overgevlogen. Ik zie voor me hoe ze ook toen in haar eentje in het diepst van de nacht over straat liep, haar gedachten in Istanboel, haar hart vol tranen. Ik zie ook voor me hoe zij op zulke momenten haar toekomst voor zich zag. Omdat haar artsen haar geen hoop meer te geven hadden: twintig, mogelijk dertig jaar veroordeeld tot leven in een donkere kamer. Hoeveel kan een mens verdragen? En toch, hoe snijdend moet de pijn zijn wanneer je daar zit aan je schrijftafel en met iedere zin die je schrijft de banden met het leven verder doorsnijdt? Hoe kies je je woorden wanneer je afscheid neemt van beminde anderen, die niet weten en zeker niet willen dat je gaat? Ieder woord doet dan op meerdere manieren pijn. De pijn van wat jij verliest. De pijn van wat de ander verliest. En vooral de pijn van het schuldgevoel dat je de ander, hoe nabij hij ook was, bij je meest beslissende besluit ooit het zwijgen oplegt. Je ontneemt hem zijn stem.

Het besef dat de keuze haar leven te beëindigen in laatste instantie een 'egocentrische' keuze was, omdat zij had besloten dat de pijn die ze ermee veroorzaakte voor de anderen niet opwoog tegen de pijn die ze ermee voor zichzelf beëindigde, moet als een loodzware hypotheek in die laatste uren op Hannelore hebben gedrukt. Haar afscheidsbrieven, voor zover de inhoud daarvan bekend is, weerspiegelen dat. Ze bevestigen wat goed was en nemen daarmee de gedachte aan een afscheid uit frictie of frustratie weg. Maar ze bevestigen ook de meest verschrikkelijke waarheid omtrent ons leven: liefde is niet genoeg. Onze liefde voor de ander en de liefde van de ander voor ons zijn tezamen niet altijd genoeg om ons bestaan voldoende dragelijk te maken. Het is dat inzicht, dat begrip, waarop mensen zoals Hannelore die op weg naar hun zelfdoding afscheidsbrieven schrijven, hopen bij degenen die ze achterlaten. En het is de reden dat de meeste afscheidsbrieven zo begripvol, redelijk, soms haast zakelijk, van toon zijn. Wie eenmaal weet, wie eenmaal ervaren heeft dat liefde niet genoeg is, doet geen pathetisch beroep meer op anderen. Ik denk daarom dat als er een groep mensen is, van wie wij werkelijk iets te leren hebben omtrent de ware aard van ons bestaan op deze planeet, het de mensen zijn die op een zorgvuldige wijze het besluit namen hun leven te beëindigen. Maar opvallend genoeg willen we niet naar hen luisteren. In plaats daarvan zetten we ze bij voorkeur weg als gestoord of zielig. Mijn leermeester en latere collega Nico Speijer schreef mij kort voor zijn zelfdoding een afscheidsbrief waarin hij onder meer vroeg om aan de buitenwereld uit te leggen wat zijn vrouw en hem bewogen had tot hun zelfgekozen dood. Zijn angst was dat er allerlei wilde of 'gestoorde' verklaringen de ronde zouden doen en dat, alhoewel hij daar zelf niet meer door geraakt zou kunnen worden, andere mensen met soortgelijke voornemens er emotionele schade van zouden kunnen ondervinden. Ik heb ondervonden dat de wereld niet geïnteresseerd was in het werkelijke verhaal. Iedere zelfdoding is een echec, een nederlaag van het leven in de strijd met zichzelf. En hoewel we voor onze toekomstige gevechten meer te leren hebben van nederlagen dan overwinningen, heeft de overwinning altijd vele vaders en is de nederlaag een wees.

Als ik die vrouw voor me zie daar in dat duistere, verlaten huis in Ludwigshafen met haar pen in de hand, schrijvend aan haar laatste brief, dan zie ik de ultieme eenzaamheid. Is dit een gang die mensen, wanneer het leven hen zo te grazen neemt, inderdaad alleen hebben te gaan? Of alleen willen gaan? Uit alles blijkt dat Hannelore haar zelfdoding zorgvuldig had voorbereid. Ze had ervoor gezorgd het tijdstip zo te kiezen dat het onwaarschijnlijk was dat ze voortijdig gevonden zou worden. Helmut was een dag of wat weg naar Berlijn. De huishoudster zou pas de volgende dag weer komen. Ze had de tijd genomen om van iedereen van wie ze dat belangrijk vond, schriftelijk afscheid te nemen. Ze had ervoor gezorgd dat ze middelen had die een dodelijke afloop garandeerden. Zo zorgvuldig als ze had geleefd, zo zorgvuldig had ze haar dood geregeld. Wist Helmut toen hij naar Berlijn afreisde wat zij van plan was? Ik denk het niet. Zoals zij hem tijdens hun actieve publieke leven zoveel mogelijk had willen steunen en ontlasten waar ze kon, zo denk ik dat ze hem niet heeft willen belasten met te spreken over haar voorgenomen zelfdoding. Behalve dat ze bang was hem daarmee te ontredderen, terwijl hij al zijn aandacht en energie nodig had om het 'smeergeldschandaal' te boven te komen en de publicatie van 'zijn Stasi-dossier' te voorkomen, was ze vermoedelijk ook bang dat hij haar zou willen tegenhouden. Voor sommige voornemens geldt nu eenmaal dat als ze zijn uitgesproken tegen degenen die je het meest nabij staan, ze bijna niet meer uit te voeren zijn. Door er met Helmut over te spreken zou ze zichzelf voorgoed tot een leven in duisternis hebben veroordeeld.

In dit opzicht bewijst Hannelores zelfdoding een fundamenteel feit aangaande ons leven op deze planeet. Blijkbaar behoren wij in laatste instantie onszelf toe. Niet onze partner, niet onze kinderen, niet ons vaderland, niet onze plichten, zelfs niet onze Goden. In laatste instantie behoren we, zoals Jean Amery het in zijn in boekvorm geschreven afscheidsbrief *Hand an sich legen*[1] (De hand aan zichzelf slaan) schreef, aan ons zelf toe. Dat is onze ultieme vrijheid. En onze ultieme eenzaamheid.

---

1. Amery, J., *De hand aan zichzelf slaan, over de gekozen dood.* Rotterdam, 1978 (Uitgeverij Kooyker) (Oorspronkelijke titel: *Hand an sich legen*).

Ik denk, of beter, ik hoop dat Hannelore Kohl niet depressief was toen ze haar leven beëindigde. Ik hoop dat ze niet negatief, niet minderwaardig over zichzelf dacht. Dat ze niet negatief, niet vijandig was jegens de mensen om haar heen en dat ze zich niet door hen afgewezen of in de steek gelaten voelde. Dat ze negatief was over haar toekomst was duidelijk en begrijpelijk en terecht, zou je kunnen zeggen. Maar dat is, zoals we gezien hebben, op zichzelf niet voldoende om haar depressief te noemen. Een niet-depressieve zelfdoding, dat kan dus. Het kan zelfs, zij het dat het uitzonderlijk is, bij mensen die wel aan een depressie lijden. Terwijl hun zelfdoding niet een depressieve daad is, is hun depressie wel de reden voor hun zelfdoding. Dat lijkt bijna een tegenstrijdigheid, maar dat is het niet, zoals het volgende hoofdstuk duidelijk maakt.

10 Soms is opgeven de meest liefdevolle vorm van geven

Een aantal jaren geleden was ik betrokken bij de dood van een 40-jarige man. Op verzoek van zijn huisarts sprak ik een aantal keren met hem. De man had de huisarts gevraagd hem te helpen om aan zijn leven een eind te maken. Hij leed aan terugkerende ernstige depressies, waarvoor hij op verschillende manieren met medicijnen was behandeld, zowel door de huisarts als door twee psychiaters. Die behandelingen hadden wel enig effect gehad, maar niet langdurig en niet genoeg. Dat had ertoe geleid dat hij regelmatig zwaar aan de alcohol was gegaan. Met als korte-termijneffect dat hij niets voelde en als lange-termijneffect dat hij nog dieper in de depressie schoot. De depressies en de alcohol hadden zijn leven op allerlei manieren ontwricht. Hij kon vanaf een bepaald moment zijn werk als accountant niet meer doen. Zijn huwelijk, waaruit hij een zoontje had, was op de klippen gelopen. Toen ik hem leerde kennen, woonde hij alleen en leefde van een uitkering. Af en toe zag hij zijn kind nog, maar die ontmoetingen verliepen veelal verdrietig, voor beiden. Zonder enige twijfel leed deze man onder het, of liever onder zijn eigen leven, dat in alle opzichten volledig vastgelopen was. Hij had al jaren een duidelijke doodswens en een keer had hij ook geprobeerd zichzelf te doden met een cocktail van alcohol, antidepressiva en paracetamol. Die combinatie had hij gekozen op advies van een kennis, die arts was. Die had zich een keer op een feestje laten ontvallen dat als je 30 paracetamol nam en flink wat alcohol, je er ook was geweest. Hij had er voor de zekerheid nog wat antidepressiva bijgedaan. Maar het was niet goed afgelopen. Hij was niet gestorven, wel gevonden en 'gered', en had maanden lang ernstige klachten van die poging overgehouden. Het had hem ertoe gebracht zijn huisarts te vragen om een middel dat met zekerheid de dood zou brengen. Omdat de huisarts hem en zijn lijden aan het leven al heel lang kende, had hij begrip voor het verzoek. Maar hij durfde het toch niet op eigen houtje aan. Behalve angst voor eventuele strafrechtelijke consequenties, vond hij het emotioneel ook gewoon moeilijk om de man een middel te verstrekken zichzelf te doden. Zeker gezien het feit dat de man lichamelijk gezond was. De huisarts had daarom contact opgenomen met een psychiater, hem de kwestie voorgelegd en gevraagd of hij de man een keer wilde zien. Dat was gebeurd. De psychiater was op grond van dat gesprek van mening dat de huisarts absoluut niet op het verzoek van de man moest ingaan. De man had volgens de psychiater zowel een depressieve als een persoonlijkheidsstoornis, was bovendien manipulatief, en zette zijn huisarts te veel onder druk met zijn vraag om hulp bij zelfdoding. Volgens de psychiater was het zelfs zo dat, als de man een echte, hardnekkige doodswens had, hij zichzelf allang om het leven had gebracht, via de trein, verdrinking of een sprong. Het advies was dat de man zich onder langdurige behandeling moest laten stellen en als hij dat niet wilde de huisarts hem moest zeggen dat hij verder niets voor hem kon betekenen.

Enkele dagen nadat de huisarts dit advies op een wat vriendelijkere wijze aan de man had doorgegeven, werd die in een stomdronken bui door een auto aangereden en ernstig gewond in een ziekenhuis opgenomen. Toen hij na enkele maanden min of meer hersteld, maar met een loophandicap, voor het eerst weer bij de huisarts kwam, stelde hij opnieuw zijn verzoek om hulp bij suïcide aan de orde. Dat was de reden voor de huisarts mij te vragen enkele keren met de man te praten. Ik zal die gesprekken niet gauw vergeten, zowel om hun inhoud als hun afloop. De man wist waarover hij het had. Alles bij elkaar was zijn leven zo'n twintig jaar van depressies geweest, onderbroken door korte betere periodes. Desalniettemin had hij lange tijd, vooral in de periode tussen zijn twintigste en dertigste, geprobeerd er wat van te maken. Hij had zijn studie afgemaakt. Hij was aan het werk gegaan. Hij was een relatie en een huwelijk aangegaan. En al die tijd had hij zijn psychische problemen, die steeds weer opspeelden, zoveel mogelijk voor de buitenwereld verborgen gehouden. Totdat het op een gegeven moment, zo rond zijn vijfendertigste, niet meer ging. Problemen op zijn werk en in zijn relatie hadden ten slotte zijn gevel van psychische gezondheid in elkaar doen storten. In de volgende acht jaar was hij viermaal opgenomen geweest in een psychiatrische kliniek en had het halve repertorium aan antidepressiva geslikt. Niets had echt geholpen. Hij geloofde ook niet dat er nog iets was dat hem zou kunnen helpen en hij had ook zijn vertrouwen in hulpverleners volledig verloren. 'Ik wil dood, ik wil dat op een waardige manier, niet voor de trein of iets dergelijks en daarvoor heb ik nog één keer hulp nodig, één keer maar', was zijn eindconclusie.

Behalve het feit dat hij doodsbang was, hoe paradoxaal dat het ook klinkt, dat het voor de trein of een andere harde of amateuristische manier nog een keer zou mislukken, wilde hij ook voor zijn kind niet op die manier uit het leven gaan. 'Vroeg of laat krijgt hij het van iemand te horen en het feit dat je vader op die manier is gegaan moet voor ieder kind een geweldige last zijn voor de rest van zijn leven, en dat wil ik niet. Hij heeft sowieso niet veel aan mij gehad als vader en daar wil ik dit niet nog eens aan toevoegen.'

Ik kan niet anders zeggen dan dat ik deze overwegingen niet alleen begreep maar ook terecht vond. Ik kan ook niet anders zeggen, dan dat ik sympathiseerde met de man en zijn lijden en daarom geneigd was de huisarts te adviseren, zelfs als dat in het geheim zou moeten gebeuren, de man te helpen en hem middelen te geven zichzelf op een zekere manier te doden. Maar sympathie is niet genoeg voor zo'n zwaarwegend advies. Bovendien deelde ik de diagnostische conclusies van de psychiater. En ik kon ook niet anders dan concluderen dat de man niet alle beschikbare en vaak, maar niet altijd, effectieve vormen van hulpverlening had geprobeerd. Hij had wel een groot aantal los-vaste gesprekken met hulpverleners gehad, maar was nog nooit in reguliere psychotherapie geweest. En ik kon niet uitsluiten dat dit voor hem effectief zou kunnen zijn. (Het komt nog veel te vaak

voor dat mensen met ernstige depressies niet of veel te laat reguliere psychotherapie aangeboden krijgen en dat hun behandeling
blijft hangen in een combinatie van medicatie en structuurloze
ad hoc-gesprekken). Ik heb hem dat uitgelegd en daarmee deed
ik hem geen plezier. Zijn reactie was dat hij geen hulpverlening
meer wilde, dat iedere dag langer leven voor hem langer lijden
betekende en dat hij niet begreep waarom ook wij niet zagen
dat hij zo niet meer verder kon.

Voor mij zijn dit de moeilijkste momenten in de hulpverlening.
Moet je, mag je iemand die al zoveel jaren lijdt een door hem gewenste uitweg uit dat lijden onthouden enkel en alleen omdat
hij niet alle andere uitwegen geprobeerd heeft? En als je hem
om die reden de door hem gevraagde hulp onthoudt en hij besluit de nog niet geprobeerde andere uitwegen dan in godsnaam
toch maar te proberen en ze werken niet, wat dan? Als hij dan
terugkomt, moet je eerlijkheidshalve zeggen: 'Ik heb je niets
meer te bieden.' Maar wat als hij zegt: 'Dat heb je wel, namelijk
een middel tot een door mij gewenste dood. Want blijkbaar is
dat de enige uitweg die nog openstaat als jij verder niets te bieden
hebt'? Kun je, mag je dan nog zeggen: 'Maar die krijg je niet, althans niet van mij. Zoek het maar uit.' En wat als hij het dan zelf
uitzoekt en zich voor de trein gooit, met een auto tegen een
boom knalt of van een flatgebouw springt. Heb ik met alle ellende die daardoor veroorzaakt wordt, voor hemzelf eventueel,
voor anderen (treinbestuurders, medeweggebruikers, nabestaanden) dan niets meer te maken? Is het hoogstens zijn schuld, dikke bult. En als hij het op een 'zachtere' amateuristische manier
probeert, juist om slachtoffers te voorkomen, en daarvoor op
zoek gaat in boekjes waarin of op internetsites waar zelfdodings-
adviezen worden gegeven (bijvoorbeeld hoe je het met de uitlaat-
gassen van je auto en een stofzuigerslang in je garage kunt doen),
gaan we dan de schrijvers van die boekjes of houders van die sites
met zijn allen aanklagen of een heksenjacht tegen hen beginnen?
De eerlijkheid gebiedt me te zeggen dat ik geen harde criteria
had om vast te stellen of de man inderdaad uitzichtloos leed.

Hard duidelijk was wel dat hij ernstig en langdurig leed en dat hij zelf zijn lijden als uitzichtloos ervoer. Maar ook volgens de nieuwe 'euthanasie'-wet blijft hulp bij zelfdoding in zo'n geval strafbaar. Ik heb, mogelijk vooral tot mijn eigen geruststelling, de onduidelijkheid over de beoordeling van uitzichtloosheid van zijn lijden vertaald in een voorstel aan hem en zijn huisarts. Dat voorstel was dat hij gedurende een bepaalde tijd, in ieder geval een twintigtal sessies, in psychotherapie zou gaan bij een gekwalificeerde psychotherapeut, dat hij serieus aan de therapie zou werken en dat als dat zowel naar zijn als naar het oordeel van de psychotherapeut geen soelaas zou geven, het geven van een suïcidemiddel niet alleen bespreekbaar was, maar ook zou kunnen. Met de nodige garanties voor zorgvuldig gebruik ervan, en dergelijke. Hij vond het een vreselijk moeilijk te verteren voorstel. Maar na twee gesprekken tussen hem, de huisarts en mij, ging hij uiteindelijk toch akkoord.

Hij is ruim zeven maanden in psychotherapie geweest. Hoewel hij ook volgens de therapeut serieus zijn best heeft gedaan, heeft het weinig uitgehaald. Zijn doodswens is gebleven. Die wens is in vervulling gegaan. Niet zonder slag of stoot overigens. Ik heb met hem en zijn ex-vrouw gesproken over zijn voornemen en of zij dat kon begrijpen. Dat deed ze. We hebben gedrieën ook gesproken over de betekenis en de gevolgen ervan voor hun zoontje. Dat is uitgemond in een uitvoerig document van zijn hand, waarin hij zijn leven en de redenen voor dit vertrek voor zijn zoon op het moment dat deze er echt aan toe is, beschrijft. We hebben ook gesproken over hoe hij familieleden over zijn voornemen uitleg zou geven. Hij heeft velen van hen een afscheidsbrief geschreven en van een enkeling persoonlijk afscheid genomen. Hij is zorgvuldig gegaan.

En toch houdt hij mij en zijn huisarts tot op de dag van vandaag bezig. We hebben het nog af en toe over hem. Een reden is dat de hulp aan hem emotioneel veel van ons heeft gevergd. In zekere zin zijn we tot op ons emotionele bot moeten gaan. Maar een reden is ook, dat we allebei nog altijd een zeker verdriet koesteren over het feit dat hij er niet meer is en dat wij aan dat feit een bijdrage geleverd hebben. Het voelt meestal als een nederlaag. Ik kom daarom, net als aan het einde van het vorige hoofdstuk, weer bij Jean Amery en zijn boek *Hand an sich legen*, zijn in boekvorm geschreven afscheidsbrief, terecht. Amery schrijft daarin dat zelfdoding het ultieme bewijs is van het 'echec' van het menselijk bestaan. Het woord 'echec' komt van hetzelfde Franse woord dat voor het schaakspel wordt gebruikt. Het leven zet ons soms schaakmat, als mens, als vriend, als hulpverlener. Wij, de huisarts en ik, zijn hier schaakmat gezet. We hebben verloren. En voor mensen die zelf graag doorspelen en winnen en anderen dat ook het liefst zien doen, is zo'n mat, is zo'n verlies, moeilijk te verwerken.

En toch ben ik door deze verlieservaring van één 'ding' overtuigd geraakt.

Soms is opgeven de meest liefdevolle vorm van geven.

11 Waarom ik niet heb opgegeven

Er zijn verschillende momenten in mijn eigen leven geweest dat opgeven het meest logische, het meest begrijpelijke leek. Niet alleen voor mijzelf, maar blijkbaar ook voor andere mensen. Op het hoogtepunt, of eigenlijk het dieptepunt, van mijn 'affaire', stuurde een nu ex-collega, een hoogleraar nota bene, mij een brief waarin hij schreef dat als ik besloot te doen wat ik altijd bij zoveel andere mensen had proberen te voorkomen, hij dat heel goed kon begrijpen. Hij zou in mijn geval zelf ook niet meer weten hoe verder te leven. Een goede vriend vertelde me dat een andere ex-collega, ook een hoogleraar, in een gesprek met hem, waarin het over mij ging, gezegd had dat hij verwachtte dat ik... Hij had daarbij met zijn hand het gebaar gemaakt van iemand die zijn keel doorsneed. Zulke berichten deden indertijd pijn. Niet omdat ze kwamen van mensen die veel betekenis voor mij hadden, want dat hadden ze geen van beiden. Maar omdat ze aangeven dat er mensen zijn die vinden dat je leven waardeloos, onmogelijk is geworden. Dat jij een *quantité négligable* bent geworden. Een verwaarloosbaar individu. Een mens die zijn waarde heeft verloren. Een wezen waar de wereld het verder dus heel goed, en misschien zelfs beter, zonder kan stellen.

In mijn geval was het moeilijk dat zelf niet ook te denken. Ik was en werd voor alles en nog wat uitgemaakt. Ik heb later weleens het aantal verschillende scheldwoorden geteld dat in kranten, tijdschriften, op radio, televisie, door journalisten, columnisten, door hooggeleerde ex-collega's en door cabaretiers tegen mij is gebezigd. Ik kwam tot ruim honderd. Daar zaten uitdrukkingen bij als 'ernstig psychiatrisch gestoord', 'iemand die nog nooit een letter zelf heeft geschreven' en 'nepper'. Als er eenmaal op je gescholden mag worden, dan doet blijkbaar iedereen die denkt iets te zeggen of te schrijven te hebben, daar graag aan mee.

Schelden kan verschrikkelijk zeer doen. Ook, en vaak juist als

het niet waar is. Als het onrechtvaardig is. Mensen zijn gemakkelijk geneigd te zeggen 'waarom zou je je er iets van aantrekken als
je weet dat het toch niet waar is?' Dat zijn meestal mensen die
het zelf niet meegemaakt hebben. Maar er is niets zo wrang, zo
pijnlijk, als onrecht waar iedereen of althans een groot deel van
de mensen in gelooft. De reden daarvan is dat het jouw vertrouwen de wereld, in jouw geloof dat het er in laatste instantie tussen mensen toch redelijk rechtvaardig aan toegaat, opblaast.
Op een dag besloot ik die wereld voorgoed de rug toe te keren. Ik
had de middelen om mezelf te doden. Die had ik ooit van een
bevriend anesthesist gekregen voor het geval dat. Alleen wilde
ik trouw blijven aan een advies dat ik zo vaak aan anderen had
gegeven. Vertrek nooit zonder bericht voor de achterblijvers die
als nabestaanden nog voelen wanneer jij niets meer hoeft te voelen. Dus wilde ik mijn besluit aan hen uitleggen.
Die bewuste avond heb ik op mijn onderduikadres in de buurt
van het Noordzeestrand een drietal afscheidsbrieven geschreven.
Aan mijn vrouw, mijn kinderen, aan familie. De gierende pijn
die dat schrijven opriep, scheurde mijn besluit aan flarden. Het
maakte mij bewust van de keuze die ik in feite aan het maken
was. Dat was niet de keuze tussen leven en dood. Het was de
keuze tussen goed en kwaad. Ik was op weg om mijn liefde voor
mijn dierbaren en hun liefde voor mij te verkwanselen aan de
vuiligheid en haat van anderen. Het moment dat ik me dat realiseerde, was het moment dat ik besefte dat ik precies het omgekeerde moest doen. Dat ik mijn pijn over de vuiligheid en de
haat ondergeschikt moest maken aan mijn liefde voor anderen
en hun liefde voor mij.
Nooit eerder in mijn leven heb ik zo sterk ervaren hoe levensred-
dend het kan zijn om het diepste punt van je wanhoop en pijn
op te zoeken. Alsof er op het onderste punt van het dal inderdaad
nog maar één weg overblijft, de weg omhoog.
Ik heb me later die avond ook nog afgevraagd wat mijn vijanden
zouden doen en vooral wat ze naar buiten zouden verkondigen
als ze van mijn zelfdoding zouden horen. Ik heb me voorgesteld

hoe dat, mede op hun aangeven, in de pers zou worden uitge-
meten. Dat was niet moeilijk te raden. Mijn zelfdoding zou volledig op
mijn eigen rekening en vooral op die van de mij toegedachte psychische stoornis geschreven worden. Ik zou dood en begraven
nog een flinke diagnostische trap nakrijgen. Maar ik zou die niet
meer voelen. Mijn vrouw en kinderen en familie des te meer. De
gedachte dat zij, mijn vijanden, mijn dierbaren nog eens een keer
iets vreselijks zouden aandoen – en dat zouden ze – riep eerst
pijn en vervolgens enorme woede in mij op. Als een razende
heb ik de enveloppen en de onafgeschreven brieven in de kleinst
mogelijk stukjes gescheurd en door het toilet gespoeld. Daarna
heb ik tot diep in de nacht vele kilometers over het donkere,
winderige strand gelopen.

Toen ik in de vroege ochtend weer in mijn schuilplaats terug-
kwam, stond één besluit voorgoed voor mij vast. Ik zou degenen
die mij dierbaar waren en dat wat mij dierbaar was, met mijn leven en niet met mijn dood verdedigen. En ik zou degenen die
mij dit aangedaan hadden, hun trekken thuis geven.

Voor het eerst in mijn leven ervoer ik, suïcidedeskundige die
toch eigenlijk allang beter moest weten, ook hoe het vaak echt
zit. Dóórleven is soms veel moeilijker dan jezelf dood maken.
Hoe moeilijk, hoe beangstigend dat laatste ook is. Want dóórleven betekent doorléven. Doorléven van de pijn, van het verlies,
van de oneer, van de schande, van het uitgestoten-zijn. Het betekent geïsoleerd van oude bindingen en betekenissen moeten
voortbestaan en nieuwe levenszin zoeken. Maar die zin is er
(nog) niet op het moment dat je het besluit 'doorgaan of stoppen' moet nemen. Je moet dus kiezen voor iets waar je nog niet
in gelooft. Dat is verrekte moeilijk als andere mensen niet meer
in jou geloven, als ze vinden dat jij je tijd wel gehad hebt. Als ze
duidelijk laten merken dat jij niet meer meetelt, dat jouw sociale
leven is afgeleefd.

Als anderen jou opgeven is dat pijnlijk. Maar de grootste pijn, zo
heb ik ervaren, is het moment waarop je jezelf opgeeft. Soms,

zoals in het geval van de man in het vorige hoofdstuk, kan dat
het meest realistische, misschien zelfs wel het meest liefdevolle
zijn om te doen. Maar in mijn geval, en zo is het vaker, was opgeven juist het meest liefdeloze dat ik had kunnen doen.

De winst van mijn verlies, zo besef ik nu dikwijls, is geweest dat
ik erdoor uitgedaagd ben om mezelf bij de rand van de dood weg
te slepen en heel bewust en helemaal op eigen kracht voor het
leven te kiezen. Dat had ik nooit eerder op die manier gedaan.
De pijn waar ik doorheen moest voordat ik tot dat besluit kwam,
heeft me bevrijd van een heleboel angst. Er zijn niet zo heel veel
dingen meer waarvoor ik bang ben. In ieder geval niet voor wat
andere mensen over mij denken of schrijven. En in ieder geval
ook niet voor de mogelijkheid dat weer andere mensen dat zouden kunnen geloven. Ze doen maar. Letterlijk bedoel ik dat.
Mensen roepen of schrijven vaak maar wat. Vroeger vond ik
dat gek of geloofde ik het gewoon niet als anderen zeiden dat je
voor een groot deel niet moest geloven wat er over andere mensen werd geschreven. Nu weet ik dat het zo is, dat het een *fact of
life* is. Of misschien moet ik zeggen dat het een *face of life* is. Ik
weet ook dat er geen enkele garantie bestaat dat 'ze' het mij niet
opnieuw zullen aandoen. Het komt nog af en toe voor dat een of
andere journalist een rottig, leugenachtig stukje over mij schrijft
of dreigt dat te doen als ik niet op een bepaald verzoek, om een
interview of dergelijke, inga. Er is zelfs een groepje journalisten
dat het na al die jaren nog altijd niet kan laten om, wanneer er in
de pers een bericht verschijnt over de betekenis van een project
waar ik bij betrokken ben of dat ik heb ontwikkeld, meteen op
de scheldtoer gaat in een poging daar afbreuk aan te doen. Ik zal
niet ontkennen dat ik dat nog altijd niet leuk vind. Dat het nog
altijd even pijn doet. En dat weten de daders en daarom doen ze
het. Het zij zo. Maar het jaagt me absoluut geen angst meer aan
en het tast al helemaal mijn zelfbeeld niet aan.

Blijkbaar, zo heb ik geleerd, kun je tweemaal geboren worden.
De eerste keer moet iedereen mee maken. Het is je biologische
geboorte, wanneer anderen je het leven geven. De tweede keer

hoeft niet iedereen mee te maken. Dat is je psychologische geboorte. Het is het moment waarop je jezelf bewust het leven
geeft. Beide geboortes zijn pijnlijk. Maar het is in beide gevallen
de pijn die signaleert dat er iets heel essentieels aan het gebeuren
is.

12 Over het winnen van depressie

Alleen als het donker is, kun je de sterren zien. Op het diepste punt van mijn suïcidale depressie begon me een aantal lichtjes op te gaan. Mijn eerste neiging was weliswaar te denken dat die niet voldoende waren. En dat zijn ze ook niet als je de eis stelt dat ze het duistere, het kwaadaardige, het sinistere, moeten kunnen verdrijven. Maar niets dat mij was overkomen, kon ongedaan gemaakt worden. Zelfs dat wat rehabilitatie wordt genoemd, kon dat niet. Want rehabilitatie is een illusie. Het bestaat niet. Niemand is ooit gerehabiliteerd. Je kunt niet een stuk uit je leven halen dat gebeurd is en dat er na later onderzoek nooit had mogen zijn. Het is er, het is gebeurd, en daarmee is de zwartheid van dat deel van je leven een feit. Voor altijd. Maar je kunt wel de keuze maken voor toekomstige stukken leven. Althans ik kon dat. Want mijn leven als zodanig was mij niet afgenomen. En als ik dat zelf niet deed, zou me dat ook niet afgenomen worden. Ook mijn liefde voor het leven kon me niet afgenomen worden als ik dat zelf niet deed. Wat anderen en wat de gebeurtenissen me afgenomen hadden waren 'dingen', 'uiterlijkheden', die ik een tijdlang een zodanige betekenis had gegeven dat ik niet meer van mezelf kon houden, geen respect voor mezelf meer kon opbrengen. Maar het afnemen van mijn zelfrespect was uiteindelijk een beslissing van mezelf geweest. Het was dus ook een beslissing die ik, en alleen ik, ongedaan kon maken. Ik, zo besefte ik op een bepaald moment en dat was een van die sterren in het duister, had de vrijheid te denken over mezelf wat ik wilde. Niemand, zelfs mijn ergste vijanden niet, hoezeer ze dat ook geprobeerd hebben, kon me die vrijheid afnemen.

Natuurlijk kon ik, wat zij over mij geroepen en gepubliceerd hadden en nog deden en soms nog doen, niet ongedaan maken. Maar opnieuw ben ik, en alleen ik, degene die beslist of dat door mij overgenomen zal worden. Dat inzicht was een andere ster in de nacht.

Ik ben een in dit opzicht veelzeggend verhaal, uit de traditie van het Taoïsme, tegengekomen (zie volgende pagina) dat ik regelmatig in mijn herinnering terugroep als daar aanleiding voor is.

In mijn fantasie zie ik al de beledigingen en misselijke grappen die in de loop van de tijd naar mij toe zijn gegooid, wel eens als pijlen van het type dat bij darts wordt gebruikt. Ik ben er een tijdlang van boven tot onder mee bezaaid geweest en ze deden allemaal op hun eigen manier meer of minder pijn. Daar zaten overigens ook enkele heel grote tussen, met labels eraan als 'ontslag' en 'maatschappelijk afgedankt'. Vanaf een bepaald moment wordt de pijn van al die pijlen tezamen zo groot dat het leven alleen nog maar pijn lijkt. En het niet alleen maar lijkt, maar het ook is.

Dan komt er vroeg of laat, maar onvermijdelijk, een cruciaal beslissingsmoment. Wil je aan alle pijn in één keer een einde maken, dan is er eigenlijk maar één mogelijkheid: aan je leven in een keer een einde maken. Als je dat laatste niet wilt of kunt, en toch acuut van de pijn af wilt, dan blijft er weinig anders over dan jezelf te verdoven met drank, met drugs, met medicamenten of met een ingreep van je psyche, met een depressie. Je kromt je dan als het ware zo onder de pijn, je laat je er zodanig door neerdrukken (dat is de letterlijke vertaling van 'de-pressie'), dat je bewegingloos, immobiel, wordt. Je lichaam en geest bevriezen als het ware, waardoor je de pijlpunten zo min mogelijk voelt. Depressie is lichamelijk en psychisch gezien een toestand waarin prikkels, dus ook pijnprikkels, nog maar heel vertraagd worden doorgegeven.

Maar de prijs voor die pijnverdoving is hoog. Je wereld krimpt ineen, je komt tot weinig of niets meer, je komt vast te zitten in het heden en daarmee in een gevoel van uitzichtloosheid. Je begint aan een leven als slachtoffer.

Belediging is een geschenk [1]

'Wat als iemand je iets wilt geven, maar je neemt het niet aan...'

Er leefde ooit een groot krijgsman. Hoewel hij tamelijk oud was, was hij nog altijd in staat iedere uitdager te verslaan. Zijn reputatie was wijd en zijd bekend en regelmatig kwamen er jongeren bij hem om opgeleid te worden.

Op een dag kwam een jonge krijger bij het huis van de man aan. Hij was vastbesloten om de eerste te zijn die de oude krijgsman zou verslaan. Behalve sterk was de jonge krijger ook ontzettend sluw en hij wist iedere zwakheid van zijn tegenstander uit te buiten. Hij had de gewoonte om te wachten tot die als eerste in de aanval ging om te zien waar zijn zwakheden lagen, en sloeg dan met genadeloze kracht en snelheid toe. Niemand had het in een gevecht langer tegen hem uitgehouden dan een paar minuten.

Helemaal tegen de raad van zijn bezorgde studenten in, accepteerde de oude krijgsman de uitdaging van zijn jongere tegenstander. Toen de twee tegenover elkaar stonden, klaar voor het gevecht, begon de uitdager de oude krijgsman uit de schelden en de meest grove beledigingen naar zijn hoofd te slingeren. Hij begon ook, letterlijk, met modder te gooien en spuugde hem verschillende keren in zijn gezicht. Urenlang bleef hij zo doorrazen. Maar de oude krijgsman reageerde op geen enkel moment. Kalm en bewegingloos liet hij de storm over zich heen komen. Toen de uitdager zichzelf ten slotte met schelden, tieren, moddergooien en spugen helemaal had uitgeput, gaf hij op. Beschaamd draaide hij zich om en stapte van de gevechtsplaats af.

Ontdaan en teleurgesteld over het feit dat hun meester zich in het openbaar zo vreselijk had laten beledigen en vernederen, kwamen de studenten om hem heen staan en vroegen hem: 'Hoe kon u dat nu over u heen laten komen. Zoiets vernederends. Waarom hebt u dat allemaal over uzelf laten zeggen?'

De krijger zweeg eerst een tijdje, terwijl hij ieder van zijn studenten diep in de ogen keek. Toen antwoordde hij: 'Als iemand je iets wilt geven maar je neemt het niet aan, van wie is het dan?'

1. Uit: *Tao Stories.* Zie www.truetao.org.

Het bittere van die reactie, en dat besef je ook op een bepaalde manier waardoor je innerlijke bitterheid nog verder toeneemt, is dat de pijlengooiers, wat ook hun motieven geweest zijn, gelijk krijgen. Van jou. Je doet niet meer mee. Je wordt niet meer waard bevonden mee te doen en je stemt daar zelf, middels je depressie, nog mee in ook. Je werkt er in zekere zin zelfs aan mee. Want je steekt zelf ook nog eens een verlammende pijl in je zelfrespect.

Zoals altijd spreekt het woord ook hier boekdelen. Respect komt van twee Latijnse woorden, namelijk *re* = 'weer' of 'terug' en *spicere* = 'zien'. Zelfrespect betekent letterlijk dat je jezelf graag in dit leven wilt terugzien. Verlies van zelfrespect betekent dat je jezelf niet meer onder ogen wilt of kunt komen. Het is vaak een gevolg van af- of uitwijzing door anderen. Maar dat is in wezen niet het ergste. Het ergste is de uitwijzing van jezelf door jezelf. Er is geen emotionele pijn die dieper snijdt dan die door verlies van je zelfrespect. Wat je verder ook verliest, je geliefde, je kind, je gezondheid, je baan, je reputatie bij anderen, zolang je je zelfrespect niet verliest, is niet alles verloren. Is er altijd een basis in jezelf vanwaaruit je opnieuw kunt beginnen, met hoeveel littekens misschien ook.

Maar als je jezelf nooit meer wilt tegenkomen, dan is er niets meer in het leven dat je met liefde tegemoet kunt treden. Dan is er geen basis meer vanwaaruit je op een of andere manier het leven opnieuw kunt beginnen. Of althans gelooft dat je dat kunt. Die houding is het belangrijkste en gevaarlijkste stuk van de binnenste kern van depressie.

Behalve suïcide of verdoving is er nog een derde beslissing, een derde antwoord, op de pijn mogelijk. Dat is de beslissing om de pijlen in je respect, in je zelfrespect, en in je liefde voor het leven, er een voor een uit te trekken. Dat is geen gemakkelijke keuze. Want het uittrekken van een pijl doet vaak minstens zoveel pijn als er door getroffen worden. Vooral omdat het lang niet altijd in één keer lukt.

Maar ook hier geldt: het feit dat het zo pijnlijk is, betekent dat het om iets belangrijks gaat. Als je niet vlucht voor de pijn, maar die juist opzoekt met als doel om ermee leren omgaan, dan betoon je jezelf respect. Je wilt jezelf ook onder ogen komen als dingen niet goed gaan, als je verliezen hebt geleden, gefaald hebt, door anderen afgedankt of vermeden wordt. Het is in zekere zin geen kunst (behalve voor sommige mensen met een 'ongelukkig' temperament – ik kom daar later nog op terug) om je goed over jezelf te voelen als de dingen goed gaan, als je succes hebt, geen zware tegenslagen ontmoet.

De kunst is jezelf ook nog te respecteren, te willen ontmoeten, als je het slecht hebt gedaan of als het je slecht gaat. Zoals Vince Lombardi, Amerika's meest succesvolle football coach het ooit treffend onder woorden bracht: 'The real glory is being knocked to your knees and then coming back. That's real glory. That's the essence of it.' De ware overwinning is tegen de grond geslagen worden en weer opstaan. Dat is de ware overwinning. Dat is het wezen van zelfrespect.

Zulk zelfrespect dwingt vroeg of laat ook (weer) respect bij anderen af. Maar pas op, laat dat niet, laat dat nooit je voornaamste drijfveer zijn. Sta op de eerste plaats op voor jezelf, en pas dan voor anderen.

Het derde alternatief, het opzoeken van de pijn, het uittrekken van de pijlen, brengt nog iets anders teweeg. Naarmate je meer van die pijlen hebt uitgetrokken, naarmate je vaker door de pijn bent heen gegaan, herstelt zich niet alleen je levensmoed en zelfrespect. Er gebeurt ook nog iets dat zonder die pijnervaringen nooit zal gebeuren: pijn wordt minder een probleem en meer een uitdaging. Daarmee wordt ook de angst voor pijn minder een probleem. En daarmee neemt weer je angst voor het leven, voor wat gebeurtenissen en mensen je kunnen aandoen, af. Want in laatste instantie is angst, dus ook levensangst, altijd angst voor pijn, of dat nu lichamelijke of emotionele pijn is. Zoals iemand geen lift durft in te stappen vanwege de angst voor hoe hij zich daarin zal voelen, zo durft iemand niet terug in het leven te stappen na een verlies vanwege de angst voor hoe slecht, hoe gepijnigd, hoe ontredderd hij zich in dat leven zal voelen. Hoe minder je angst voor pijn, hoe minder je bang bent voor het leven en dus hoe minder depressief. Dat is niet alleen maar een ervaring en een aanmoediging van mij. Het is ook een bewezen feit. Psychologen en psychiaters hebben vastgesteld dat de meerderheid van de mensen die aan depressies lijden ook aan angstproblemen lijden.[1] Of dat nu fobieën zijn, faalangsten, paniekaanvallen, sociale angsten, obsessies of dwanghandelingen. Wie zijn angsten voor een belangrijk deel verliest, verliest ook een deel van zijn kwetsbaarheid voor depressies.

Daarom, ga aan de slag met je pijn, zoek die op, stap voor stap, zie het als een opgave die je jezelf stelt om te leren iedere pijnlijke stap uit te houden, de pijn op te vangen, je er weerbaar tegen te maken. Natuurlijk moet je en hoef je dat niet voortdurend te doen. Doe het af en toe. Schrijf jezelf met een zekere regelmaat voor om je een tijdlang bezig te houden met je emotionele pijn. Alleen (bijvoorbeeld door er in een dagboek over te schrijven of erover na te denken), samen met een vriend of vriendin, of met een hulpverlener. Nog beter is het als je deze manieren combineert.

Als je nog even terugdenkt of terugleest wat we in hoofdstuk 2 daarover gezegd hebben, dan zul je begrijpen dat je dan 'suppressie' oefent. Suppressie is het bewuste besluit om je in bepaalde perioden intensief bezig te houden met bepaalde (pijnlijke) gevoelens en problemen en in andere perioden juist niet. Het is een van de meest effectieve psychische 'afweer'-mechanismen. Het maakt je weerbaarder.

Natuurlijk is het zo, dat bepaalde pijn nooit helemaal verdwijnt,

---

1. 'The report notes that 51% of patients treated for depression also have at least one anxiety disorder. The most common was generalized anxiety disorder, affecting 30% of the patients, followed by panic disorder (22%), social anxiety disorder (19%), agoraphobia (16%) and premenstrual dysphoric disorder (14%).' Zie *Datamonitor: Strategic perspectives: commercial opportunites in depression-generating revenue growth in symptoms and comorbidities*. Londen: januari 2003.

dat er littekens achterblijven die op gezette tijden weer opspelen. Als je eenmaal iets ergs hebt meegemaakt, is er altijd een weten van verdriet...

Het is niet anders. Zoals een van mijn favoriete schrijvers Ernest Hemingway het zo ontroerend heeft gezegd: 'De wereld breekt iedereen, en naderhand zijn sommigen sterker op de breukplaatsen.'

Wat heet wijsheid?

Op dit punt kom ik weer terug bij waar ik het in het begin van dit boek al over had, over de mogelijke winst van verlies, over het mogelijke geluk van ongeluk.

Hoe zit dat met depressie? Wat is de winst van depressie, of wat kan de winst van depressie zijn? Veel mensen, de meesten misschien wel, zullen, begrijpelijk, spontaan geneigd zijn te antwoorden: 'Ik zou het niet weten.' En degenen die nu in een depressie zitten zullen daarin waarschijnlijk al helemaal geen winst weten te ontdekken.

Ik ben het ermee eens dat het flink de voorkeur zou verdienen als het leven ons dat soort toestanden zou besparen. Het probleem is alleen: dat doet het niet. Het zorgt voor dag, en het zorgt voor nacht. Soms met, maar vaker zonder opgave van redenen smijt het problemen, verliezen, kwaadaardigheid op ieders bord. En je moet maar zien hoe je dat weg krijgt.

Ook scheept het leven sommigen van ons op met een erfelijke uitrusting of een (opvoedings)omgeving waar we niet om gevraagd en veel last van hebben. Zodanig zelfs dat depressies, heftig wisselende stemmingen, een pessimistische levensinstelling, of allerlei andere lastige neigingen voor een deel ons lot zijn. De realiteit is dat het leven voor sommigen van ons harder is dan voor anderen. Waarom? Daarom! Er is zelden of nooit een goede rechtvaardiging voor te vinden of voor te geven.

Maar juist in het leren omgaan met die onrechtvaardige realiteit, is de winst van depressie te vinden. Ik heb al eerder gezegd dat een van de belangrijkste dingen is die ik van het leven tot nu toe geleerd heb, verliezen te zien als 'opgedwongen' kansen om mezelf of mijn leven op nieuwe manieren terug te vinden, te vernieuwen. Om een deel van de pijn van verlies om te smeden tot creatieve energie. Dat is de eerste S van Sasha, de S van omsmeden, van sublimatie. Datzelfde durf ik ook van depressie te zeggen. De mogelijke winst van een depressie is dat het een 'opgedwongen' confrontatie is met de realiteit van je eigen (aangeboren of verworven) emotionele kwetsbaarheid en de wisselwerking daarvan met levensgebeurtenissen.

Als je je depressie begrijpt, begrijp je meer van jezelf, maar ook van het leven. En begrijpen is een belangrijke voorwaarde voor greep krijgen op. En meer greep krijgen op is weer een belangrijke voorwaarde voor zelfvertrouwen en plezier in en aan het leven.

Opnieuw een rare paradox van het leven. Precies datgene dat je vertrouwen in jezelf, anderen en de toekomst het meest onderuit kan halen, depressie, is tegelijk ook een belangrijk beginpunt om dat vertrouwen op te bouwen.

Opnieuw zeg ik dat niet alleen maar op grond van eigen ervaring en als aanmoediging. Er is een aantal onderzoeken waaruit blijkt dat mensen die enkele keren een depressie hebben meegemaakt en hebben overwonnen door psychologisch aan zichzelf te werken, eventueel met behulp van anderen, meer vertrouwen in zichzelf en het leven hebben dan ze voor hun eerste depressie hadden. Ze hebben ook meer de houding ten aanzien van de toekomst van 'kom maar op'.

Kortom, als het je lukt om naar aanleiding van een depressie het negatieve beeld van jezelf, van anderen en van je toekomst van hun absolutistische lading te ontdoen, dan is die depressie een belangrijke leerervaring geweest.

Een van mijn patiënten reageerde op die uitspraak ooit cynisch met 'dus ik moet eigenlijk blij zijn met mijn depressie'. Mijn

even cynische reactie was: 'Oké, probeer eens daar blij mee te
zijn.' Zij haalde haar schouders op en zei: 'Ja onzin, natuurlijk
ben ik er helemaal niet blij mee.' En zo is het. Je hoeft helemaal
niet blij te zijn met die 'opgedwongen' kans. Maar juist daarom
is er alle reden die kans zoveel mogelijk aan te grijpen.

Voor anderen misschien, maar voor mij?

Helaas zijn er nogal wat mensen die al van tevoren weten dat iets
dat ze nog nooit geprobeerd hebben, niks voor hen is. Ik ontmoet regelmatig depressieve mensen die zeker weten dat het
voor hen geen zin heeft om anderen om hulp te vragen. Wat ze
niet zeggen maar dikwijls wel bedoelen, is dat ze bang zijn om
naar iemand toe te gaan en hun hart of ellende uit te storten.
Of het als een zwakheid beschouwen dat ze hun eigen problemen niet kunnen oplossen, wat in wezen precies hetzelfde is als
bang zijn om hulp te vragen.
Ik ontmoet ook mensen met minderwaardigheidsgevoelens die
zeker weten dat al die andere mensen hun zaakjes volmaakt in
orde hebben. Maar dat dat hen nooit zal lukken. Dus waarom
zouden ze het überhaupt proberen.
Ik ontmoet regelmatig depressief-eenzame mensen die zeker weten dat een contactadvertentie plaatsen toch niets oplevert. Hoewel ze het nog nooit gedaan hebben. 'Dat past niet bij mij' zeggen ze dan. Wat ze niet zeggen maar meestal wel bedoelen is dat
ze er bang voor zijn. De angst in hun depressie ontneemt hun de
mogelijkheid het leven als een experiment te zien.
Ik ontmoet ook ongelukkige kinderen die zeker weten dat het
toch niks uithaalt met hun ouders te praten. Ik ontmoet boze
ouders die zeker weten dat met hun kind toch niets valt aan te
vangen.
Maar ik ontmoet nog veel te zelden mensen die het leven en
zichzelf het voordeel van de twijfel willen geven en hun terneer-
geslagenheid van vandaag durven te zien als een fase die een vol-

gende fase van rechtop en oprecht in het leven staan kan inluiden. Of die hun ongeluk durven te zien als een nacht waarin
lichtpuntjes die ze eerder niet waarnamen, zichtbaar kunnen
worden. Ik beweer overigens niet dat dat voor iedere nacht geldt.
Maar het is meestal al voldoende als je het leven de kans wilt geven om iets meer van zichzelf te laten zien.

13 Het splijten van de depressiekern

Wat is het ergste dat een mens kan gebeuren? Op die vraag is mijns inziens maar één 'juist' antwoord: het verlies van zelfrespect. De Romeinse keizer Marcus Aurelius heeft in dit verband ooit iets gezegd, in zijn filosofische opstellen met als titel *Boeken aan zichzelf*[1], dat diepe indruk op mij heeft gemaakt. Hij schrijft daar: 'Niets kan in je voordeel zijn dat je je zelfrespect doet verliezen.'

Mensen raken vaak in een depressie omdat ze hun zelfrespect verliezen. Maar daar stopt het helaas niet bij. Omdat ze in een depressie raken verliezen ze hun zelfrespect nog verder. Een symptoom wordt oorzaak.

De eerste en voornaamste stap in het splijten van de depressiekern is daarom het teruggeven, aan jezelf, van je zelfrespect.

Dat brengt me op een paar belangrijke vragen.

Hoe komen mensen aan hun zelfrespect of zelfbeeld? Wat maakt dat de een zich overwegend goed of tevreden met zichzelf voelt en de ander niet? Hoe komen bepaalde mensen aan minderwaardigheidsgevoelens terwijl anderen daar geen last van hebben? Waarom is een negatief zelfbeeld zo'n belangrijk kenmerk en bepaler van depressie?

Het hierna volgende verhaal geeft op een aantal van deze vragen een veelzeggend antwoord.

---

1. Marcus Aurelius, *Ad Se Ipsum Libri*. Michigan University Press, 1987.

Het verhaal van de kleine golf[1]

Er was eens een kleine golf die diep ongelukkig was. 'Ik voel me zo ellendig,' klaagde hij. 'De andere golven zijn groot en sterk, en ik ben zo klein en zwak. Waarom is het leven zo oneerlijk?'
Een grote golf die toevallig voorbijkwam en de kleine golf hoorde klagen, besloot even te stoppen. 'Jij denkt zo,' zei de grote golf, 'omdat je je eigen wezen niet helder voor ogen ziet. Jij denkt dat je een golf bent en je denkt dat jij slecht af bent. In werkelijkheid ben je geen van beide.'
'Wat!?' riep de kleine golf verbaasd uit. 'Ben ik geen golf? Maar het is toch duidelijk, ik ben een golf! Ik heb hier mijn golftop, zie je? En hier is mijn golfslag, hoe klein die ook is. Hoe kun je nou beweren dat ik geen golf ben?'
De grote golf antwoordde: 'Dat ding dat jij golf noemt, is alleen maar een tijdelijke vorm die jij voor een korte tijd aan heb genomen. In wezen ben je water! Probeer dat eens goed tot je te laten doordringen. Als je dat lukt dan heb je niet langer een probleem met het feit dat je een tijdje een golf bent.'
'Maar als ik water ben, wat ben jij dan?' vroeg de kleine golf.
'Ik ben ook water,' antwoordde de grote golf. Ik heb voor korte tijd de vorm van een golf die wat groter is dan die van jou, maar dat doet niets af van wat ik in wezen ben – water! Ik ben jij en jij bent mij. We zijn beiden deel van hetzelfde grote geheel.'

Het verhaal van de kleine golf laat zien dat voornamelijk aandacht geven aan de kenmerken of eigenschappen waarin we verschillen van anderen op manieren die we niet willen, een bron is van depressieve gevoelens.

Anders gezegd, minderwaardigheidsgevoelens zijn heel vaak de wrange vrucht van de volgende onjuiste gelijkstelling: ongelijkaardig = ongelijkwaardig.

---

1. Uit: Xin Zhou Li, *Tao of Life Stories*. Chinese Language, Poetry and Culture in Education. Lang, Peter Publishing, Incorporated. 2002.

Laat ik hier glashelder zijn, deze onjuiste gelijkstelling is niet iets dat kinderen of volwassenen uit zichzelf verzinnen. Onze cultuur levert aan het ontstaan en voortbestaan van die onjuistheid een wel heel stevige bijdrage.

Een paar voorbeelden. Uiterlijk mooie kinderen en volwassenen worden door de bank genomen beter behandeld en krijgen meer kansen, maatschappelijk en relationeel, dan minder mooie mensen. Grotere mannen hebben meer kans om tot regeringsleider of president te kozen te worden dan kleinere. Niet voor niets zijn de Amerikaanse presidenten van de laatste eeuw vrijwel altijd de langste van de twee kandidaten geweest tussen wie het volk te kiezen had. Kleine mannen hebben minder kans op het vinden van een vrouwelijke partner, en al helemaal op het vinden van een 'aantrekkelijke' vrouwelijke partner dan grotere. Naarmate mensen meer macht en geld hebben, worden ze door de samenleving en door het rechtssysteem rechtvaardiger behandeld. Meer macht is meer recht.

Ik kan zo nog wel even doorgaan en voor wie daar goed over nadenkt is het natuurlijk om woedend of triest van te worden. Want het klopt gewoon niet. Hoe bedoel je ongelijkaardig is niet ongelijkwaardig? Hoe bedoel je iedereen heeft gelijke kansen? Dat is gewoon niet waar.

Wat waar is, is dat in dit leven veel dingen gewoonweg zo geregeld zijn, door God, de evolutie, de staat of welke andere krachten dan ook, dat wat recht is meestal weinig met realiteit te maken heeft.

De cruciale vraag die vroeg of laat op het bord van ieder mens afzonderlijk terecht komt, is daarom deze: ga jij ook zelf van 'ongelijk' 'ongelijkwaardig' maken? Dat is wat de kleine golf met zichzelf deed. Hij maakte zich van uiterlijk 'minder' tot ook emotioneel minder. De kleine golf vond het niet leuk naar zichzelf te kijken, naar zijn kleine top en golfslag. Het deed dus letterlijk en emotioneel te weinig aan zelfrespect. Dus was het op weg naar depressie.

De kleine golf is wat dat betreft te vergelijken met tal van 'kleine' mensen. Of het nu om lichamelijk, psychisch of sociaal 'klein' gaat. Laten we maar eens naar een van die kleine mensen luisteren.

'Als kind en als tiener voelde ik mij altijd minder dan mijn leeftijdgenoten. Ik was lelijk, klein, met een schlemielig lichaam dat er met sporten en bij de meisjes niets van terechtbracht. Ik zat heel vaak gierend van jaloezie maar ook met stil verdriet in de bioscoop te kijken naar al die stoere filmbinken. Ik voelde me dan door de schepping verschrikkelijk onrechtvaardig behandeld. Zelfs toen mijn eigen films een enorm succes werden, bleef dat gevoel van minderwaardigheid van binnen toch zitten. Ik ben eigenlijk zelden echt gelukkig.'
De woorden zijn van Woody Allen, nu beroemd, rijk, jarenlang partner geweest van mooie en succesvolle vrouwen als Mia Farrow, in een openhartig interview in het blad *Figaro Magazine.*
Het lijkt moeilijk te geloven dat iemand in zijn situatie, na zoveel successen, nog altijd gebukt kan gaan onder minderwaardigheidsgevoelens.
Overigens, ik weet wel zeker dat de Woody van nu minder last heeft van zulke gevoelens dan de Woody in zijn kindertijd. Een van de redenen is dat hij van zijn nadeel een voordeel heeft gemaakt. Dat hij het verlies waarop hij als kind was gezet, in zijn latere jaren tot winst heeft gemaakt. In veel van zijn films speelt hij zichzelf, de schlemiel, het lelijke, onaantrekkelijke, vaak ongelukkige en bijna depressieve mannetje. Degene die alles verkeerd doet, die naast de aantrekkelijke vrouwen grijpt, die niet boos kan worden als hij wordt belazerd door zijn vriendin die met zijn beste vriend de koffer induikt. Met behulp van zijn films heeft hij van zijn nadeel, van zijn minderheid, zijn voordeel, zijn grootheid gemaakt. Een zoveelste bewijs van het merkwaardige spel van tegenstellingen, dat het leven is. Klein kan groot zijn. Lelijk mooi. Onaantrekkelijk aantrekkelijk. Negatief positief.
Uiterlijke eigenschappen of andere ongelijkheden zijn, zo toont het leven van Woody Allen aan, geen noodlot. Ze zijn de spullen waarmee je moet werken. Hoe je dat doet en wat je ermee

bewerkt, is dus in ieder geval voor een deel je eigen toedoen. Maar let wel, voor een deel. De opvatting dat wat je in dit leven bereikt of dat geluk of ongeluk hoofdzakelijk een kwestie is van je eigen wilskracht, inspanningen en gedrag, is zowel onjuist als beledigend. Erger nog. Het is 'depressogeen'. Het verhoogt de kans dat je je minderwaardig en in het voetspoor daarvan depressief gaat voelen als je niet dat bereikt wat je jezelf had voorgenomen. Of wat anderen, zoals je ouders of partner, voor je hadden bedacht. De waarheid in dit leven is dat waar een wil is, niet altijd een weg is. De waarheid is ook dat sommige mensen meer 'cadeau krijgen' dan anderen. De Amerikanen hebben daar een treffende uitdrukking voor. Ze noemen dat soort mensen *lucky sperms*, 'gelukkig sperma'. Het zijn mensen die zowel wat betreft erfelijke uitrusting, lichamelijk en psychisch, als wat betreft de welstand van de familie waarin ze geboren worden, alles of in ieder geval een heleboel mee hebben.
Woody Allen is geen 'lucky sperm'. Niemand die aan zijn jeugd of volwassenheid moet beginnen met een negatief zelfbeeld, met minderwaardigheidsgevoelens, is een lucky sperm.
Dat brengt me op twee belangrijke stellingen.

De eerste is deze: Het zelfbeeld waarmee je je jeugd of volwassenheid wordt ingestuurd, is een nadeel als het negatief is en een voordeel, als het positief is, waar jijzelf geen enkele schuld voor draagt of geen enkele lof voor verdient.

De tweede is: Zelfbeeld is een houding ten opzichte van jezelf waarvoor de basis wordt gelegd door opvoeding, sociale waarden en normen, levensgebeurtenissen en erfelijkheid.

Nu de hamvraag. Betekent het feit dat een negatief zelfbeeld een houding is ten opzichte van jezelf, dat de oplossing ook aan jou zelf is? Dat de keuze aan jou is: of je kiest ervoor die houding vol te houden of te veranderen?

Sol Gordon zei een keer tegen mij: 'Niemand kan maken dat jij je minderwaardig voelt zonder jouw toestemming.'
De suggestie daarin was dat de keuze voor mij eenvoudig was: of ik bleef bij of ik brak met mijn geloof in mijn minderwaardigheid. De meeste zogenaamde zelfhelpboeken doen in feite weinig anders dan dit soort suggesties verkondigen. Maar het is een onjuiste en vooral een onrechtvaardige suggestie. Geen kind of jongere kiest ervoor zich minderwaardig te voelen. Als iemand zich toch zo voelt en dat gevoel blijft tot diep in de volwassenheid bestaan, dan moeten andere factoren daarvoor verantwoordelijk zijn. En blijkbaar verander je die niet zomaar even door te zeggen 'Ik stop ermee en ik stap over op een ander geloof over mezelf'.
De suggestie dat je minderwaardigheidsgevoelens simpel een kwestie zijn van jouw instemming of toestemming is ook onjuist en onrechtvaardig, omdat het de schuld voor het feit dat je je als volwassene nog steeds zo voelt bij jou neerlegt. Als je er dus niet in bent geslaagd dat gevoel te veranderen, is dat dan dus vooral een kwestie van eigen schuld dikke bult.
Met zo'n redenering word je in feite dubbel gepakt. Eerst met minderwaardigheidsgevoelens waar je niet om gevraagd hebt. En vervolgens met de suggestie dat het feit dat je ze nog steeds hebt, een kwestie van je eigen toedoen is.
De realiteit is dat we in dit leven helemaal niet zoveel te kiezen hebben. De meeste keuzes zijn voor ons en niet door ons gemaakt. De marges om in onze persoonlijkheid nieuwe paden, nieuwe houdingen in te slaan zijn smal. Dat wil overigens niet zeggen dat smalle veranderingen geen grote gevolgen kunnen hebben. Dat kunnen ze wel degelijk, maar dan moet je wel eerst weten waar die marges zitten en hoe je ze kunt benutten.
Daarom is de meest veelbelovende strategie, als het om veranderingen in jezelf, je gedachten, je gevoelens en je gedrag gaat, deze: streef kleine veranderingen na en vertrouw erop dat die tezamen op een dag iets groots zullen opleveren.

14 Hoezo, depressie een kwestie van eigen keuze?

Een aantal jaren geleden deed een Amerikaanse organisatie een onderzoek naar waarom zo weinig mensen die aan een depressie lijden, actief op zoek gaan naar hulp.[1] Daaruit kwamen twee belangrijke redenen naar voren.

De eerste is dat nogal wat depressieve mensen geloven dat er geen effectieve hulp voor hen is. Ze zijn gewoon zo en er valt weinig anders aan te doen dan je daarbij maar neer te leggen.

De andere reden is dat veel mensen geloven dat depressie een vorm van wilszwakte is. Met wat meer doorzettingsvermogen en wilskracht moet je je daar zelf uit kunnen hijsen. Wie dat niet doet, maakt in feite zelf de keuze depressief te blijven. Depressie als een kwestie van keuze dus. Die opvatting past heel goed in het hedendaagse optimisme dat het hele leven een kwestie van willen en kiezen is en dat degene die niet bereikt heeft wat hij of zij graag wil, dat aan niemand anders dan aan zichzelf te wijten heeft.

Het is ontegenzeggelijk waar dat mensen tegenwoordig meer keuzemogelijkheden hebben dan vroeger. Je hoeft maar een supermarkt in te lopen om te zien dat dat werkelijk zo is. Maar de vraag is, of het werkelijk waar is dat, als het gaat om de meest belangrijke dingen in het leven, we tegenwoordig zo veel meer te kiezen hebben dan pakweg een eeuw of twee geleden?

Nog altijd is het zo dat niemand van ons er bijvoorbeeld voor heeft gekozen in deze wereld terecht te komen. We zijn er gewoon in gezet – met een erfelijke uitrusting en een uiterlijk waar we niet om gevraagd hebben en die we, als het aan ons had gelegen, vermoedelijk ook niet precies zo uitgezocht zouden hebben.

---

1. National Institute for Mental Health, *Depression*, NIH publication nr. 00-3561, 2002.

Ook heeft niemand van ons de keus gehad bij zijn eerste relaties: zijn ouders. Ze waren er gewoon, met alles erop en eraan, zoals hun sociale klasse, hun persoonlijkheden, hun ziekten en stoornissen, hun interesses en hun liefde, of het gebrek daaraan, voor hun kinderen. Evenmin hebben we kunnen kiezen voor die andere belangrijke eerste sociale omgevingen, zoals het kinderdagverblijf, de basisschool, de middelbare school, de universiteit. We zijn er gewoon naar toegestuurd of gegaan, op grond van keuzes of verwachtingen die vrijwel altijd vóór ons en bijna nooit dóór ons gemaakt werden.

En dan alle gebeurtenissen die ons zijn overkomen. Op hoeveel daarvan hebben we nu eigenlijk enige invloed gehad? En over hoeveel van de gebeurtenissen die ons nog te wachten staan, zullen we iets te zeggen hebben? In elk geval niet over de meest ingrijpende die ons nog wacht: de dood. Een groep artsen is een aantal jaren geleden begonnen om de dood tot een *preventable medical condition*, een voorkoombare medische toestand, te verklaren. Maar het bewijs daarvoor hebben ze niet kunnen leveren en ik vrees dat ook dat nog wel een flink aantal eeuwen op zich zal laten wachten.

En dan wat betreft de mensen die we op onze volwassen levensweg tegenkomen, hoeveel hebben we daar eigenlijk in te zeggen? Is bijvoorbeeld het feit dat de een zijn of haar ware Jacob(a) wel lijkt te hebben gevonden een kwestie van inspanning en weten wanneer je moet toeslaan? Of is het een kwestie van gewoon geluk hebben?

Kortom, als we op bevel zijn gekomen en op bevel zullen gaan, hoe realistisch is het dan nog te veronderstellen dat we veel zeggenschap hebben over wat daartussenin gebeurt? Wat valt er voor de rest eigenlijk nog te kiezen?

Onze persoonlijkheid misschien? In de afgelopen jaren zijn de psychologen die zich met het onderzoek naar persoonlijkheid bezighouden, het min of meer eens geworden over het feit dat er vijf algemene persoonlijkheidskenmerken bestaan – de 'Grote vijf' of 'Big Five' worden ze wel genoemd – die in belangrijke mate erfelijk bepaald zijn. Hoewel er nog altijd geen volledige overeenstemming bestaat over hoe die eigenschappen nu precies genoemd moeten worden, kunnen we ze ruwweg als volgt omschrijven:

Extraversie versus introversie: een dimensie die loopt van sociaal actief, spraakzaam, en spontaan aan de ene kant, naar rustig, verlegen en gereserveerd aan de andere kant.

Goedigheid versus koppigheid: een dimensie die loopt van zachtaardig, vol vertrouwen, en behulpzaam aan de ene kant, naar vasthoudend, koppig, weinig toegeeflijk en wantrouwig aan de andere kant.

Nauwgezetheid versus nonchalance: een dimensie die loopt van serieus, zorgvuldig, ijverig aan de ene kant, naar lichtzinnig, nonchalant, lui aan de andere kant.

Emotionaliteit versus stabiliteit: een dimensie die loopt van emotioneel, angstig, gespannen aan de ene kant, naar onverstoorbaar, ontspannen, emotieloos/ongevoelig aan de andere kant.

Openheid voor ervaringen versus conservatisme of traditionaliteit: een dimensie die loopt van vooruitstrevend, nieuwsgierig, creatief aan de ene kant, naar traditioneel, nuchter of bekrompen, aan de andere kant.

Door onze aanleg zijn we blijkbaar meer gesloten of juist spontaner dan anderen, meer verlegen of juist meer sociaal, zijn we eerder optimistisch of eerder pessimistisch over onszelf of anderen, hebben we eerder de neiging in paniek te raken of juist onverstoorbaar te reageren, zijn we meer nonchalant of juist preciezer, zijn we goediger of juist venijniger dan anderen.

Met andere woorden, onszelf of elkaar verwijten dat we een of meer van die neigingen hebben is voor een belangrijk deel onterecht. Want we hebben onze eigen persoonlijkheid niet voor het uitkiezen gehad.

Wat hebben we dan eigenlijk nog te kiezen? In een bepaald opzicht is deze vraag eigenlijk geen vraag, maar een aanklacht. Sterker nog, het is de vermomming van een van de meest fundamentele aanklachten die wij als mens in of tegen dit leven hebben, namelijk (a) dat er in wezen zo weinig te kiezen valt en (b) dat we daarnaast ook nog zoveel moeten. Door het leven, door onze driften, door ons lichaam, door de natuur, door anderen, en door de cultuur worden ons zoveel beperkingen opgelegd dat we nauwelijks speelruimte hebben. We moeten zoveel dingen – werken, eten, drinken, slapen, ons kleden, bescherming zoeken, informatie verzamelen – om onszelf in leven te houden. En we moeten zoveel andere dingen om onze soort in leven te houden – een partner zien te vinden, kinderen zien te krijgen en groot te brengen – en alles bij elkaar kost dat zoveel van onze levenstijd dat er door de bank genomen niet of nauwelijks tijd voor iets anders overblijft. Dat er zo weinig voor ons te kiezen valt en dat we zoveel moeten is de schuld van één en slechts één enkel feit: dat we schepsel zijn en geen schepper. Daarin verschillen we niet van allerlei anderen levensvormen, zoals de dieren. Alleen hebben die er, voorzover we weten, geen moeite mee. Die accepteren gewoon dat ze schepsel zijn, punt uit.

Wij niet. Wij beschikken over een bewustzijn, over het vermogen om onszelf als iets anders voor te stellen dan als een gewoon schepsel. En met die illusie begint het gedonder. Ons zelfrespect als mens, onderscheiden van de rest van de natuur, hangt af van de mate waarin we kunnen bewijzen dat we zelf schepper kunnen zijn. Het hangt af van de mate waarin we voor ons gevoel 'wetend' of bewust kiezen. Want alleen een schepper kan zelf zijn keuzes bepalen.

Daarom willen we er ook niets van weten dat we geschapen zijn. Dat uit zich onder andere in de afkeer die wij allemaal, klein of groot, hebben van de gedachte dat onze ouders seks met elkaar bedrijven. Het is immers door de seksuele daad, die meest 'dierlijke' van alle menselijke gedragingen, dat we als kinderen verwekt en geworpen zijn, op dezelfde manier waarop overal in de natuur door alle diersoorten verwekt en geworpen wordt. Seksualiteit betekent sterfelijk-zijn, afhankelijk-zijn, dierlijk-zijn, schepsel-zijn. Gekozen-zijn, in plaats van kiezer zijn.

Om dezelfde reden 'balen' we ervan om opmerkingen te krijgen als: 'Je lijkt van iedereen het meest op je vader' of 'je bent precies je moeder'.

We willen 'ons eigen project zijn'. De bron, de ontwerper van ons eigen denken en handelen. En daarom verdedigen we tal van dingen die we denken, voelen en doen met het argument dat het onze eigen keuze was. Daarom ook verweren we ons tegen iemand die kritiek op ons gedrag levert met het argument dat we zelf wel zullen bepalen wat we doen.

Maar de waarheid is dat als we echt willen weten in hoeverre iets werkelijk onze eigen 'keuze' is, we moeten beginnen met na te gaan welke andere krachten dan 'keuze' een hoofdrol speelden en spelen.

Hoe tegenstrijdig het misschien ook klinkt, naarmate we vaker een vraagteken zetten achter de bewering dat 'dit echt helemaal mijn of jouw eigen keuze is', worden we ons bewuster van de keuzes die we wel hebben. Om te weten wat je speelruimte is, moet je weten waar de lijnen voor je getrokken zijn. Alleen daarbinnen kun je effectieve keuzes maken.

15 Depressieve ouders, depressieve kinderen?

Een van de keuzes die voor ons en niet door ons gemaakt is, is de ouders die we hebben en daarmee, in belangrijke mate althans, ook de opvoeding die we hebben ontvangen. Dat brengt me op een belangrijke vraag: is met onze ouders en onze opvoeding ook ons risico op depressie bepaald? We weten daar inmiddels iets van, maar nog niet zo heel veel, zoals uit het volgende blijkt.

'Een van de dingen die ik me van vroeger nog goed herinner, is de dreiging die ervan uitging als mijn vader weer een van zijn, zoals wij dat noemden, "overspannen" buien had. Hij kon dan de hele dag onrustig in huis rondlopen met een bleek, verstrakt gezicht, vrijwel niets zeggend. Als kinderen gingen we hem dan zoveel mogelijk uit de weg, kropen ergens in een hoekje van het huis bij elkaar. Want het kon gebeuren dat hij zomaar plotseling een kopje of een asbak pakte en door de kamer smeet. Of hij ging plotseling naar buiten en sloeg de voordeur met een ontzettende rotklap achter zich dicht. We vroegen ons dan altijd ongerust af of hij ooit wel weer terug zou komen. Als zijn stemming na een aantal dagen weer opklaarde, steeg er ook een groot gevoel van opluchting in huis op. Alleen, je wist nooit voor hoelang. Op een of andere manier moest je altijd op je hoede zijn.'
Dit relaas is afkomstig van een 35-jarige vrouw, die aan terugkerende depressies leed. Zelf was ze de mening toegedaan dat haar klachten hun oorsprong hadden in de ervaringen die ze als kind had opgedaan met haar, naar ze later had begrepen, ook aan depressies lijdende vader en de negatieve invloed die dit op het gezinsleven had gehad. Maar tegelijkertijd vroeg ze zich af of die opvatting wel juist was, want in de boeken en artikelen die ze daarover te pakken had kunnen krijgen, was ze voornamelijk uitspraken tegengekomen over de invloed van depressie bij moe-

ders op het risico van depressie bij kinderen. Die uitspraken liegen er overigens niet om. In een standaardwerk op dit gebied getiteld *Psychosocial Disorders in Young People*[1] (Psychosociale problemen bij jongeren) onder redactie van de vermaarde Britse kinder- en jeugdpsychiater Michael Rutter, wordt op basis van het beschikbare onderzoek de volgende conclusie getrokken: 'Psychische stoornissen van ouders vormen de krachtigste voorspeller van depressie bij hun kinderen.' Voor een groot deel is die conclusie inderdaad gebaseerd op onderzoek bij moeders en kinderen, maar, dit ter geruststelling van moeders, er is ook een reeks van studies waarin de invloed van vaders is onderzocht. En die blijkt minstens even groot. Voor (echt)paren van wie een of beide partners aan een psychische stoornis lijden of in de loop van hun volwassen leven geleden hebben, is dat bepaald geen geruststellende conclusie. Voor hen zal het, helaas, eerder een aanleiding zijn tot zelfverwijt of zelfbeschuldiging als ze een kind hebben dat lijdt aan depressie. En als ze nog geen kinderen hebben maar wel zouden willen hebben, is het waarschijnlijk aanleiding voor grote aarzeling en twijfel.

Maar zulke, begrijpelijke, reacties zijn ook aanleiding om Rutters conclusie aan een nader onderzoek te onderwerpen. Want hoe sterk is de samenhang tussen ouderlijke en kinderlijke depressie nu eigenlijk precies? En waardoor wordt ze verklaard? Wat de eerste vraag betreft, is het antwoord bepaald nog niet zo eenvoudig te geven. We weten dat als iemand een ouder heeft die aan een depressie lijdt, de kans dat hij of zij dat ook zal doen aanzienlijk groter is dan wanneer geen van de ouders depressie heeft of had. Volgens een overzichtsstudie van de psycholoog Terry Wilson en collega's hebben familieleden van iemand die aan een zogenaamde manisch-depressieve stoornis lijdt[2], een kans

---

1. Rutter, M., en Smith, D. (eds.), *Psychosocial Disorders in Young People: Time Trends and their Causes*. Chichester, 1994 (Wiley).
2. Dat is een stoornis waarbij iemand afwisselend manische (overactieve) en depressieve (inactieve) stemmingsperioden heeft. Zie: Wilson, T., e.a., *Abnormal Psychology Integration Perspectives*, Boston, 1996 (Allyn and Bacon).

van ongeveer 8 procent om zelf zo'n depressie te ontwikkelen. Dat is ongeveer acht keer zo hoog als het percentage in de 'normale' bevolking. De kans dat ze een 'gewone' depressie, een depressie zonder manische perioden, ontwikkelen is nog hoger. Mensen met een familielid (ouder, broer, zus, etcetera) dat lijdt aan een 'gewone' depressie lopen bijna tweemaal zoveel risico om zelf ook zo'n depressie te krijgen dan mensen zonder depressie in de familie. Als het betreffende familielid een ouder is en helemaal als het om beide ouders gaat liggen de betreffende risicopercentages nog beduidend hoger, maar het is moeilijk met enige stelligheid te zeggen hoeveel hoger omdat de verschillende onderzoeken hiervoor heel verschillende percentages geven. Maar hoe dan ook, lang niet alle kinderen van depressieve ouders krijgen zelf depressies.

Ook de manier waarop depressie bij een ouder invloed heeft op het risico van depressie bij een kind is niet duidelijk. Het is niet zo dat depressie eenvoudig depressie verwekt. Bij kinderen en jongeren met depressieve ouders vinden we bijvoorbeeld vaker angstproblemen (fobieën, paniekstoornis) dan depressies.

Het zou kunnen zijn dat de angstreacties op jonge leeftijd een uiting zijn van een onderliggende kwetsbaarheid voor het ontwikkelen van emotionele stoornissen die erfelijk wordt overgedragen. Maar het zou ook kunnen zijn dat ze de uiting zijn van bepaalde kenmerken in de gezins- en opvoedingssituatie van kinderen die aan ouderlijke depressie worden blootgesteld. De meest waarschijnlijke 'verdachte' op dit punt is de interactie tussen een depressieve ouder en een kind.

Een aantal jaren geleden publiceerden de psychologen Cohn en Tronick[1] een op dit punt veel bediscussieerde studie. Daaruit komt naar voren dat baby's van drie maanden al duidelijk kunnen waarnemen wanneer hun moeders somber zijn – en ze blijken dat absoluut niet plezierig te vinden. De onderzoekers film-

1. Cohn, I., en F. Tronick, 'Three-Month-Old Infant's Reaction to Simulated Maternal Depression', Child Development 54, no. I (1983).

den 24 baby's van drie maanden oud en hun moeders gedurende periodes van drie minuten waarin de moeders ofwel normaal met hun kind omgingen ofwel deden alsof ze depressief waren door een sombere gezichtsuitdrukking op te zetten, monotoon te spreken, niet of nauwelijks naar het kind te kijken en er weinig of geen contact mee te maken. Een aantal moeders begon met de 'depressieve' omgang, en ging dan 'normaal' doen. Een aantal andere moeders begon 'normaal' en werd dan 'depressief' en een derde groep bleef tijdens het hele onderzoek normaal doen. Wat bleek? Als de moeders 'depressief' waren, bleken de baby's de helft van de tijd te protesteren – met negatieve gezichtsuitdrukkingen, huilen, hun ruggetjes krommen, of door heel erg op hun hoede, met ernstige gezichtuitdrukkingen zoals de wenkbrauwtjes samengetrokken, almaar naar hun moeders te kijken. Iedere vorm van spel werd steeds weer door de baby zelf onderbroken door even aandachtig naar de moeder te kijken, alsof het zocht naar negatieve signalen. Zelfs nadat de moeders weer normaal waren gaan doen, bleven de baby's nog een tijd in de negatieve stemming hangen. Daarentegen bleven de baby's van de moeders die de hele tijd 'normaal' deden, ook normaal spelen met vrolijke of lachende gezichtjes. Slechts zelden protesteerden ze of waren ze op hun hoede, terwijl een negatieve stemming, als ze die al hadden, weer heel snel oploste.

Ook andere studies, met werkelijk depressieve ouders, lijken erop te wijzen dat die een negatieve invloed op hun kind kunnen hebben, onder andere door een patroon van weinig warmte of genegenheid en weinig zorg en aandacht. Hun aandacht lijkt vooral te bestaan uit het uitdelen van ge- en verboden en van straf.

Het gevaar van dit soort studies is dat ze gemakkelijk tot de conclusie kunnen leiden dat depressieve ouders door hun manier van omgang met hun kinderen de psychische ontwikkeling van die kinderen in gevaar brengen. Maar dat is veel te kort door de bocht. Rutter wijst erop dat depressieve moeders vaak in gezins- of huwelijkssituaties verkeren waarin sprake is van chronische stress, onder andere te maken hebbend met probleemgedrag van de partner (zoals alcoholmisbruik), relatieproblemen met de partner, dreiging van scheiding, lichamelijk en/of seksueel misbruik door de partner, financiële problemen, te veel taken zoals naast zorg voor het eigen gezin ook een baan en zorg voor ouders of andere familieleden, of gespannen, soms vijandige relaties met andere familieleden (ouders, schoonouders en dergelijke) of mensen in de buurt. Die chronische stress blijkt meer invloed te hebben op hun omgang met hun kinderen dan hun depressie als zodanig. Bovendien blijken depressieve moeders vaak zelf in een gezin te zijn opgegroeid waarin van chronisch hoge stress sprake was. Ze bleken meestal ook niet de vaardigheden te hebben geleerd goed met die stress om te gaan.

Omgekeerd is er tot nu toe weinig aandacht van onderzoekers geweest voor de invloed die het gedrag van kinderen zelf op het ontstaan of voortbestaan van depressie bij hun ouders kan hebben. Maar afgaande op de schaars beschikbare onderzoeken op dit punt lijkt er vaak sprake te zijn van een wederkerig verband tussen ouderlijke depressie aan de ene kant en probleem- of onaangepast gedrag bij kinderen aan de andere kant. Met andere woorden, kinderen kunnen door hun gedrag of eigenaardigheden ook een oorzaak van depressie bij hun ouder(s) zijn.

Kortom, het verband tussen depressie bij ouders en depressie bij kinderen is veel te ingewikkeld en er spelen veel te veel factoren een rol om het uitdelen van schuld, op welke manier dan ook, te rechtvaardigen. Bovendien, veel ouders weten niet eens dat ze aan een depressie lijden. En als ze het al weten, hebben ze vaak geen idee wat daar aan te doen is. Of ze geloven eenvoudigweg niet dat er wat aan te doen is. Dat gevoel van hopeloosheid/hulpeloosheid is nou net weer typerend is voor een depressie.

Voorkomende ouders

Het sterke verband tussen psychische problemen bij ouders en depressie bij kinderen drukt ons wel met de neus op een feit dat tot nu toe veel te weinig aandacht heeft gekregen. Een belangrijke, en misschien wel de belangrijkste voorwaarde, voor een psychisch gezonde ontwikkeling van een kind is het hebben van psychisch gezonde ouders. Ik heb het al eerder gezegd naar aanleiding van de waarschuwing van de Wereldgezondheidsorganisatie: we doen tot nu toe veel te weinig om in een zo vroeg mogelijk stadium in contact te komen met ouders die mogelijk een depressie hebben en om hen op een veilige en aanvaardbare manier advies en hulp aan te geven. Terwijl dat nou net, met alle respect, 'twee vliegen in één klap zou slaan'. Consultatiebureaus waar ouders nu vooral voor hun kind komen, zouden stante pede omgebouwd mogen worden tot instanties die ook de psychische gezondheid van de ouders tot hun taak rekenen. Want een kind dat opgroeit met een ouder die aan depressie lijdt maar (a) daarvoor goed behandeld wordt; (b) de vaardigheid leert met de gevolgen van depressie en met stress goed om te gaan en; (c) wiens of wier partner eveneens die vaardigheden geleerd krijgt, heeft de meeste kans, zij het natuurlijk met up's en down's, zich tot een psychisch gezonde volwassene te ontwikkelen. En daarvan kunnen we er niet genoeg hebben.

Om die reden heb ik in 1997 aan de GGD en de Stichting Thuiszorg van Rotterdam voorgesteld een project te beginnen dat ik de titel 'Voorkomende ouders' meegaf. Doel van het project is dat ouders die op het consultatiebureau komen als ze pas een kind hebben (zo rond de vijfde maand na de geboorte) de mogelijkheid krijgen om psychische problemen of klachten die ze hebben kenbaar te maken. Als daar vervolgens aanleiding toe blijkt, krijgen ze een psychologisch onderzoek en eventueel hulp aangeboden. Deze werkwijze is inmiddels door het gemeentebestuur van Rotterdam omarmd en onderdeel van het gemeenteprogramma. In het kader van het project heb ik met tal van ouders te maken gehad die aan depressies of andere psychische stoornissen leden. Ik heb ervaren hoe belangrijk het voor hen was dat er mensen waren die daarover met hen gingen praten, uitleg gaven en ze in contact met hulpverleningsmogelijkheden brachten. Ik heb ook ervaren dat heel veel ouders donders goed begrijpen hoe belangrijk hun eigen psychische gezondheid voor de ontwikkeling van hun kind is. Ze blijken vaak zelf als kind ervaren te hebben hoezeer je onder de psychische problemen van je ouders kunt lijden.

16 Je zelfbeeld begint bij het begin

Onze kwetsbaarheid voor depressie, zo blijkt uit het vorige hoofdstuk, heeft veel te maken met waar we vandaan komen en met welke mensen, welke volwassenen, we aan ons leven begonnen zijn. Hoe oefenen die mensen, zoals onze ouders, precies hun invloed op dit punt uit? Ook daar we weten we het een en ander, maar opnieuw nog lang niet alles, van. We weten wel dat ons zelfbeeld als volwassene, en dus ook ons negatief zelfbeeld als we dat hebben, voor een aanzienlijk deel te maken heeft of te maken kan hebben met onze ouders en hoe ze met ons zijn omgegaan.

Kennis, ik heb het al eerder gezegd, is macht. Zelfkennis, kennis over de ontwikkeling van je zelfbeeld en de factoren die daarop van invloed zijn geweest, is daarom macht over je zelfbeeld. Het is de macht om dat beeld te relativeren. Neem dat woord letterlijk. 'Relativeren' betekent 'in relatie zien'. Probeer je zelfbeeld te zien in relatie tot je erfelijkheid, opvoeding, de samenleving, gezondheid, levensgebeurtenissen en natuurlijk ook je eigen gedrag en prestaties. Maar alsjeblieft nooit alleen in relatie tot het laatste, altijd in relatie tot al de genoemde factoren.

Als kind kun je je zelfbeeld nog niet relativeren. Dus wat je van jezelf vindt of hoe je over jezelf denkt als kind is vaak een rechtstreekse weerspiegeling van wat anderen, je ouders en andere opvoeders, van je vinden en vooral hoe ze je behandelen. En, omdat wij nu eenmaal gewoontedieren zijn, is wat je van jezelf vindt als volwassene niet zelden een onkritische herhaling van die als kind opgelopen beelden.

Het meest beslissend daarbij is de wijze waarop er als kind van je gehouden is. Of niet. Wat dat betreft zijn er enorme verschillen tussen de manier waarop kinderen aan hun leven kunnen beginnen.

Simpel gezegd, sommige kinderen staan, voordat ze goed en wel aan het leven zijn begonnen, al op verlies. En dus op een levensschema waarop de kans groter is dat ze vroeger of later een depressie ontwikkelen.

Opvoeding als antidepressivum, of niet

Hoeveel van de volwassenen die nu in Nederland rondlopen, waren als kind gewenst? En doet het er iets toe voor hoe hun leven gelopen is, of ze als kind gewenst waren of niet? Deze vragen kwamen bij me op toen ik het ziekenhuis verliet na een gesprek met een dertigjarige vrouw kort nadat ze weer bij bewustzijn was gekomen. Ze had een overdosis tabletten samen met een flinke hoeveelheid alcohol ingenomen nadat haar echtgenoot aangekondigd had haar te zullen verlaten om met een ander te gaan leven.

In haar afscheidsbrief had ze, op een bijna zakelijke manier, vermeld dat ze blijkbaar een van die kinderen was die niemand hadden die, toen ze voor het eerst hun hoofd de wereld in staken, zei: 'Welkom.'

'Ik heb nooit gemerkt,' voegde ze er in een later gesprek aan toe, 'dat het feit dat ik er was voor mijn ouders iets belangrijks, iets positiefs, iets vreugdevols was. Ik heb wel altijd het gevoel gehad dat ik overbodig was, dat ik te veel was. En toen mijn man mij verliet, werd ik weer eens keihard op dat feit gedrukt: anderen hebben mij niet echt nodig, voor hen is het niet echt van belang of ik er ben of niet. Dus waarom zou het dat voor mij wel zijn.'

Enige tijd nadat de behandeling van deze vrouw was afgesloten, gaf ik een cursus over levensloofpsychologie aan een groep collega's, mannen en vrouwen. Een van de opdrachten die ik voor hen bedacht had, was het schrijven van een autobiografie, een verslag van hun leven, van de dingen, mensen en gebeurtenissen die daarin een belangrijke rol gespeeld hadden. In geen van de verhalen die ik onder ogen kreeg, werd iets gezegd over de vraag of ze als kind door hun ouders gewenst waren geweest. Toen ik de groep met dat feit confronteerde, reageerden de meesten tot mijn verbazing als volgt: ze hadden zichzelf eenvoudig nooit de vraag gesteld: 'Was ik gewenst of niet?' Op mijn vraag: 'Denken jullie dat het antwoord op die vraag belangrijk is?' was het antwoord algemeen: 'Heel belangrijk!' Maar op mijn vraag: 'Zijn jullie bereid naar je ouders te stappen en ze die vraag te stellen?' was het antwoord heel wat minder eenstemmig. Veel van de cursusdeelnemers voelden er maar bitter weinig voor hun ouders op die manier te confronteren.

Sommigen gaven als reden op dat hun ouders geweldig van de vraag zouden schrikken, mogelijk zouden denken dat je als kind aan hun bedoelingen twijfelde en dat het de verhouding zou kunnen verstoren. Anderen vonden het moeilijk omdat ze onzeker waren van het antwoord dat hun ouders, als ze eerlijk waren, zouden geven. Als het negatief zou zijn, zouden ze dat maar liever niet weten. 'Wat heeft het voor zin,' zoals een deelnemer zei, 'om een illusie te verstoren waar beide kanten goed mee kunnen leven?'

Nog weer anderen zeiden dat ze wel wisten hoe het 'eerlijke' antwoord zou moeten luiden en dat het maar beter ongezegd zou kunnen blijven. Want hoe moet je verder met een ouder, als die eenmaal heeft toegegeven dat hij of zij je als kind eigenlijk helemaal niet gewild had. Om aan alle discussie een einde te maken, vroeg ik aan de groep hoeveel van hen er óf aan twijfelden of ze wel gewenst waren, óf zeker waren dat ze niet echt gewenst waren. Tot mijn onthutsing stak bijna een derde van de deelnemers zijn of haar hand op. Mogelijk heeft dat iets te maken met hun leeftijd – de meeste deelnemers waren babyboomers, geboren tussen 1945 en 1955 in betrekkelijk grote en soms zeer grote gezinnen – maar ook dan is het bepaald niet te hopen dat het percentage kenmerkend is voor deze leeftijdsgroep in zijn geheel.

Niet te hopen, omdat de gevolgen van het ongewenst-zijn de kinder- en jeugdjaren en ook vele jaren daarna, van levensplezier en gezondheid kunnen beroven. In zijn boek *Liefhebben: een kunst, een kunde* legt een van de meest invloedrijke denkers op het gebied van geestelijke gezondheid in de twintigste eeuw, Erich Fromm, in een hoofdstuk getiteld 'De liefde tussen ouders en kind' helder uit waarom dat zo is.[1] De belangrijkste ervaring die het kind dat zich ontwikkelt van baby naar peuter en kleuter kan opdoen, aldus Fromm, is de ervaring: 'Ik word bemind [...]. Het is de ervaring dat mijn ouder(s), meestal vooral mijn moeder, van mij houdt omdat ik haar kind ben.' Als het goed is, zegt Fromm, hoeft het kind niets te doen voor de liefde van de moeder. Haar liefde is onvoorwaardelijk. Het enige dat het kind hoeft te doen, is er te zijn, haar kind te zijn. Maar er is ook een keerzijde aan het feit dat deze liefde niet hoeft te worden verworven, niet hoeft te worden verdiend.

Want het is niet alleen zo dat ze niet hoeft te worden verdiend – ze kan ook niet worden verdiend, gewekt of afgedwongen. Deze schaduwzijde werd door een van de deelnemers aan de cursus als volgt onder woorden gebracht: 'Ik heb altijd het gevoel gehad dat wat ik ook deed, hoezeer ik me ook uitsloofde, het niet werkelijk iets uitmaakte voor mijn moeders houding ten opzichte van mij. Dat is nu nog zo. Als ik op bezoek kom, is dat "gewoon". Als mijn broer op bezoek komt, wordt hij daarvoor de hemel in geprezen. Als ik een cadeautje meebreng, dan reageert ze alsof ze niets anders had verwacht. Als mijn broer iets meebrengt, en ik zeg "als", dan heeft ze het er dagen later nog over, tegen iedereen die het maar wil horen.'

Toen ik haar vroeg of ze bereid was te accepteren dat ze op de liefdesladder van haar moeder pas op de derde, vierde of helemaal geen plaats kwam, of dat haar moeder het niet erg had gevonden als ze haar niet als dochter had gehad, werd ze eerst zeer nadenkend en vervolgens reageerde ze min of meer boos met: 'Maar dan had ze geen kind moeten nemen.'

Maar, helaas, zo eenvoudig is het niet of in elk geval was het lange tijd niet. Veel van de kinderen die vóór de tijd van anticoncep-

1. E. Fromm, *Liefhebben: een kunst, een kunde* (Utrecht, Bijleveld, 1956, 1995).

tiva geboren werden, werden niet gekozen, ze kwamen eenvoudig. In gezinnen met een groot aantal kinderen, acht, tien of meer soms, was het zowel praktisch als psychologisch vaak onmogelijk ieder kind even lief te hebben, zelfs als alle kinderen de ouders even lief waren, zoals dat zo mooi heet. De kans op emotionele verwaarlozing van sommige van deze kinderen, en daarmee het gevoel bij deze kinderen niet echt of echt niet bemind te zijn, was daardoor groot.

Een van de momenten waarop dat echt duidelijk wordt, is wanneer een of beide ouders overlijden. Het zijn de emotioneel verwaarloosde kinderen die op de langere duur daar de meeste moeite mee hebben en de ernstigste klachten ontwikkelen. Voor hen geldt immers dat een diepzittend en voortdurend onbevredigd verlangen, namelijk ooit, ook al was het maar één keer, van de ouder te horen 'van jou hou ik ook', nu voorgoed onbevredigd zal blijven.

Wat een kind als volwassene ook in het leven heeft bereikt en hoeveel lof of bewondering dat ook heeft opgeleverd, dat fundamentele verlangen wordt er niet door gestild. Want het is lof of bewondering die men heeft moeten verdienen, die dus voorwaardelijk is. Zoals Fromm duidelijk maakt, de ervaring van onvoorwaardelijke liefde – 'geen overtreding, geen misdaad is mogelijk waardoor jij zou worden beroofd van mijn liefde, altijd zal ik jouw leven, jouw geluk wensen'- beantwoordt aan een van de diepste verlangens, niet alleen van het kind, maar van ieder mens. Als een mens bemind wordt om zijn goede daden, omdat hij het verdient, blijft er altijd onzekerheid achter. Blijft de vrees loeren dat hij de liefde weer kan verspelen. In die zin is zelfs de liefde van de zijde van een partner, schitterende uitzonderingen terzijde gelaten, niet of maar ten dele in staat om het ontbreken van moederlijke liefde – die overigens niet per se van een moeder maar ook van een vader kan komen – te compenseren. Voor wat betreft onvoorwaardelijkheid kan niets met ware moederlijke liefde concurreren. Ze is, zegt Fromm, de voorwaarde tot de liefde voor het leven zelf. Niet alleen het leven zoals we ons dat wen-

sen of het leven waarvoor we ons inspannen, maar het leven zoals
het komt. Het is daarmee het langst werkzame antidepressivum
in dit heelal.

Wat je niet gegeven is, heb je niet ontvangen

Maar wat nu als je het als kind zonder onvoorwaardelijke, zonder
moederlijke liefde hebt moeten stellen? Het antwoord is even
waar als hard: dat is dan jammer. Dat is een gemis, een verlies
dat niet goed te maken valt. Het heeft geen zin het alsnog aan
anderen proberen te ontfutselen, want dat lukt niet. Dat leidt
meestal alleen maar tot meer verliezen, meer ongeluk, meer ongelukkige relaties.

Een moeder zoeken in iemand die je moeder niet is en niet zijn
kan, is geen oplossing. Van de mannen of de vrouwen met wie je
in je leven iets begint, eisen dat ze nu aan liefde goedmaken wat
jij vroeger te kort bent gekomen, is geen houden van maar gebruiken van. Behalve het feit dat je op den duur daar altijd die
ander pijn mee doet, doet het ook je eigen emotionele ontwikkeling stagneren. De volwassene die eropuit is het verongelijkte of
verwaarloosde kind in zichzelf door anderen te laten verzorgen,
verongelijkt of verwaarloost die anderen. En verongelijkt en verwaarloost daarmee de relatie met hen. Want hij of zij probeert
voor zichzelf meer uit de relatie te halen dan ervoor terug te geven. Dat is unfair, letterlijk en figuurlijk. Dus loopt het vaak
slecht af. Met de relatie en met de persoon in kwestie. Die be-
landt na de zoveelste verbroken relatie steeds dieper in het emotionele slop.

Overigens is dat in mijn ogen nog altijd geen goede reden voor
wanhoop en minderwaardigheidsgevoelens. Je kunt het ook zo
zien. Hoe vaker er iets in je leven misgaat, hoe meer voorbeelden
je uit eigen ervaring hebt om uit te vinden wat je moet doen om
het de volgende keer wel goed of in ieder geval beter te laten
gaan. Natuurlijk is zulk 'zelf'-onderzoek dikwijls pijnlijk, want

confronterend. Maar bedenk dan dit: emotionele pijn is een belangrijk zoeksignaal. Een signaal dat je op een plaats bezig bent waar iets niet goed zit. Een signaal dus dat je op een goede plaats bezig bent.

Ik heb ooit van een Amerikaanse collega een methode geleerd om spierpijn te verminderen of te doen verdwijnen. Die naam van die methode is de *Fold and Hold* methode.[1] Die methode behelst het volgende. Ga op zoek naar de 'tenderspots', dat zijn de pijnlijke plaatsen of is de pijnlijke plaats in de getroffen spier. Als je die gevonden hebt, beweeg dan de spier heel voorzichtig rondom de pijnplek totdat je de houding gevonden hebt, waarbij de pijn vermindert of verdwijnt. Blijf dan een tijdje in die houding (ongeveer 90 seconden) en keer dan weer terug tot je normale houding. Herhaal de oefening een paar keer per dag. Dus pijn opzoeken, dan op zoek naar de houding in de buurt van de pijnplek die net geen pijn meer oplevert en die een tijdje volhouden.

Ik heb ervaren dat het een effectieve methode voor veel spierpijnen is. Ik heb ook ervaren dat het een effectieve methode voor veel emotionele pijnen is. Wat geldt voor het lichaam, geldt blijkbaar ook voor de geest: het verminderen van pijn begint met het opzoeken ervan.

We stuiten hier weer op dat merkwaardige spel van tegenstellingen dat het leven is en waar we het in het begin van dit boek al over hadden.[2] Hoe bewuster je bij tijd en wijle op zoek gaat naar je emotionele pijn, hoe groter de kans dat je ontdekt waar die pijn mee te maken heeft en waardoor die beïnvloed wordt, en dus hoe groter de kans dat je leert hoe er minder of geen last meer van te hebben.

Dat is de kern van bewustwording. Bewustwording begint

---

1. Anderson, D.L., *Muscle Pain Relief in 90 seconds. The Fold and Hold Method,* Minneapolis, 1995 (Chronimed Publishers).
2. Zie hoofdstuk Emotionele wijsheid en met name de beschrijving van het psychische afweermechanisme: suppressie.

meestal bij pijn. Veel mensen raken aangeslagen door waar ze zich bewust van worden, omtrent zichzelf, omtrent anderen. Die aanslag kan hun leven, en vooral hun hele beleven, op zijn kop zetten. Maar we moeten het van aanslagen hebben om oude patronen, structuren en beelden uit de weg te ruimen. Zoals negatieve of ongezonde zelfbeelden.

Bewustwording: Het proces

Hamburg, zondagavond, ongeveer acht uur. Ik zit met een goede vriend, een Duitse psycholoog, in een restaurant te eten. We hebben ons de hele dag beziggehouden, samen met een groep collega's, met discussies over de psychologische behandeling van mensen met persoonlijkheidsstoornissen. De hele galerij, waaronder de achterdochtige, de psychopathische, de histrionische (vroeger: hysterische), de angstige, de dwangmatige en de afhankelijke persoonlijkheidsstoornis, is de revue gepasseerd. Omdat hij autoriteitsgevoelig is en mij als zijn *senior* beschouwt, vraagt hij mij op een gegeven moment in welke categorie ik hem zou indelen. De vraag blijkt de inleiding tot een urenlang, zeer intensief gesprek over onze beide levens en, onvermijdelijk, ook over het leven zelf. Hij is 46 jaar, vrijgezel, heeft een eigen praktijk waarin hij acht maanden per jaar drie dagen per week werkt. De overige twee dagen werkt hij als vrijwilliger in een opvangcentrum voor asielzoekers. Vier maanden per jaar brengt hij helemaal aan de andere kant van de wereld door, op het eiland Samoa in de Stille Zuidzee, waar hij als vrijwilliger werkt bij een organisatie voor hulp aan mensen die in een levenscrisis verkeren en die suïcidaal zijn. Die levenswijze heeft hij sinds vijf jaar. Daarvoor werkte hij praktisch twaalf maanden per jaar zes dagen per week als psychotherapeut in een zeer welvarend deel van Hamburg. Op vijf ervan at hij 's avonds bij zijn moeder, één avond in de week ging hij met een collega squashen en in het weekend bracht hij zijn avonden en nachten met een vriendin door, met wie hij niet wilde samenleven en met wie hij geen kinderen wilde. Zowel in zijn werk als in de indeling van zijn vrije tijd was hij zeer punctueel. Mede daarom was hij als gedragstherapeut in de behandeling van fobieën, dwangneurosen en aanverwante psychische problemen ook zeer effectief en stond goed aangeschreven. Zoveel mogelijk sparen, zoveel mogelijk welstand opbouwen, en zo weinig mogelijk verantwoordelijkheid dragen voor mensen in zijn directe omgeving was in feite zijn levensstijl. Bijna vijftien jaar had hij op deze manier geleefd en vooral gewerkt, toen een op het eerste gezicht onbetekenende aanleiding een ingrijpend veranderingsproces in gang zette. Op een dag raakte hij bij het squashen tamelijk ernstig geblesseerd. Een paar weken was hij niet tot werken in staat en het squashen moest hij voorgoed opgeven. Dat laatste confronteerde hem met het feit dat zijn lichaam aan het ouder worden was. Het eerste gaf hem sinds lange tijd gelegenheid om in zijn eigen huis eens wat anders te doen dan werken. Een van de dingen die hij deed, iets waar hij anders niet of nauwelijks ooit aan toe kwam, was lezen van niet-vakliteratuur. De meteorietachtige inslag die het tweede boek dat hij ter hand nam, op zijn psyche had, vormt voor mij het zoveelste bewijs voor het feit dat bewustwording bij sommige mensen gelijk kan staan aan het openen van een nieuw leven. Sommige psychologen noemen dat verschijnsel heel treffend 'inzicht' (het zien, het kijken in het eigen innerlijk en het bewustworden van hoezeer je uiterlijke leven een afdruk van je innerlijk is).

Dat tweede boek was *Het proces* van Franz Kafka. Het is een boek dat ik zelf heb leren kennen via een psychologische studie ervan door Erich Fromm in zijn boek *Dromen, sprookjes, mythen: Inleiding tot het verstaan van een vergeten taal.* Ik heb *Het proces* vervolgens verschillende keren gelezen en iedere keer bleef een sterk verontrustend gevoel achter. Hetzelfde was bij mijn Duitse collega gebeurd. Kafka's boek is een roman waarin de gebeurtenissen op het eerste gezicht werkelijk lijken plaats te vinden, maar gaandeweg het boek wordt duidelijk dat ze zich in feite alleen maar in de psyche van de hoofdrolspeler, Joseph K., afspelen. Maar daarom zijn ze niet minder echt of minder beslissend voor zijn leven en de afloop daarvan.

Het boek begint op een griezelige, onheilspellende manier: Joseph K. wordt op een ochtend gearresteerd zonder dat hij iets kwaads gedaan heeft en dus moet iemand laster over hem verspreid hebben. Die onheilspellendheid wordt nog groter als K van een gerechtsdienaar te horen krijgt dat hij gerust naar zijn werk – hij werkt op een bank – kan gaan. K snapt daar niets van want hoe kan hij nou gewoon aan zijn werk gaan als hij gearresteerd is? Dat kan in het gewone leven natuurlijk ook niet. Maar het kan wel als we K's arrestatie opvatten, zoals Kafka het in wezen bedoeld heeft: als een psychische arrestatie. Het woord arrestatie betekent zoiets als 'bewegingsvrijheid ontnomen' of 'tot stilstand gebracht'. K's psychische ontwikkeling was juist door de wijze waarop hij leefde en werkte tot stilstand gekomen, 'gearresteerd'. In de woorden van Fromm: 'K was zich er vaag van bewust dat hij zijn leven aan het verknoeien was.' Op een bepaald niveau voelde hij zich daar schuldig over en hij was in feite zelf degene geweest die hem in staat van beschuldiging had gesteld. Maar in plaats van naar die innerlijke aanklacht te luisteren en zichzelf te veranderen, ging hij zijn aanklager buiten zichzelf zoeken, probeerde hij andere mensen in te schakelen om, zonder dat duidelijk was waar hij precies van beschuldigd werd, het voor hem op te nemen en zijn onschuld te bewijzen. Hij gaat op zoek naar mannen, en vooral vrouwen, die hem willen vertellen of laten merken dat hij echt wel een keurige, zich netjes gedragende beminnelijke man is.

Hij krijgt onderweg verschillende waarschuwingen die hem wakker zouden hebben kunnen schudden, zoals van een man die hem zegt dat hij voor zijn proces minder aan anderen moet denken en wat die van hem vinden en meer aan zichzelf. Maar omdat hij blind en doof blijft voor het feit dat zowel de aanklacht als de aanklager vanuit zijn psyche komen, moet zijn verdediging wel falen en het proces voor hem ongelukkig aflopen. Hij wordt ter dood veroordeeld.

Vlak voor het moment dat hij door zijn executeurs om het leven zal worden gebracht, valt er, zo legt Fromm uit, een aantal munten bij hem door en weet hij voor het eerst zichzelf de juiste vragen te stellen zoals: waar zetelt degene die mij beschuldigd heeft, als die nergens in de buitenwereld te vinden is? Waar is de rechter die ik nooit te zien heb gekregen, maar die toch het doodsvonnis over mij heeft uitgesproken? Van wie moest dan de hulp komen als die niet kon komen van anderen?

Indrukwekkend en schokkend is het inzicht dat K opeens met de dood voor ogen heeft in zichzelf: 'Ik wilde altijd met twintig handen tegelijk de wereld aangrijpen en dat nog wel voor een niet te billijken doel.' Wat hij bedoelt te zeggen, aldus Fromm, is dat hij de wereld en anderen al die jaren uitsluitend heeft gebruikt voor de bevrediging van zijn eigen behoeften. Dat de vraag wat andere mensen en hun relaties hem te bieden hadden, de voornaamste drijfveer was geweest om contact met hen aan te gaan of te onderhouden. Dat zijn leven eigenlijk betekenisloos was geweest omdat hij zich voornamelijk met de vraag had beziggehouden wat anderen voor hem konden betekenen en niet of nauwelijks wat hij voor anderen kon betekenen. Oog in oog met de dood ontdekte hij voor het eerst de stof waarvan vriendschap en liefde wordt geweven.

Het was de verontrusting dat zijn levensproces op dezelfde wijze zou aflopen, die mijn collega ertoe had gebracht om zijn leven drastisch om te gooien, zijn werk terug te brengen naar wat hij ongeveer nodig had om redelijk te leven en de rest van de tijd op twee heel verschillende plaatsen in de wereld vriendschappen op te bouwen en te onderhouden en mensen te helpen die niets voor hem terug kunnen doen. Wat hij, om de woorden van Vaillant te gebruiken, heeft gedaan, is een intieme relatie met Sasha aan te gaan en met name gebruik te maken van sublimatie en altruïsme.

Iedere echte bewustwording, zo realiseerde ik me toen ik na ons gesprek terug naar mijn hotel liep, herken je aan het feit dat het een aanslag is op je zelfbeeld en je manier van leven. En het zijn blijkbaar vooral de 'aangeslagen' mensen die er voor zorgen dat er met anderen en met henzelf een beetje vriendelijker en een beetje liever wordt omgegaan.

Hoezo, je verdiende loon?

Op dit punt aangekomen, keer ik nog even terug naar het verband tussen de ervaring van onvoorwaardelijke of moederlijke liefde en zelfbeeld. Nogal wat mensen met minderwaardigheidsgevoelens geloven dat zij geen onvoorwaardelijke liefde hebben gehad, omdat ze dat niet waard waren. Omdat er dus aan hen iets mankeerde. Die gedachte is een vorm van *blaming the victim*, een vorm van het slachtoffer de schuld geven van de 'misdaad' die hem of haar is overkomen. Je wordt door je opvoeding opgezadeld met een minderwaardigheidsgevoel en vervolgens zeg je, vanuit datzelfde minderwaardigheidsgevoel: 'dat klopt ook want ik ben minderwaardig'. Het is een redenering van het type 'waar rook is, is vuur'. Daar klopt geen hout van.

Ieder kind heeft recht op onvoorwaardelijke liefde en als het dat niet krijgt, is dat onrecht. Punt uit.

Maar *shit happens*, onrecht gebeurt. Alleen, het gebeurt altijd zonder goede reden. Daarom is juist het onrecht. Er is dus nooit een goede reden te bedenken waarom nu juist aan jou als kind onvoorwaardelijke liefde is onthouden. Er is ook nooit een goede reden om je als volwassene minderwaardig te voelen op grond van het feit dat er als kind niet onvoorwaardelijk van je gehouden is.

Daarom is er maar één gezonde conclusie mogelijk: weiger om jezelf ook nog een keer te pakken voor waar het leven je al eerder voor gepakt heeft. Draai het om. Maak je verlies tot winst. Neem het besluit dat als er niemand anders is die onvoorwaardelijk van je kan houden als volwassene, je je wendt tot de enige persoon die dat wel kan. Maak van jezelf een liefdesproject. Maak er een project van om voor jezelf, of eigenlijk moet ik zeggen voor het verwaarloosde kind in jezelf, op een waardige en liefdevolle wijze te zorgen. Wees een onvoorwaardelijke ouder voor het kind in je. De kans dat je dat dan ook kunt zijn voor het verwaarloosde kind in andere volwassenen en voor je eigen kinderen neemt sterk toe. En daardoor krijg je van anderen vaak weer meer terug dan je van je voorwaardelijke ouders ooit gehad hebt. Je krijgt zelfs vaak meer terug dan degenen die wel onvoorwaardelijke ouders hebben gehad. De reden daarvan is weer simpel: je bent je meer bewust van het emotionele onrecht in deze wereld. En dus een betere advocaat en gesprekspartner voor degenen die daar ook door getroffen zijn of kunnen worden.

17 Het ondermijnende onderscheid

Helaas zijn het niet alleen maar ouders of andere opvoeders, maar is het de samenleving in het algemeen die de houding van 'menselijke waarde op voorwaarden' sterk propageert. Daarom zijn zoveel volwassenen ervan overtuigd (hoewel ze weten dat het eigenlijk niet klopt) dat anderen hen alleen maar accepteren, hen alleen maar mogen, als ze geen fouten maken, niet stotteren of zenuwachtig zijn, er goed uit zien, prestaties leveren. Kortom, als ze zoveel mogelijk de indruk maken van feilloos en competent te zijn. Het gevolg van zo'n eis aan jezelf is, dat je bijna altijd gespannen bent over 'hoe je het doet', 'hoe je overkomt'. En zelfs als je op het ene moment succes hebt, dan nog blijf je je zorgen maken of dat succes wel blijft, of je op een ander moment toch niet zult falen en daarmee 'alles' verliezen. Schadelijk is vooral dat jongeren en volwassenen die zo tegen zichzelf aankijken, daarom sterk geneigd zijn om zich te concentreren op de ontwikkeling van een enkel 'iets' waar ze goed in zijn of talent voor lijken te hebben. Of dat nu werken, studeren, sporten, hun uiterlijk (de fitnessstudio zit er vol mee) of hun relatie is.

Het hele gebouw van hun zelfwaardering rust als het ware op dat ene punt, waar ze het leeuwendeel van hun aandacht en energie op richten. Gaat er op dat punt op een bepaald moment iets fout, dan dondert ook heel hun gevoel van zelfrespect in elkaar. Zoals een man die buiten zijn schuld om werkloos was geworden mij ooit eens zei: 'Ik durf andere mensen niet meer goed onder ogen te komen. Nu ik mijn werk niet meer heb, voel ik me niks meer waard en het feit dat het mijn schuld niet was, is nauwelijks een troost.' Overigens, het gaat hier niet enkel om een 'psychische' eigenaardigheid. De wereld, de samenleving, de cultuur wil ook graag dat wij ons zelfbeeld afhankelijk maken van uiterlijkheden, zoals het al niet hebben van een betaalde baan of het behalen van bepaalde successen, variërend van diploma's tot Olympische records. Ze probeert ons voorwaarden te dicteren voor acceptatie door anderen en daarmee, ook zoveel mogelijk, voor zelfacceptatie. Dat is op zich genomen begrijpelijk want op die manier houd je grote groepen mensen in toom of, negatiever gezegd, kun je ze controleren of manipuleren. Maar als individu moet je leren je tegen die culturele voorwaardelijkheid te beschermen. Helemaal als je een erfelijk bepaalde neiging tot pessimisme hebt of als je met weinig talenten of sociaal gunstige eigenschappen bent uitgerust of gewoon met een ongelukkige startpositie aan dit leven moest beginnen.

De Amerikaanse ziekte: hoe meer je presteert hoe meer je bent

Laat op een avond, ik lag allang te slapen, kwam mijn moeder me wakker maken. 'Kom eens mee naar beneden,' zei ze zachtjes. 'Er is iemand die je iets heel belangrijks wil vragen.' Slaapdronken volgde ik haar naar de huiskamer. Ik was nauwelijks elf jaar, maar het beeld van de man die bij mijn binnenkomst in de kamer opstond uit zijn stoel bij de haard, staat tot op de dag van vandaag diep in mijn geheugen gegrift. In mijn jongensogen was het een reus, gekleed in een volledig wit gewaad met een korte, openhangende cape, waardoor de twee op zijn borst geborduurde rode harten met een doornenkroon eromheen, duidelijk te zien waren. Hij ging voor me staan, legde zijn linkerhand op mijn schouder en zei met een stem die, als die van God, ver van boven kwam: 'Jongen, zou jij priester willen worden?'
Ik weet zeker dat ik geen 'nee' heb gezegd. Behalve het feit dat ik nog half sliep, zou ik ook niet geweten hebben hoe een weigering ten overstaan van die witte reus over mijn lippen te duwen. Acht maanden later vertrok ik naar het klein-seminarie. Wat ik daar vooral leerde, behalve dan wat heimwee is, was studeren. Studeren omdat ik kennisgierig was. Maar vooral ook om mijn leraren, een verzameling van in mijn ogen zeer geleerde witte reuzen, gunstig te stemmen. Studeren was daar een continue concurren-

tieslag tussen leerlingen. Zo bestond elk rapport uit twee cijfer-reeksen. De ene reeks gaf het cijfer voor het betreffende vak aan, de andere reeks de rangorde die je op dat vak innam in vergelijking met je klasgenoten. Aan het einde van het eerste jaar, op de dag voordat we op vakantie naar huis mochten, was er in de aula een grote rapportceremonie, waar uit elke klas bepaalde leerlingen op het podium mochten komen. Toen ik als laatste naar voren werd geroepen, kreeg ik te horen dat ik de eerste prijs voor vorderingen en de eerste prijs voor vlijt in mijn klas had behaald, en voor elk kreeg ik een boek als geschenk. Ik was er heel verguld mee.

Totdat ik het podium afliep om mijn plaats tussen mijn klasgenootjes weer in te nemen. In het voorbijgaan zag ik dat een van hen, een jongen met wie ik in de loop van het jaar hecht bevriend was geraakt, dikke tranen in zijn ogen had. Niet alleen had hij geen prijs gekregen, maar eerder had hij ook te horen gekregen dat hij voor veel vakken een lage of zeer lage plaats innam. Zijn verdrietige gezicht deed mijn eigen blijdschap op slag verdwijnen. Na afloop van de bijeenkomst, toen we buiten op de speelplaats waren, ging hij mij duidelijk uit de weg, terwijl we anders bijna altijd samen speelden. Ik van mijn kant durfde ook niet goed naar hem toe te gaan. Hoewel ik nog te jong was om er woorden aan te kunnen geven, voelde ik duidelijk dat er die ochtend als gevolg van de ceremonie iets was gebeurd dat onze vriendschap bedreigde: dat het onderscheiden van mensen vaak neerkomt op het van elkaar scheiden van mensen. Op een gegeven moment ben ik naar binnen gerend, heb een van de prijsboeken uit mijn koffer gehaald en heb dat, zonder iets te zeggen, in zijn handen geduwd. Van een afstandje heb ik vervolgens afgewacht wat hij zou doen. Eerst gebeurde er niks. Toen begon hij even in het boek te bladeren, klapte het gauw weer dicht, liep naar mij toe, gaf het terug en zei met verstikte stem: 'Dat kan ik niet aannemen, jouw naam staat erin, met inkt en een stempel!'

De rest van die dag en de volgende dag tot ons vertrek naar huis zijn we met elkaar opgetrokken. Over wat er gebeurd was, hebben we toen, en ook later, nooit meer gesproken. Ik ben een paar jaar later voortijdig van het seminarie vertrokken. Hij is priester en vooral een goed mens geworden. Zijn tranen op die bewuste dag hebben bij mij het eerste spoor getrokken van wat in de loop der jaren een steeds intensere afkeer is geworden, en het bewuste boek, dat nog altijd in mijn boekenkast staat, houdt die afkeer levend. Het is de afkeer van wat ik voor mezelf wel eens benoem als de 'HASJ-verslaving': de *Hit-and-Score-Juice* oftewel het sop van de 'Top-tig'-lijsten, van de 'vrouw-van-dit-' of 'man-van-dat-verkiezingen', van de onderscheiding-, medaille-, prijs- of penninguitreikingen waarmee onze samenleving van top tot teen overgoten is. Die HASJ- of wie-scoort-het-best/mooist-verslaving heeft inmiddels al zozeer om zich heen gegrepen dat er voor organisaties die een nieuwe prijs of uitverkiezing willen organiseren, niet één dag in het jaar meer beschikbaar is – met uitzondering van een aantal zondagen – waarop ze dat kunnen doen zonder in het vaarwater van bestaande prijzen of uitverkiezingen te gaan zitten. De aard van de prijzen of verkiezingen wordt overigens ook steeds idioter. Zo hebben we zelfs al een aantal jaren de nationale lingerieprijs, uit te reiken aan de meest sexy lingeriedraagster of -drager van het jaar!

Waar komt deze collectieve stoornis vandaan en vooral, wat zijn de effecten ervan? Is het zo dat de instelling van een prijs of het maken van een hitlijst op een bepaald gebied, bijvoorbeeld van wetenschappers of lingeriedraagsters, een positieve prikkel uitstuurt voor de toekomstige kwaliteit op dat gebied in het algemeen?

Wijlen de Franse filosoof Jean Paul Sartre omschreef het verschijnsel ooit als *la maladie americaine* (de Amerikaanse ziekte). Kenmerk van een samenleving waarin die ziekte tiert, is dat voor wie wil opvallen of de aandacht wil trekken, het steeds noodzakelijker wordt om met steeds schreeuwendere superlatieven in de competitie met anderen te gaan en te smijten met termen als *the greatest, the best, the number one, top of the list*, enzovoort. Tele-

visiestations, kranten en tijdschriften lopen daarom de deur plat
bij enquêtebureaus in de hoop dat het weer een HASJ-headline,
een 'Wie-is-de-beste-en-wie-niet?'-kop oplevert. Een voorbeeld
daarvan dat me is bijgebleven, is een editie van *Elseviers Magazine*, met als omslagtitel: 'Universiteitentest: de beste studies'.
Het effect op universitair Nederland was als dat van een voed-
seldropping in een vluchtelingenkamp. Ik heb zelf geen exemplaar van dit magazine gekocht. Ik zat in Japan, maar zelfs daar
was ik niet veilig, want ik kreeg een faxbericht met: 'Grote opwinding in de universiteiten over...' Op mijn terugvlucht trof
ik in de KLM-leesmap een exemplaar aan. Het vergde niet meer
dan een paar minuten om te zien dat dit de zoveelste 'water-
verfenquête' was: de gebruikte enquête was inhoudelijk een
rommeltje en de gegevensanalyse wetenschappelijk onverdedig-
baar. Er zijn stemmen die beweren dat het maken van zulke hit-
lijsten de concurrentie tussen mensen of organisaties stimuleert
en daarmee de kwaliteit van wat ze doen of produceren verbetert.
Maar het beschikbare wetenschappelijke onderzoek laat onom-
stotelijk zien dat van die bewering niets klopt. Tal van studies,
samengevat door Elliot Aronson in zijn prachtige boek *The
Social Animal*[1] tonen aan dat: (a) de meest succesvolle mensen
juist niet concurrentiegericht zijn; (b) concurrentie in bedrijven
de prestaties vermindert; (c) concurrentie de artistieke en pro-
bleemoplossingscreativiteit en de school-/studieprestaties bij
jonge kinderen en studenten vermindert; en (d) de nadruk op
concurrentie, arbeidsvreugde, leerplezier en onderlinge relaties
ondermijnt. Sterker nog, als je je zelfbeeld niet afhankelijk maakt
van je prestaties, presteer je beter. En als je niet beter presteert,
voel je je en ontwikkel je je in ieder geval beter.
Het volgende verhaal illustreert dit treffend. Een oude rabbi nam
een zich altijd maar met anderen vergelijkende jongere collega
op een avond mee zijn tuin in. Het was volle maan en het licht
scheen op de bomen in de tuin. De rabbi zei: 'Kijk deze twee bo-

1. Aronson, E., *The Social Animal*. New York, 1995 (W.H. Freeman and Company).

men hier. Die ene grote en die kleine ernaast die nu in volle bloei staat. Al jaren staan ze naast elkaar en nog nooit heeft dat problemen opgeleverd. Nog nooit heb ik in deze tuin iets over minderwaardigheid gehoord. Waarom niet?' De jongere rabbi verzonk in gedachten en zei toen: 'Omdat ze zich hier niet met elkaar vergelijken.' Waarop de oudere antwoordde: 'Je kent dus het antwoord. Ook kleine bomen bloeien prachtig als ze zich niet vergelijken.'[1]

Waarom er geen minderwaardige mensen zijn

Mensen met minderwaardigheidsgevoelens hebben vaak de neiging om hun hele gevoel van (voorwaardelijk) zelfrespect te laten afhangen van 'dingen' als prestaties of relaties of hoe ze een bepaalde rol vervullen, zoals die van ouder. Loopt de relatie op de klippen of worden ze als ouder aan de kant gezet door hun kind, dan voelen ze zich reddeloos minderwaardig. Ze vergelijken zich met andere mensen, wier relatie of gezin of werk wel goed loopt, en vragen zich dan vaak wanhopig af waarom het die mensen wel lukt en hun niet. In stilte geven ze zichzelf dan meestal het antwoord dat er met hen iets fundamenteel mis moet zijn, dat ze niet even goede of volwaardige mensen zijn als de rest van de mensheid.

Bij jongeren zien we vaak hetzelfde minderwaardige idee over zichzelf, omdat relaties of plannen mislukken, ze zichzelf lelijk vinden of ze een lichamelijke handicap hebben.

Mensen met minderwaardigheids*gedachten* gaan zich daar vaak ook naar gedragen. De gedachten worden gevoelens die weer gedragingen worden. Gedachten worden werkelijkheid. Zulke mensen durven minder, ondernemen minder, trekken zich sneller terug als dingen moeilijk worden, en worden daardoor werkelijk minder aantrekkelijke personen dan ze zouden kunnen zijn.

1. Uit: *Rajneesh Neo-Tarot.* Rajneesh Foundation International, 1983.

Veel mensen denken dat ze het minder goed doen omdat ze minderwaardig zijn. De werkelijkheid is meestal dat ze zich almaar
voorhouden dat ze minderwaardig zijn en zich daardoor minder
gelukkig voelen en 'minder gelukkig' gedragen.
De waarheid is deze: er zijn geen minderwaardige mensen. Er
zijn wel veel mensen die zich minder waardig ten opzichte van
zichzelf gedragen. Net zoals er veel mensen zijn die zich minder
waardig ten opzichte van anderen gedragen. Maar uit wat
iemand doet, valt nooit zijn definitieve waarde als mens af te leiden. Alleen al daarom moeten mensen altijd een volgende kans
krijgen. En nog een, en nog een, en nog een... Van zichzelf, en
van anderen.
Niemand is ooit afgeschreven.
Schrijf daarom nooit iemand af.
Begin met jezelf.

*Eenzaam en dus minderwaardig, minderwaardig en dus
eenzaam*

Mensen die aan minderwaardigheidsgevoelens en depressies lijden, hebben vaak de neiging zich sociaal af te zonderen, en dus
te vereenzamen. Omgekeerd hebben mensen die geneigd zijn
sociale en intieme contacten te vermijden, een verhoogd risico
op het ontwikkelen van depressie. Maar of eenzaamheid nu
oorzaak of symptoom is van minderwaardigheidsgevoelens en
depressie, op de lange duur is het bijna altijd een heel pijnlijke
toestand.
Want hoe langer je eenzaam bent, hoe meer je gaat geloven dat
daar een 'goede' reden voor is, en dat jij die reden bent. Als eenzaamheid niet de oorzaak is van minderwaardigheidsgevoelens
dan verergert ze die in ieder geval wel.
Wat is eenzaamheid precies? Wetenschappers die geprobeerd
hebben op die vraag een antwoord te geven, zijn steeds weer vastgelopen op het feit dat het een zeer subjectief gevoel is dat zich

op allerlei manieren kan uiten en heel verschillende oorzaken kan hebben. De meest eenvoudige maar tegelijk meest treffende definitie van eenzaamheid is voor mij die van de arts en bioloog William H. Thomas in zijn boek *Open Hearts, Open Minds*[1]: 'De pijn die we voelen als we gezelschap wensen maar niet kunnen hebben.' ('The pain we feel when we want but can not have companionship.'). Het is vooral de dubbele betekenis van het 'niet kunnen hebben' die zo sprekend is. Als we gezelschap wensen maar niet kunnen hebben omdat er gewoon geen mensen beschikbaar zijn of niet bij ons kunnen komen, en dat doet pijn, dan zijn we eenzaam. Maar als we gezelschap wensen en niet kunnen hebben omdat we gewoon niet weten hoe met anderen om te gaan, omdat het ons te gespannen of te onzeker maakt, en dat doet pijn, dat zijn we eveneens eenzaam. Daarom kunnen sommige mensen zich het meest eenzaam, het meest wanhopig voelen als ze onder andere mensen zijn. Daarom zijn sommige van de eenzaamste mensen getrouwd en hebben een gezin.

De definitie van Thomas impliceert dat er twee soorten eenzaamheid zijn. Op de eerste plaats situatiebepaalde eenzaamheid die het gevolg is van een zwaar verlies of ingrijpende levensgebeurtenis zoals de dood van een dierbare, scheiding, verhuizing, gevangenschap. Daardoor is gezelschap, of althans gewenst gezelschap praktisch heel moeilijk of onmogelijk geworden. De gevolgen daarvan zijn zowel lichamelijk als geestelijk meestal goed voelbaar: hoofdpijnen, slaapproblemen, angsten en depressie. Zulke klachten kunnen lang duren, soms jaren.

Op de tweede plaats zelfbeeld- of depressiebepaalde eenzaamheid. Er hoeven dan geen verliezen of levensgebeurtenissen zijn die de eenzaamheid veroorzaken. De betreffende personen zijn niet goed in staat met andere mensen contact te leggen en intieme relaties aan te gaan, zelfs als de omstandigheden daarvoor

---

1. Thomas, W.H., *Open Hearts, Open Minds. The Journey of a Lifetime.* San Marcos (TX): Eden alternative books, 1998.

gunstig zijn. Hun eenzaamheid is chronisch, duurt vaak vele jaren en kan hun uitzicht op een enigermate gelukkig leven volledig ruïneren. Zulke mensen zoeken de schuld voor hun eenzaamheid ook vooral bij zichzelf, denken vaak dat ze in de ogen van anderen 'niet goed genoeg' zijn en dat ze aan dat feit niets veranderen kunnen.

Het onderscheid tussen situatiebepaalde en zelfbeeldbepaalde eenzaamheid is overigens niet altijd gemakkelijk te maken. Er zijn bijvoorbeeld mensen die, als ze een scheiding meemaken, er niet in slagen zich goed aan die nieuwe situatie aan te passen en op den duur van situatiebepaalde in zelfbeeldbepaalde eenzaamheid vervallen.

Het is gek genoeg niet waar dat eenzame mensen altijd minder sociale contacten hebben dan anderen. Wel is het zo dat de kwaliteit van deze contacten minder goed is. Een probleem bij chronisch eenzame mensen is nogal eens dat zelfs als ze met anderen bevredigende en goede sociale contacten kunnen hebben, ze dit niet zien. Misschien omdat ze het niet meer kunnen zien. Of omdat ze niet (meer) weten hoe ze van de mogelijkheden die er zijn, gebruik kunnen maken.

Uit verschillende onderzoeken[1] blijkt dat chronisch eenzame mensen een verhoogd risico hebben op ziektes zoals te hoge bloeddruk en als gevolg daarvan hart- en vaatziekten. De verklaring daarvoor is dat ze innerlijk voortdurend onder grote spanning staan. Die spanning wordt weer veroorzaakt door het feit dat ze hun gevoelens en problemen zelden of nooit op een gezonde manier (dat wil zeggen in vertrouwelijke gesprekken met anderen) kunnen uiten.

Als we over onze gevoelens praten, doen we dat niet alleen met woorden, maar spreken we in feite met ons hele lichaam. Door het spreken worden dus ook ons hele lichaam en onze geest beïnvloed. Vaak is het pas door het uiten van een bepaald gevoel,

---

1. Zie Ornstein, R., en D. Sobel, *The Healing Brain*. New York, 1987 (Uitgeverij Simon & Schuster).

zoals een bepaalde angst, dat we ontdekken dat 'het eigenlijk al-lemaal wel meevalt'. Vaak is het ook pas door de reacties van an-deren dat we ontdekken welke oplossingen er allemaal voor onze problemen mogelijk zijn. Spreken maakt piekeren nogal eens onnodig. En piekeren is niks anders dan het eindeloos lopen van een miserabel parcours, waardoor zowel lichaam als geest uitgeput raken.

Eenzaamheid en erfelijkheid

Vaak manifesteren zich al op jonge leeftijd de eerste aanwijzingen dat iemand een hoog risico heeft op chronische eenzaamheid (en daaraan gepaard depressiviteit) als volwassene. Dat is niet ver-wonderlijk omdat we al gezien hebben dat introversie of verle-genheid in belangrijke mate een erfelijk bepaald patroon is.
Uit een onderzoek[1] onder tweeduizend kinderen in de leeftijds-groep zeven tot elf jaar bleek dat bijna tien procent zich vaak zeer eenzaam voelde. Toen dezelfde kinderen een paar jaar later weer werden onderzocht, bleken de meesten van die tien procent zich nog altijd heel eenzaam te voelen. Behalve gezinsomstandighe-den speelt erfelijke aanleg daarbij een belangrijke rol.
Aan de universiteit van Minnesota[2] wordt al vele jaren bij twee-lingen wetenschappelijk onderzoek uitgevoerd naar de mate waarin persoonlijkheidseigenschappen erfelijk bepaald zijn. Daaronder zijn eeneiige tweelingen – mensen met dezelfde erfe-lijke uitrusting of genen – en twee-eiige, die erfelijk niet meer op elkaar lijken dan gewone broers en zussen. Van elke groep is een deel samen en een deel gescheiden opgegroeid.
Bij alle tweelingen is een groot aantal persoonlijkheidskenmer-

1. Zie Eaves, L.J., Eysenck, H.J., en N.G. Martin, *Genes, Culture and Personality*. New York, 1989 (Academic Press).
2. Zie Plomin, R., DeFries, J.C., McClearn, G.E., en M. Rutter, *Behavioral Genetics*, 3rd edition, W.H. Freeman.

ken onderzocht, die in drie groepen of typen onder te verdelen zijn, namelijk:

1. Positieve emotionaliteit oftewel de mate waarin je geneigd bent tot actieve, lustvolle, effectieve omgang met je omgeving. Het is in zekere zin een combinatie van een aantal van de vijf grote (*Big Five*)[1] persoonlijkheidskenmerken, waar we het eerder over gehad hebben. Namelijk een combinatie van extraversie, goedigheid en openstaan voor nieuwe ervaringen.
2. Negatieve emotionaliteit oftewel de neiging tot gespannen, angstige, 'gestresste' omgang met de mensen en dingen om je heen. Dat is een combinatie van vooral introversie, koppigheid en emotionaliteit plus traditionaliteit.
3. Ingehoudenheid of gecontroleerdheid, dat wil zeggen de neiging tot voorzichtig (versus impulsief), aarzelend, onderdanig reageren op anderen en de buitenwereld. Het is vooral een combinatie van introversie, zorgvuldigheid en emotionaliteit.

Door vergelijking van de verschillende groepen tweelingen kon worden vastgesteld dat positieve emotionaliteit voor veertig procent, negatieve emotionaliteit voor vijfenvijftig en ingehoudenheid voor bijna zestig procent erfelijk bepaald zijn. De kans op eenzaamheid blijkt het grootst, alweer niet zo verrassend, bij degenen die hoog scoren op negatieve emotionaliteit en ingehoudendheid.

Er is een moderne theorie die stelt dat mensen geprogrammeerd zijn om al van jongsaf aan die situaties uit te zoeken of zelf te creëren die het best passen bij hun erfelijke uitrusting. Iemand met een verlegenheidsuitrusting zou vaker situaties met andere, vreemde mensen vermijden of zijn leven zo inrichten dat hij ze zo kort mogelijk en zo weinig mogelijk tegenkomt. Hij of zij creëert op die manier een stuk eigen zekerheid, maar daarmee ook eenzaamheid.

Met erfelijkheid is het in zekere zin hetzelfde als met ouderlijke

1. Zie hoofdstuk 14.

liefde. Zonder opgave van goede reden zijn gemakkelijke en ongemakkelijke eigenschappen ongelijk verdeeld. Sommigen van
ons zijn met een plezierigere of gemakkelijkere persoonlijkheid
uitgerust, gemakkelijker zowel voor zichzelf als hun omgeving,
dan anderen. Bovendien hebben, mede vanwege hun erfelijk bepaalde persoonlijkheidseigenschappen, bepaalde kinderen en
volwassenen minder schade van beroerde (opvoedings)situaties
dan andere.
Opnieuw, het kan pijnlijk zijn om te moeten constateren dat je
wat dat betreft niet al te veel geluk hebt gehad. Maar ook opnieuw, neem nadat je die pijn hebt opgezocht en onderzocht,
een realistisch besluit: *weiger jezelf minderwaardig te voelen over
eigenschappen die je niet gevraagd en wel gekregen hebt.* Draag jezelf op om op zoek te gaan naar waardevolle manieren om je lastige eigenschappen te gebruiken.

Waarom sommige kinderen weerbaarder zijn

Van degenen die nu tussen de veertig en zestig jaar oud zijn, zijn
er velen opgegroeid in grote gezinnen, niet zelden met tien of
meer kinderen. De verschillen tussen die kinderen in levensloop
maar vooral ook in hoe ze er op middelbare leeftijd psychologisch aan toe zijn, zijn soms zo groot dat het moeilijk valt te geloven dat ze werkelijk uit een en hetzelfde gezin afkomstig zijn.
En als je goed kijkt, blijken ze dat in de meeste gevallen ook niet
te zijn.
Net zoals de mens zelf hebben ook alle mensgemaakte verschijnselen en structuren, waaronder het gezin, hun eigen levensloop
met daarbinnen verschillende fasen. Het kan nogal wat uitmaken voor de ontwikkeling van een kind in welke periode van
de gezinslevensloop het binnenkomt en de eerste levensjaren
doorbrengt. Een kind dat geboren wordt op het moment dat
de ouders al een goede economische positie hebben verworven
en er een aantal jaren oudere broertjes of zusjes rondlopen,

komt een heel ander gezin binnen dan het oudste broertje of zusje dat geboren werd in de periode dat de ouders nog tot over hun oren in de economische opbouwfase zaten. Bovendien is het bepaald niet alleen zo dat het gezin het kind 'maakt'. Het kind 'maakt' ook het gezin. Tot op zekere, en soms zelf tot op grote hoogte, organiseren kinderen zelf hun opvoeding, spelen ze zelf een belangrijke rol in de bepaling van wie er allemaal tot hun opvoeders behoren en hoe intensief ze daarmee contact hebben. Bij die zelfbepaling van de opvoeding door een kind spelen bepaalde persoonlijkheidskenmerken, of liever temperamentkenmerken, van het kind een rol. De psychologe Emmy Werner publiceerde een aantal jaren geleden een studie[1] die in dit opzicht boekdelen spreekt. Ze volgde alle 700 kinderen die in het jaar 1955 werden geboren op het eiland Kauai, een van de Hawaii-eilanden, tot op volwassen leeftijd. Kauai is, of in ieder geval was, een eiland waar veel gezinnen op of duidelijk onder de armoedegrens leefden of in een toestand van chronische ontwrichting, onder meer doordat vaders vaak van partner wisselden en er dikwijls sprake was van lichamelijk geweld in gezinnen, en dergelijke. Ongeveer 1 op de 3 kinderen in de groep die Werner bestudeerde, bleek voor het tiende levensjaar een ernstige leer- of gedragsstoornis ontwikkeld te hebben. Op veertienjarige leeftijd had ongeveer 1 op de 5 ernstig psychische problemen of was het criminele pad ingeslagen. Bij veruit de meeste van die jongeren was er sprake van een hele hoop problemen en probleemgedragingen tegelijk.

Wat het onderzoek van Werner zo belangwekkend maakt, is dat ze heel nauwkeurig keek naar de kinderen die, ondanks het feit dat het gezin waarin ze de eerste jaren van hun leven doorbrachten, heel armoedig of ontwricht was, als jongere toch geen leer-, gedrags- of andere psychische problemen bleken te hebben, maar zich goed ontwikkelden. Ze vond het volgende. Deze kin-

---

1. Zie Werner, E. E., (1993). *Risk, resilience, and recovery – Perspectives from the Kauai Longitudinal Study. Development and Psychopathology,* Fall, 5, 503-515.

deren waren vaker afkomstig uit relatief kleinere gezinnen (niet meer dan vier kinderen), tussen opeenvolgende kinderen zat steeds een tijdsperiode van meer dan twee jaar (vermoedelijk lang genoeg om ieder kind individuele aandacht te kunnen geven), er waren naast de directe opvoeder, meestal de moeder, anderen die deel uitmaakten van de huishouding die zich eveneens verantwoordelijk achtten voor het kind, zoals de vader, grootouders, broers of zussen en ooms of tantes.

Voorts was er om het gezin heen een netwerk van familieleden, vrienden, buren, leerkrachten en dergelijke, die wanneer er problemen waren (zoals heftige ruzies tussen de ouders) hulp of steun boden. Met andere woorden, deze kinderen hadden twee soorten van bescherming genoten: individuele aandacht in de eerste twee levensjaren en een direct beschikbaar en actief sociaal netwerk voor het gezin.

Maar naast deze omgevingskenmerken speelden, zo vond Werner, ook persoonlijke kenmerken van het kind zelf een rol. Ze noemt vier belangrijke kenmerken van deze 'weerbare' kinderen: (1) een actieve manier van met problemen omgaan en naar oplossingen zoeken; (2) de neiging om dingen die hen overkomen, ook als ze pijnlijk zijn of verdriet doen, op een constructieve manier betekenis te geven; (3) het vermogen, al als baby, om op een positieve manier de aandacht van andere mensen op zich te vestigen; (4) een groot vermogen om een positieve visie op het leven te houden.[1]

Vanaf het allereerste begin hebben deze kinderen dus (erfelijk bepaalde) temperamentstrekken die hen aantrekkelijk maken voor hun gezinsleden en voor vreemden: ze zijn actief, teder, aanhankelijk, goedgehumeurd en gemakkelijk in de omgang. Ze kunnen zichzelf heel goed vermaken, vinden het leuk dingen te leren en te maken.

Maar opvallend aan hen is vooral het volgende: ze zijn niet alleen

---

1. Merk op dat de meeste van deze kenmerken samenvallen met kenmerken van Sasha (zie hoofdstuk 2).

heel goed in staat om anderen, of het nu volwassenen of andere kinderen zijn, om hulp te vragen maar ook sterk geneigd zelf anderen te helpen, ook wanneer ze daar niet om gevraagd worden. Door die laatste eigenschap, goed hulp kunnen vragen en geven, vinden zulke kinderen vaak veel emotionele en praktische steun van anderen buiten het gezin. Werner drukt het zo uit: deze kinderen zijn bijzonder goed in het recruteren van aanvullende of plaatsvervangende ouders.

De keerzijde van Werners bevindingen lijkt te zijn dat je als kind het geluk moet hebben om met een 'gemakkelijk' temperament geboren te worden, wil het later nog wat met je worden als je in ongunstige gezinsomstandigheden moet opgroeien. Maar zo simpel ligt het, gelukkig, niet. Afgaande op de beschikbare onderzoeken heeft ongeveer 65 procent van alle kinderen een min of meer gemakkelijk temperament, terwijl ongeveer 10 procent met een echt moeilijk temperament geboren wordt. Maar niet met alle kinderen van die 65 procent loopt het allemaal goed af en niet bij alle kinderen van die 10 procent slecht. Het is de combinatie van liefdevolle aandacht in de eerste levensjaren, de beschikbaarheid van een sociaal netwerk en temperamentkenmerken die ertoe doet. Voor de kinderen met een moeilijke temperament, zoals een sterke neiging tot negatieve stemmingen, met heftige emoties en die moeilijk te kalmeren/beïnvloeden zijn, lijken daarnaast nog de volgende factoren van groot belang voor een zo gunstige mogelijke ontwikkeling. Op de eerste plaats, het in de latere kinder- en jeugdjaren hebben van een nauwe band met ten minste één volwassene (ouder of ander) voor wie geldt dat ook op de momenten dat ze moeilijk of lastig zijn, ze niet de angst hoeven te hebben dat die band daarom verloren zal gaan of verbroken zal kunnen worden. Op de tweede plaats het opgroeien in een gezin en het doorlopen van scholen waarin sprake is van een duidelijk stabiel rooster van activiteiten (vaste gezamenlijke gezinsmaaltijden bijvoorbeeld), van duidelijke en faire gedragsregels die regelmatig worden uitgelegd en worden gecontroleerd. Wat de school betreft, is verder van belang dat er sprake is van meer activiteiten met en andere omgang met leerkrachten en medeleerlingen dan alleen in het kader van het gewone lesprogramma. Op de derde plaats, het leren aan deze kinderen van de vaardigheid om hulp aan anderen te vragen, ook aan anderen buiten het eigen gezin. Werner en andere jeugdonderzoekers menen dat een hindernis voor veel kinderen en jongeren is dat ze niet goed weten hoe ze dat moeten doen, dat wil zeggen, ze hebben de vaardigheid niet om in taal uit te drukken wat ze voelen, waarmee ze zitten of wat ze moeilijk vinden. Ze moeten daar dus gewoon onderricht, les in krijgen.

En, ten slotte, nog dit. Het beschikbare onderzoek laat zien dat van kinderen en jongeren vragen om bepaalde verantwoordelijkheden op zich te nemen, te helpen zorgen in het gezin, op school, in de buurt en in de samenleving, kan leiden tot duurzame positieve veranderingen in hun gedrag en ontwikkeling. Wat dat betreft, zo hoorde ik Werner ooit aan het einde van een voordracht verzuchten, is er nog wel een probleem in deze tijd: want nog altijd vragen volwassenen van kinderen en jongeren te veel leerwerk en te weinig hulp.

Eenzaamheid en kindertijd

Kinderen en jongeren kunnen al chronisch eenzaam zijn en nogal wat van de volwassenen die aan depressies lijden zijn eenzame kinderen of adolescenten geweest. Twee typen kinderen en jongeren blijken in dit opzicht een verhoogd risico te lopen. Een daarvan zijn we al tegengekomen. Dat zijn de schuchtere, introverte kinderen die heel moeilijk hun gevoelens en innerlijke spanningen kunnen uiten. Maar minstens zo'n groot risico lopen agressieve, dominerende kinderen. Zij worden door hun leeftijdgenoten vaak afgewezen en onder de eenzame kinderen en jongeren vind je daarom veel van deze kinderen.

Het gedrag van ouders kan er duidelijk toe bijdragen dat in dit opzicht kwetsbare kinderen en jongeren zich eenzaam gaan voelen. Ouders die zich afwijzend en 'koel' ten opzichte van een kind gedragen, kunnen het gevoel van 'niet goed genoeg te zijn' gemakkelijk bij een kind oproepen. Als dat gevoel eenmaal wortel heeft geschoten, wordt het kind angstig voor of vijandig jegens anderen en krijgt het de neiging zich af te zonderen of destructief af te zetten.

Volgens sommige onderzoekers is het gevoel afgewezen te worden er ook de oorzaak van dat nogal wat kinderen die een scheiding van hun ouders hebben meegemaakt, sterke gevoelens van eenzaamheid ontwikkelen. Een verklaring daarvoor is dat veel van deze kinderen zich verantwoordelijk hebben gevoeld voor het bij elkaar blijven van hun ouders.

Het feit dat dat mislukt is, wijten ze aan zichzelf. Hoe jonger het kind is op het moment van de scheiding, hoe groter de kans lijkt te zijn dat het later onder gevoelens van eenzaamheid gebukt gaat.[1]

Opvallend is dat de dood van een ouder veel minder vaak tot latere eenzaamheidsgevoelens aanleiding lijkt te geven bij kinderen. Hoewel jonge kinderen vaak nog niet precies begrijpen wat de dood is, hebben ze er wel een vermoeden van dat het iets definitiefs is en – anders dan een scheiding – iets onherroepelijks. Ook de materiële levensomstandigheden in een gezin kunnen van invloed zijn op het ontstaan van eenzaamheidsgevoelens. Uit een onderzoek onder enkele duizenden jongeren tussen de elf en achttien jaar bleek dat jongeren uit gezinnen waarin men het niet breed heeft, zich vaker eenzaam voelen. Ze voelen zich vaker op school of door hun leeftijdgenoten of de buurt gediscrimineerd en buitengesloten, wat volgens henzelf een van de oorzaken van hun eenzaamheidsgevoelens is.

Maar lang niet alle kinderen van gescheiden of weinig welgestelde ouders lijden als volwassenen een eenzaam bestaan, terwijl

---

1. Zie Diekstra, R.F.W., en K. Hawton (eds.) *Suicide in Adolescence.* Kluwer Academic Publishers, 1987.

kinderen uit welgestelde milieus of intacte gezinnen evengoed als volwassenen eenzaam kunnen zijn. Het is vooral de wisselwerking tussen persoonlijke eigenschappen en milieu die verantwoordelijk is voor het ontstaan van chronische eenzaamheid. Maar als die eenmaal ontstaan is, wordt de eenzaamheid meestal vanzelf steeds groter.

In een onderzoek werd het gedrag van eenzame en niet-eenzame studenten vergeleken in een vijftien minuten durend gesprek met een tot dan toe onbekende gesprekspartner. Het bleek dat de eenzamen minder goed in staat waren om iets over hun gesprekspartner te weten te komen. Ze geloofden ook veel vaker dat de gesprekspartner hen niet mocht, terwijl dat in feite niet het geval was. De gesprekspartners hadden daarentegen de indruk dat de eenzamen zichzelf niet zo mochten. Blijkbaar kunnen eenzamen zich niet goed voorstellen welke indruk ze op anderen maken. Maar door hun vooroordeel over zichzelf lopen ze het risico zich op den duur zo te gaan gedragen, dat de kans op een negatief oordeel over hen bij anderen toeneemt.

Een andere reden waarom chronische eenzaamheid als kind of jongere een voorspeller is van depressie op volwassen leeftijd is herinnering. Ik ben nogal wat depressieve volwassenen tegengekomen die, als ik ze vroeg aan zichzelf terug te denken als kind, steeds opnieuw verdrietig werden. Zelfs hun vroegste herinneringen hadden vaak te maken met afwijzing, met zich verlaten voelen, met zich onbemind voelen. Als mensen slechte dingen in het leven overkomt, dan is een van de emotionele reddingsboeien waar ze zich aan vast kunnen klampen de herinnering aan de goede dingen, de goede ervaringen, de goede relaties die ze hebben gehad. Maar als hun vroegste hechtingsrelaties niet goed zijn geweest, als hun kinderjaren voor een groot deel eenzaam, vreugdeloos of bedreigend zijn geweest en als het zelfde geldt voor hun jaren als jongere, dan zijn er weinig of geen 'helende' herinneringen.

Ik herinner mezelf bij tijd en wijle dat grote delen van mijn kinderjaren niet goed waren. Met ouders die mij niet begrepen en met gevoelens van verdriet of verlatenheid waarmee ik geen kant op kon. Ik verlangde naar liefde en nabijheid van anderen, op de eerste plaats mijn ouders, maar in hun nabijheid was ik vaak angstig en op mijn hoede. Ik kon er nooit gerust op zijn dat wat op het ene moment nog goed was of geaccepteerd werd, dat het volgende moment ook nog was of werd. Het was gevaarlijk om openlijk iets te vragen en het was nog gevaarlijker om openlijk 'nee' te zeggen. Wat ik voelde deed er weinig toe en werd vaak beschouwd ofwel als een aanmatiging ofwel als aanstellerij. Omdat ik de stemmingen van mijn ouders vreesde, probeerde ik die zoveel mogelijk te bezweren. Door me uit te sloven, door op school zo goed mogelijke prestaties te leveren, door niet te klagen. Zelfs toen ik naar kostschool werd gestuurd, terwijl ik dat niet wilde en soms voor mijn gevoel bijna dood ging van de heimwee, durfde ik dat niet te zeggen. Maar regelmatig ging het toch mis, vielen ze tegen me uit, deelden straf uit of sloten me eenvoudig op of uit. Ik mocht dan dagen niet aan tafel eten, maar moest dat dan op mijn kamer doen of nadat iedereen gegeten had. Mijn vader sprak die dagen ook geen woord tegen me. Mijn conclusie was dan bijna altijd dat ik iets verkeerds moest hebben gedaan. Dat de ontstemming, boosheid of straf die ik ontving, mijn eigen schuld was. Gevolg van mijn minderwaardigheid en daarom weer oorzaak van mijn minderwaardigheidsgevoel.

Ik kan, als ik wil, nu nog heel goed voelen hoe slecht het kind zich voelde, dat ik toen was. Alsof er niets goed aan me was. Alsof ik er beter maar niet meer kon zijn. Ik heb ook regelmatig geprobeerd er maar niet meer te zijn. De herinnering daaraan is een wel heel pijnlijk gevoel, een mengeling van volstrekte verlatenheid en van zelfmedelijden. Misschien wel omdat er niemand anders was die dan medelijden met me had. Het is daarom ook een gevaarlijk gevoel. Het kan me wegzuigen in een depressieachtige toestand.

Maar ik heb inmiddels geleerd hoe ik ermee om moet gaan, het moet temmen. Tegelijk besef ik dat het een deel van mij is, en

dat het zal blijven, ergens in een kamer van mijn geest.
Ik weet inmiddels ook dat het niet alleen maar een nadelig gevoel is. Het heeft me gevoeliger gemaakt. Soms laat ik het met uitdrukkelijke toestemming naar boven komen, omdat het me helpt te voelen wat anderen voelen die om hulp komen. Het helpt om verbinding met ze te maken.

Het is weer een van die indrukwekkende paradoxen van het leven: de ervaring van eenzaamheid kan leiden tot een gevoel van verbondenheid.

Uit eigen ervaring weet ik daarom ook dat het klopt als ik zeg dat eenzame volwassenen vaak zichzelf veroordelen tot 'eenzame opsluiting'. En dat ze dus ook zelf degenen zijn die zich daaruit moeten bevrijden. Maar ik weet ook dat enige hulp van buitenaf daarbij meestal onmisbaar blijkt.

Iets doen aan je eenzaamheid

Depressie, ik heb het al eerder gezegd, moet je van binnenuit, vanuit de kern, 'opblazen', niet van buitenaf proberen te doorbreken. Van binnenuit wil zeggen, vanuit de dingen die je zelf denkt of doet. Voor eenzaamheid, als een symptoom of factor van depressie, geldt hetzelfde.

Denk daarom eens na over de volgende ideeën van Sol Gordon.

Idee I

Je eenzaamheid is meestal niet door een keuze ontstaan. Maar voortzetting van je eenzaamheid kan wel een keuze zijn. Denk er over na of je inderdaad de 'wordt vervolgd-keuze' wilt maken.

Idee II

Eenzaamheid is een tijdelijke toestand. Gebruik de tijd om aardig te zijn voor jezelf. Wees niet gemeen of cynisch ten aanzien van anderen; het heeft geen zin iemand de schuld te geven van het feit jij nu eenzaam bent.

Idee III
Neem emotionele en intellectuele risico's. Alleen als je bereid bent om afwijzing te riskeren, heb je kans op acceptatie. Zie afwijzing als een fase in de kringloop van afwijzing en acceptatie.

Idee IV
Probeer het juiste voor jezelf te doen. Je kunt niet je eigen leven leiden als je leeft naar de verwachtingen van anderen.

Idee V
Als je je aantrekkelijk voelt, zul je andere mensen aantrekken. Als je je onaantrekkelijk voelt, geef je slechte vibraties af. Doe daarom dingen met jezelf die je aantrekkelijk vindt en die je het gevoel geven aantrekkelijk te zijn.

Idee VI
Het doet er niet toe hoe groot je eenzaamheid en de ermee gepaard gaande depressie is. Je kunt het niet oplossen met alcohol, heroïne, marihuana, speed, coke, XTC, kalmeringstabletten of snelle seks. Als je die keuze toch maakt, dan kies je ervoor je eenzaamheid voort te laten bestaan.

Ik voeg aan deze lijst nog het volgende idee toe:

Idee VII
Mensen zijn sociale wezens. Ze verlangen, hoe stoer of zelfstandig ze ook doen, altijd naar verbondenheid met anderen. Als je de keuze maakt je eenzaamheid voort te zetten terwijl het pijn doet, dan maakt je ook de keuze voor de slachtofferrol. Die keuze maakt je onaantrekkelijk. Voor jezelf en voor anderen.

18 De angst voor het 'nee'

Depressieve gevoelens, eenzaamheid en minderwaardigheidsgevoelens zijn vaak oorzaak en gevolg (het kan allebei!) van het feit
dat je niet die ruimte in de wereld durft in te nemen die je nodig
hebt om je te ontwikkelen, om je goed te voelen. Of omgekeerd,
van het feit dat je te veel ruimte probeert in te nemen, te veel van
jezelf eist, de meetlat voor jezelf op bepaalde levensgebieden te
hoog legt en daardoor constant onder spanning staat en vroeg
of laat faalt.
We groeien allemaal op met dromen waarin we onszelf iets be-
paalds zien worden/bereiken/tot stand brengen/hebben. De
meesten van ons lukt het nooit die dromen helemaal waar te maken. Het is maar een enkeling die wel zo gelukkig is of die zelfs
voorbij zijn of haar droom reikt.
Maar dat wil helemaal niet zeggen dat wij in meerderheid zijn
voorbestemd om ongelukkig te worden. Want zelfs een gedeelte-
lijke verwezenlijking van onze droom (in relaties, in werk, in
ontplooiing) is vaak al mooi meegenomen. Bovendien heeft het
leven daarnaast soms nog verrassingen in petto, waaraan je in je
stoutste dromen niet gedacht had. Alleen gaat het zelden zonder
slag of stoot. Wie niet voor zichzelf durft op te komen, niet durft
te vragen, krijgt zelden 'zomaar ongevraagd' wat hij wil. Maar
wie te veel vraagt, krijgt ook zelden wat hij wil.
Gek is dat eigenlijk, dat zowel te weinig vragen als te veel vragen
oorzaak en gevolg van depressie kunnen zijn. Blijkbaar zijn minderwaardigheid en perfectionisme twee kanten van eenzelfde
medaille. Het zijn allebei manieren van jezelf saboteren.
Niet-vragen en te veel vragen, of eigenlijk moet ik zeggen te veel
willen, hebben een gemeenschappelijke bron: de angst voor het
'nee'. Bij niet-vragen is dat de angst voor het 'nee' van de ander.
Bij te veel vragen, is dat de angst voor het 'nee' tegen de ander.
De angst voor het 'nee' van de ander is zelf weer oorzaak van an-

dere gevoelens, vooral boosheid of agressie. Op jezelf omdat je niet durft. En op de ander omdat je er vaak al bijvoorbaat van uitgaat dat die niet wil.

Het volgende verhaal uit *Handleiding voor ongelukkig-zijn* van Paul Watzlawick illustreert dat heel treffend.

> Een man wil een schilderij ophangen. Een spijker heeft hij wel, maar een hamer niet. De buurman heeft er wel een. Dus besluit de man naar hiernaast te gaan en de hamer te lenen. Maar dan begint hij te twijfelen: 'Wat als de buurman mij de hamer niet lenen wil? Gisteren groette hij ook al nauwelijks. Misschien had hij haast. Of deed hij alleen maar of hij haast had, en heeft hij iets tegen mij? Maar wat dan? Ik heb hem niks gedaan. Hij beeldt zich maar wat in. Wanneer iemand van mij gereedschap lenen wil, geef ik het hem meteen. En waarom hij dan niet? Hoe kan iemand een medemens zo'n eenvoudig verzoek weigeren? Lui zoals die kerel zijn een pest voor de buurt. En dan verbeeldt hij zich ook nog dat ik op hem aangewezen ben. Gewoon omdat hij een hamer heeft. Nou ben ik het werkelijk zat.' En hij stormt de deur uit, belt aan.
> De buurman doet open, maar nog voor hij kan groeten, schreeuwt onze man hem toe: 'Weet je wat je kunt met die hamer van jou, ellendeling!? In je haar kun je hem smeren!'

Ook de angst voor 'nee' tegen de ander is vaak een bron van boosheid en agressie. Op de eerste plaats tegen jezelf. Je neemt je tien keer voor 'nee' te zeggen, je weet ook dat het eigenlijk terecht is, maar als puntje bij paaltje komt doe je het uiteindelijk toch niet. Je zegt toch 'ja' of doet alsof het 'ja' is en zit dan vervolgens opgezadeld met een klus of een verantwoordelijkheid die je niet wilt. Maar daarop terugkomen en alsnog 'nee' zeggen, lijkt, eenmaal 'ja' gezegd hebbend, helemaal een onmogelijkheid geworden. Want, zo denk je maar al te begrijpelijk, 'terecht dat de ander nu boos wordt, want die rekent inmiddels inderdaad op mij'.

Waarschijnlijk begrijp je, op dit punt aangekomen, beter waarom ik eerder heb beweerd dat een belangrijk kenmerk en oorzaak van depressie is op een ongezonde, ineffectieve manier omgaan met angst en agressie. Wie zijn angsten en agressie niet kan hanteren, niet daar kan uiten waar het terecht is, niet in gedrag kan omzetten dat anderen duidelijk maakt waar zijn of haar grenzen liggen, wat wel en niet goed voor hem voelt, die gaat die gevoelens tegen zichzelf richten. Onthoud: depressie is vaak gestolde, versteende angst en agressie. Als je te veel en te lang zulk gesteente met je meesleept, dan bezwijk jij (en vaak ook je relatie of je gezin) daar vroeg of laat onder.

Een negatief zelfbeeld uit zich dus meestal in de volgende drie symptomen:

1. Geen dingen (durven) vragen, dus niet krijgen wat je wilt hebben, of te veel vragen van jezelf en anderen, en dus ook niet krijgen wat je wilt.
2. Geen grenzen voor jezelf en voor anderen trekken.
3. Niet goed om kunnen gaan met angst en boosheid.

Mensen die niet vragen worden overgeslagen

Er is een oud Chinees gezegde dat vrij vertaald ongeveer zo luidt: Wie een vraag stelt is vijf minuten een dwaas, wie niet vraagt veel langer. Er zijn een heleboel mensen die anderen geen vragen stellen omdat ze bang zijn daardoor de relatie met hen te verstoren, als te eisend over te komen en een weigering te riskeren. Ook de angst de vraag niet op een goede manier te stellen, als dom over te komen als de vraag impliceert dat je iets niet weet of begrijpt of de angst de aandacht in een groep op jezelf te vestigen, speelt vaak een rol. Gemeenschappelijk aan al die mogelijke redenen is dat je door te vragen jezelf kenbaarder, zichtbaarder maakt aan de ander, aan de wereld. Dat is waar. Maar juist daarom is vragen ook een belangrijk antidepressivum. We hebben eerder gezien

dat verlies van interesse een kernsymptoom van depressie is.
Door te vragen toon je en ontwikkel je interesse. Dat is weer zo'n
veelbetekenend woord: 'interesse' (inter = tussen, esse = zijn).
Het betekent zoiets als dat er 'iets tussen is'. Door te vragen ontstaat er iets tussen mensen. Vragen betekent een relatie leggen, of
althans een begin daarmee maken. Door te vragen ontstaat er iets
tussen mensen. Niet (durven) vragen betekent 'dat er niets tussen ons is'. Natuurlijk kan er door te vragen tussen mensen ook
iets ontstaan dat negatief is. Vragen is dus vaak een sociaal risico
nemen. Maar dat is niet-vragen ook.

Dus is de vraag wanneer je een groter risico loopt: als je vraagt of
als je niet-vraagt? Natuurlijk is het niet realistisch om daarop een
voor alle omstandigheden definitief antwoord te geven. Maar het
is wel realistisch om te zeggen dat in de meeste situaties niet-vragen meer nadelen heeft dan wel vragen. Al was het alleen maar
omdat vragen een manier is om te leren met kwetsbaarheid, onzekerheid en aandacht om te gaan. Mensen vragen vaak niet omdat dat op de korte termijn, dus de eerste vijf minuten, het eerste
half uur, gemakkelijker is. Maar op de langere termijn maakt het
'de dingen' meestal juist moeilijker. Wie niet vraagt wordt vaak
overgeslagen. En wie herhaaldelijk wordt overgeslagen gaat op
den duur onvermijdelijk denken dat het aan hem moet liggen.
Dat hij niet belangrijk of niet interessant wordt gevonden. Gek
genoeg, als je maar vaak genoeg niet vraagt, is dat op den duur
ook zo. En zo worden minderwaarheidsgevoelens en negatief
zelfbeeld, die juist de aanleiding waren om niet te vragen, door
de gevolgen van niet-vragen, bevestigd.

En dan treedt er een ander proces in werking. Hoe minder je
vraagt, hoe belangrijker de reactie van de ander wordt wanneer
je wel een keer wat vraagt. Dus ook hoe groter je angst wordt
voor de reactie van de ander. Zo komt het dat veel mensen niet
durven te vragen, omdat ze de gedachte aan een afwijzing of een
negatieve reactie onverdraaglijk vinden. Zelfs het idee dat de ander alleen maar in stilte een negatieve reactie zou kunnen hebben
(iets denkt als 'Nou, ik zal het maar doen, maar ik baal er wel

van'), is voor hen vaak al voldoende om een verzoek al in te slikken voordat het goed en wel gedaan is. Het gevolg is dat zelfs
hun rechtmatige verlangens of behoeften vaak onvervuld blijven,
tenzij ze het geluk hebben dat de ander een enkele keer aanvoelt
wat eraan scheelt. Maar omdat mensen nog altijd niet accuraat
gedachten en gevoelens van anderen kunnen lezen, geldt op de
meeste tijden: 'Wat jij mij niet gevraagd hebt, heb ik jou niet gegeven.'
Vandaar dit advies: *Just ask.*
Vraag gewoon.
Maak het tot een gewoonte om te vragen.
Zoals de *Talmud,* het commentaar op de joodse bijbel, het zegt:
'Beter tien keer gevraagd dan één keer verdwaald.'
Of zoals het in de christelijke bijbel staat: 'Vraag en je zult ont-
vangen.' Niet altijd natuurlijk. Maar de waarschijnlijkheid dat je
krijgt wat je wilt, neemt toe als je vraagt.
Zelfs in heel onwaarschijnlijke situaties zoals de volgende.

Een jaar of wat geleden nam ik bij het Centraal Station in
Amsterdam de tram, lijn 9, om helemaal tot het eindpunt, de
remise in Diemen, te gaan. Ik ging op een van de laatst overgebleven stoelen zitten, precies op het draaiplateau tussen twee
tramdelen. Vlak voor de deuren dicht gingen stapte er nog een
vrouw in. Ik schatte haar een jaar of veertig. Er waren alleen
nog maar staanplaatsen over. Ze ging voor mijn stoel staan, zich
vasthoudend aan de daar bevestigde plafond-naar-vloerstang.
We waren ter hoogte van Amsterdam-Oost, en de tram was
nog steeds eivol, toen ze me opeens aansprak. 'Waar moet u naar
toe, als ik zo brutaal mag zijn?' vroeg ze met een volle glimlach.
'Naar Diemen,' antwoordde ik.
'Da's ook toevallig,' antwoordde ze, 'ik ook.' Er viel een stilte.
Toen deed ze iets opmerkelijks. 'Ik heb een vraag,' zei ze. 'U hebt
nu bijna het halve traject gezeten en ik gestaan. Vindt u het goed
dat we dat voor de tweede helft van de reis omdraaien? U staan
en ik zitten?'

Ik was zo verrast door en verbouwereerd over het verzoek, dat ik zonder maar een moment na te denken meteen zei: 'Natuurlijk, geen probleem, gaat uw gang.' Staande moest ik aanvankelijk eerst een paar keer innerlijk ontzettend grinniken over het komische van de plaatsverwisseling. Vervolgens ontstond er tussen ons een geanimeerd gesprek over ik weet niet meer precies wat maar in ieder geval van alles.

Waarom we graag 'ja' zeggen

Een van de redenen waarom het niet alleen 'slim' maar ook verbindend, met andere mensen, is om vaak te vragen, is dat mensen graag gevraagd worden en graag 'ja' zeggen. Terugkomend op de gebeurtenis die ik net beschreef. Toen ik uit de tram was gestapt en naar huis liep, overdacht ik die 'rare' gebeurtenis nog eens. Een vraag die bij mij opkwam was: 'Waarom heb ik eigenlijk meteen "ja" gezegd toen ze me dat vroeg?' Niet dat ik het een probleem vond dat ik gestaan had, maar ik wilde gewoon voor mezelf helder krijgen wat gemaakt had dat ik er niet eens een halve seconde over had nagedacht om 'nee' te zeggen. Het antwoord dat ik mezelf moest geven was dat ik me niet kon voorstellen haar na haar verzoek recht in de ogen aan te kijken en te zeggen: 'Nee, dat vind ik niet goed. Ik wil blijven zitten en dat vindt u misschien niet leuk maar jammer dan.' Als ik er nu over nadenk, dan vind ik dat je zoiets best kunt en mag zeggen en ik zou het ook graag willen kunnen. Maar ik weet ook maar al te goed dat ik het in de feitelijke situatie waarschijnlijk toch niet zal doen. Waarom niet? Een voor de hand liggend antwoord op die vraag is: waarom zou je iemand anders niet een plezier doen als het jezelf toch niet veel uitmaakt, als het jezelf weinig of niets kost? Maar zo'n reactie verklaart weinig en verschuift het probleem alleen maar. Want waarom willen we een ander graag een plezier doen? Een voor de hand liggend antwoord op die vraag is dat we denken daar mogelijk voordeel van te hebben, na-

melijk dat de kans erdoor toeneemt dat die ander ons in de toekomst ook een eerder een plezier zal doen. Maar in dit geval, net
zoals in zoveel anderen gevallen, gaat die vlieger niet op, want het
was uiterst onwaarschijnlijk dat ik die vrouw ooit terug zou zien.
En zelfs als, dan nog zou ik niet weten wat ik van haar zou moeten vragen. De reden waarom we een ander, ook een eenmalige
vreemde, graag een plezier willen doen, is gelegen in een van de
belangrijkste psychologische drijfveren in ons dagelijks leven.
Die drijfveer is door de sociaal-psycholoog Elliot Aronson in zijn
boek *Het sociale dier*[1] als volgt getypeerd: 'We like to be liked',
we vinden het fijn om aardig gevonden te worden.
Mensen die ons niets vragen, geven ons niet de mogelijkheid
om te bewijzen dat er reden is om ons aardig te vinden. Daarom vinden we mensen die ons nooit iets vragen op den duur
onaardig. Dat is een risico dat mensen met een negatief zelfbeeld vaak lopen. Ze doen iets niet uit angst onaardig gevonden
te worden en daarom worden ze het vaak juist. De conclusie: de
angst voor 'nee' van de ander verhoogt de kans op 'nee' van de
ander.
Hoe zit dat met angst voor 'nee' tegen de ander?

De angst voor 'nee' tegen de ander

Voor alle duidelijkheid, er is weinig mis mee als we ons beter
voelen over onszelf wanneer anderen ons aardig vinden. Maar
er is wel wat mis als de mate waarin we onszelf aardig vinden
een directe afspiegeling is van hoe aardig (wij geloven dat) anderen ons vinden. Uit heel wat onderzoek blijkt dat hoe onzekerder
we ons over onszelf voelen hoe behoeftiger we zijn naar aardig
gevonden worden door anderen. En hoe behoeftiger we zijn naar
aardig gevonden te worden door anderen, hoe minder vaak we
'nee' zeggen tegen de ander en hoe sneller en automatischer

1. Aronson, E., *The Social Animal*. New York, 1995 (W.H. Freeman and Company).

'ja'. Aronson maakt op dit punt een veelzeggende vergelijking. Net zoals iemand die uitgehongerd is praktisch ieder soort voedsel zal accepteren terwijl iemand die goed gevoed is veel kieskeuriger is, zo zal een onzekere persoon bijna iedereen accepteren die een zekere mate van interesse in hem vertoont terwijl een zekere persoon veel selectiever te werk zal gaan, dus veel vaker 'nee' zal zeggen. In vergelijking met een zelfverzekerd persoon zal een onzeker persoon zich daarom voor veel meer mensen en vaak voor veel te veel mensen inspannen. Hij moet zijn zelfwaardering en zelfverzekerdheid voortdurend bij elkaar sprokkelen via de waardering die hij aan anderen door zijn inspanningen, door zijn gedrag ontlokt. Dat is een strategie die bij voorbaat tot mislukken is gedoemd. Als je zelfwaardering afhankelijk is van de waardering die je van anderen krijgt, dan kun je je nooit van je leven zeker van jezelf voelen. Want je bent immers nooit zeker van de waardering van anderen voor wat je doet. Vandaag kan die positief zijn, maar morgen negatief. Dat brengt me op een psychologisch belangrijk inzicht. Om psychologisch gezond te functioneren is het essentieel dat je je waarde als persoon, je liefde voor jezelf, niet afhankelijk maakt van het oordeel van anderen. Daar is overigens een heel realistische reden voor: iemands waarde als mens valt niet af te leiden uit de mening van anderen over hem of haar. Als dat zo zou zijn dan zou dat voor alle mensen moeten gelden. Dus zou niet alleen de mening van anderen over jou jouw waarde als mens, maar ook jouw mening over andere mensen hun waarde als mens bepalen. Maar als het echt zo zou zijn, dat jouw waarde als mens en daarmee ook jouw gevoel van zelfwaarde, afhankelijk is van wat anderen van je vinden, dan ben je letterlijk en emotioneel een *quantité négligable*, een 'verwaarloosbare hoeveelheid'. Want meningen wisselen over tijd, zijn vaak afhankelijk van de meest triviale kenmerken – bijvoorbeeld of je uiterlijk aantrekkelijk bent of niet, groot of klein, rijk of arm, zwart of blank, jongen of meisje – en kunnen op allerlei manieren door anderen gemanipuleerd worden. Ieder ogenblik van de dag kunnen er dan dus mensen opstaan die jou 'verwaarloosbaar' vinden, jou 'waarde-loos' kunnen maken, die door hun mening jou je waarde kunnen afnemen.

Maar dat kan natuurlijk alleen maar als jij zelf jouw waarde als mens als 'afneembaar' beschouwt. Dit is misschien wel het belangrijkste punt in dit boek. En de belangrijkste keuze die je als mens te maken hebt. Zolang jij gelooft dat jouw waarde als mens afneembaar is, blijf je fundamenteel onzeker over jezelf, over anderen en over je toekomst, en daarmee uiterst kwetsbaar voor depressie, wanhoop en zelfvernietiging.

Het 'ja' tegen jezelf

Mijn favoriete filosoof, Albert Camus[1], schrijft in een van zijn boeken het volgende:

'Er bestaat maar één werkelijk ernstig filosofisch probleem: de zelfdoding. Oordelen of het leven wel of niet de moeite waard is geleefd te worden, is antwoord te geven op de fundamentele vraag van de filosofie. Al het andere – of de wereld drie dimensies, de geest negen of twaalf categorieën heeft – komt pas daarna. Dat is maar spel; eerst moet men antwoord geven. En als het waar is zoals Nietzsche zegt dat een filosoof om gezag te hebben, zelf het voorbeeld moet geven, dan begrijpt men het belang van dit antwoord, omdat de beslissende daad er dan op moet volgen.'
Als ik deze uitspraak op mijn wijze herschrijf, dan wordt het dit:
'Er bestaat maar één werkelijk ernstig psychologisch probleem: de zelfdoding. Oordelen of je als mens wel of niet de moeite waard bent, is antwoord geven op de fundamentele vraag van de psychologie. Al het andere – of intelligentie drie of vier dimensies heeft en liefde een moederlijke en een vaderlijke vorm – komt daarna. Dat is maar spel, is niet meer dan een schermutseling; eerst moet je antwoord geven. En als het waar is zoals Nietzsche

1. Camus, A., *De mythe van Sisyfus*. Amsterdam, 1967 (De Bezige Bij).

zegt, dat een filosoof om gezag te hebben zelf het voorbeeld moet geven, dan is dat vele malen meer waar voor een psycholoog. Meer dan wie ook moet hij het voorbeeld geven. Hij moet antwoorden dat een mens, ieder mens, altijd moeite waard is. Dat de waarde van een mens bestaat uit het feit dat hij bestaat. Als hij het belang van dat antwoord begrijpt, dan begrijpt hij ook welke beslissende daad er op moet volgen.'

Het kraken, het splitsen van de kern van depressie begint daarom bij jouw oordeel dat jij als mens de moeite waard bent en dat je daarvoor geen bewijs hoeft te leveren. Je mag het natuurlijk vervolgens zoveel als mogelijk gaan waarmaken, maar dat zul je nooit volledig en definitief kunnen. Dat hoeft ook niet. Zoals Carl Rogers, een van de grote psychotherapeuten van de twintigste eeuw zo indrukwekkend aan zichzelf voorschreef iedere keer voordat hij aan het werk ging[1]: 'Er is iets dat ik doe voordat ik aan een gesprek begin. Ik hou mezelf voor dat ik genoeg ben. Niet volmaakt. Volmaakt zou niet genoeg zijn. Maar dat ik mens ben, en dat is goed genoeg. Er is niets dat die andere mens kan zeggen of doen of voelen, dat ik niet kan voelen in mijzelf. Ik kan met hem zijn. Ik ben genoeg.'

Een andere vooraanstaande psycholoog, Philip Zimbardo, heeft dit inzicht vertaald in een aantal concrete adviezen.[2] Een daarvan, dat ik van harte onderschrijf, is dit: 'Zeg nooit negatieve dingen over jezelf. Ga op zoek naar de bronnen van je ongelukkig zijn of falen en haal daar die elementen uit waar je iets aan kunt doen. Geef jezelf en anderen alleen opbouwende kritiek – wat kun je de volgende keer anders doen om te beter te bereiken wat je wilt?'

1. Zie Kushner, H., *How Good do we have to be. A new Understanding of Guilt and Forgiveness* (Uitgeverij Back Bay Books, pag. 7).
2. Zimbardo, P.G., *Psychology and Life* (13th edition, pag. 502), New York, 1992 (Uitgeverij HarperCollins).

'Zeg nooit negatieve dingen over jezelf'

De kans is groot dat je dit advies van Zimbardo niet alleen onmogelijk uit te voeren vindt maar ook onzinnig. Want natuurlijk
zijn er 'dingen' aan jezelf die je negatief vindt en dus lijkt het onzin, staat het gelijk aan je kop in het zand steken, om die niet bij
hun naam te noemen. Ik denk niet dat Zimbardo dat zal tegen-
spreken. Ik in ieder geval niet.

Maar dat is niet het punt waar het om gaat. Natuurlijk zijn er
negatieve en positieve eigenschappen en gedragingen aan jou
op te merken. En natuurlijk kun je daarmee rekensommen gaan
maken. Bijvoorbeeld door je negatieve kanten en gedragingen
van je positieve af te trekken en te kijken wat het saldo is. Maar
je kunt op basis daarvan nooit een definitieve conclusie omtrent
jezelf trekken. Want behalve dat jouw gehele persoon altijd meer
is dan de som van de delen, is het ook zo dat die delen, of in ieder
geval delen van die delen, steeds weer veranderen. Je kunt vandaag je partner een groot verdriet doen en morgen een groot plezier. Het een wist het ander niet uit. Het een maakt het ander
niet minder reëel. En hoe je ook goochelt of rekent met het positieve en het negatieve, een definitieve conclusie met betrekking
tot wat voor persoon jij bent, kun je er niet op baseren. Ook al
niet omdat jij op grond van de feedback of kritiek op je gedrag
kunt besluiten je te veranderen, te verbeteren. Bovendien is helemaal niet altijd definitief vast te stellen wat nu een positieve eigenschap of een positief gedrag is en wat niet. Om een voorbeeld
van Zimbardo te lenen: is verlegenheid een negatieve eigenschap? Zelf kun je dat gemakkelijk denken. Maar je kunt even
gemakkelijk denken dat het positieve van een verlegen persoon
is dat hij aan anderen vaak de ruimte geeft om zich uit te spreken
en hun de gelegenheid biedt aandachtig aangehoord te worden.
Kortom, uit je gedrag en eigenschappen valt nooit af te leiden
wat jouw definitieve waarde als mens is. Dat zijn gewoon twee
grootheden van een geheel andere orde.

De houding van jou ten opzichte van jezelf als mens is een positie die je niet alleen mag maar zelfs moet kiezen. Welke positie je kiest, daar ben je vrij in. De gekozen positie hoeft niet bewezen te worden en kan ook niet bewezen worden. Precies om die reden zijn er religies die al eeuwenlang wegkomen met de aanname dat de mens van nature slecht is en tot het kwade geneigd. Zoals er ook religies zijn die van de aanname uitgaan dat de mens van nature goed is en tot het goede geneigd. Voor beide aannames kun je bakken bewijs aanvoeren. Maar het doorslaggevende bewijs voor de ene of andere positie ontbreekt. En zal altijd blijven ontbreken.

Wat Zimbardo in wezen zegt is dit: kies de positie dat je geen slecht mens bent en dat je voortdurend alert wil blijven op punten waarop je je gedrag kunt verbeteren.

19 Confronteren en respecteren: waarom je grenzen moet trekken

Als je de positie inneemt dat je als mens de moeite waard bent, dan heeft dat drie belangrijke implicaties. De eerste is dat je bereid bent voor jezelf moeite te doen, voor je eigen ontwikkeling, je eigen geluk, je eigen welbevinden. De tweede is dat je aan anderen durft te vragen voor jou moeite te doen. Precies hierin zit het verband tussen durven vragen aan anderen en je zelfbeeld. Als je anderen niet durft te vragen, dan komt dat omdat jij jezelf niet de moeite (van anderen) waard vindt. De derde implicatie is dat jij op jouw beurt bereid bent voor anderen moeite te doen. Want als je vindt dat jij de moeite waard bent als mens, en je hebt het mens-zijn gemeenschappelijk met anderen, dan zijn ook zij de moeite waard.

Je haalt een belangrijk stuk uit de kern van je depressie als je twee van de drie negatieve beelden, namelijk die over jezelf en die over anderen vervangt door deze twee:

- Ik ben voor mezelf de moeite waard.
- Ik ben voor anderen de moeite waard en zij zijn dat voor mij.

Opgepast, ik heb het over anderen, niet over alle anderen. Het is onzinnig om van alle andere mensen te vragen dat ze jou de moeite waard vinden. Sterker nog, het is zelfs een stoornis. In de psychologie kennen we een persoonlijkheidsstoornis, de zogenaamde narcistische persoonlijkheidsstoornis, waarvan een van de centrale kenmerken is dat de 'patiënt' verlangt van alle mensen, of ze hem of haar nu kennen of niet, de moeite waard te worden gevonden en bewonderd te worden. Het valt niet moeilijk te raden dat het met zulke mensen al gauw op relationele drama's uitloopt. Het is ook onzinnig en 'gestoord' om alle mensen de moeite waard te vinden. Natuurlijk mag je dat wel als ideaal hebben, maar het is niet meer dan een ideaal en te doen alsof je dat

nastreeft is in zekere zin zelfs een vorm van bedrog. Want je kunt misschien wel doen alsof je iedereen de moeite waard vindt, maar dat kun je nooit waarmaken in je persoonlijke leven.
Hoe je het ook wendt of keert, je moet grenzen trekken. Want je bent nu eenmaal beperkt en onvolmaakt. Je kunt niet alles. En net zoals jij dat moet, moeten ook anderen hun grenzen trekken. Sommige mensen zullen jou dus niet de moeite waard vinden. So what. Jij zult bepaalde mensen ook niet de moeite waard vinden. So what. Dat zegt allemaal niets over jouw of hun waarde als mens. Het zegt uitsluitend wat over jouw en andermans beperkingen als mens.
Door onze beperkingen moeten wij, mensen, over en weer regelmatig tegen elkaar 'nee' zeggen. Elkaar confronteren. Weer dat woord, dat 'grenzen trekken' betekent. We moeten ten opzichte van elkaar grenzen trekken. We kunnen niet anders. En we moeten elkaars grenzen respecteren. Ook weer dat woord, respecteren. Het betekent hier zoveel als dat we elkaar ook nog terug willen zien, ook nog met elkaar te maken willen hebben als we weten dat we geen grenzeloze toegang tot elkaar hebben. Als we weten dat we bepaalde dingen niet met elkaar willen.
Confronteren en respecteren zijn de twee belangrijkste vaardigheden die we in de omgang met elkaar nodig hebben.
Maar het zijn, zoals we eigenlijk al gezien hebben, ook de twee belangrijkste vaardigheden die we in de omgang met onszelf nodig hebben. Onze beperkingen en onvolmaaktheden onder ogen te durven zien en toch met onszelf te maken willen hebben, onszelf ook in de toekomst weer onder ogen te willen komen, is de kern van een gezonde omgang met onszelf. En daarmee ook de voorwaarde voor een gezonde, en dus niet altijd spanningsvrije of conflictloze, omgang met anderen.

Door grenzen te stellen aan anderen, scheppen we letterlijk en figuurlijk altijd een zekere afstand, waar tevoren misschien nog helemaal geen verschil, geen afstand was. Zoals tussen ouders en (jonge) kinderen meestal lange tijd het geval is. Confronteren kan dus voor een van beide partijen, en vaak voor allebei, een pijnlijk moment zijn. Maar opnieuw, pijn betekent dat het om iets belangrijks gaat, iets dat aandacht verdient.

Een puber die op een bepaald moment zegt niet meer met de familie op vakantie te willen, is bezig met afstand scheppen. Bezig met de eigen persoonlijkheid, de eigen identiteit los te weken van die van vader, moeder en de rest van het gezin. 'Nee' tegen anderen is zo bezien 'ja' tegen jezelf.

Een volwassen kind, dat nooit openlijk 'Nee, ik heb geen zin' tegen bejaarde ouders durft te zeggen als die voor de zoveelste keer vragen langs te komen, zit nog altijd met de eigen identiteit, de eigen grenzen, te knoeien. Het kan nog altijd niet volmondig zeggen: 'Ik heb een eigen leven, ik heb een eigen persoonlijkheid met eigen wensen en behoeften, die niet altijd parallel lopen aan die van jou. En dat hebben we wederzijds te accepteren en te respecteren.'

Dus verzint dat volwassen kind smoezen in de trant van 'dat komt helaas niet uit want we moeten net die dag naar...' en voelt het zich daar achteraf toch weer ontevreden over, alsof het toch iets stouts, iets verkeerds heeft gedaan.

Voortdurend 'ja' zeggen, terwijl je eigenlijk 'nee' wilt zeggen, bespaart je op korte termijn vaak moeilijkheden met anderen en bespaart je een schuldgevoel, pijn dus, bij jezelf. Als je partner seks met je wil en jij wilt (alweer?) niet, dan is het op een bepaald moment wel zo gemakkelijk om het toch maar te doen. Je voorkomt zo dat je partner weer gefrustreerd raakt, je hoeft jezelf even niet schuldig of te kort schietend te voelen. En, waarschijnlijk het wezenlijkste van alles: je vermindert bij jezelf een gevoel van angst. De angst namelijk dat confrontatie en 'nee' blijven zeggen de kiem zal gaan vormen voor verwijdering, voor uiteindelijke scheiding, voor eenzaamheid.

Zoals 'ja' betekent dat we dingen bij elkaar voegen of bij elkaar proberen houden, met als prijs een inperking van onze bewegingsvrijheid, zo betekent 'nee' dat we juist onze bewegingsvrijheid vergroten, maar de prijs daarvoor is afstand, verwijdering, soms zelfs afwijzing van en door anderen.

Wie 'ja' zegt op het verzoek van zijn baas om over te werken, die houdt daardoor de relatie voor het moment goed, maar levert daarvoor een stuk van zijn vrijheid, zijn vrije tijd, in. Wie 'nee' zegt, loopt het risico dat de relatie daaronder te lijden heeft, maar behoudt voor zichzelf, voor partner of gezin, meer vrijheid.

Het is niet voor niks dat het tijdstip waarop een kind begint te leren 'nee' te zeggen in gebaar of woord, samenvalt met het tijdstip waarop het zich zelfstandig gaat bewegen. Door de toename van de bewegingsvrijheid van het kind ondergaat de verhouding met moeder of vader een radicale verandering. Omdat het kind nu ruimte tussen zichzelf en de opvoeder kan scheppen, wordt diens controle over of invloed op het gedrag van het kind in toenemende mate afhankelijk van gebaar en woord. De opvoeder schudt meestal het hoofd en gebruikt het woord 'nee'. Het kind leert deze signalen te associëren met de frustraties van zijn wensen – en met de agressie die door die frustratie wordt opgeroepen.

Op den duur begint het kind zelf deze signalen over te nemen en ze – zo rond de vijftiende maand – te gebruiken als zijn eigen manier om tegen de wensen of de aanwijzingen van de opvoeder in te gaan. Daarmee begint de koppigheidsfase, die zo typerend is voor het tweede levensjaar en die nogal wat opvoeders problemen bezorgt. Het kind heeft immers de neiging precies datgene niet te doen wat je vraagt. Geslepen opvoeders gebruiken daarom wel de truc het kind precies het tegenovergestelde te vragen van wat ze willen: 'Als we dadelijk buiten in de sneeuw gaan wandelen, mag je je jas niet aandoen.'

Opvoeden en opgevoed worden is in feite een ingewikkeld spel van ja's en nee's, van je voegen en iets van jezelf inleveren en van je weren en ruimte voor jezelf claimen. Omdat opvoeders aanvankelijk de meeste macht hebben en liever willen dat kinderen zich voegen dan hun eigen weg kiezen, gebruiken ze de meest uiteenlopende trucs om 'nee' de kop in te drukken. De meest gebruikte en vermoedelijk meest schadelijke is de 'schuldtruc': 'Als je "nee" tegen me zegt, voel ik mij boos, verdrietig, afgewezen, te kort gedaan. Ik, degene die je heeft voortgebracht, je heeft verzorgd, zich altijd voor je heeft uitgesloofd, krijg dat gevoel door jou; het is jouw schuld. Je bent slecht als je zo doet.'

Kinderen die via zo'n truc volwassen worden, blijken nogal eens een rotzooi van hun leven te maken. Ze vinden het vaak moeilijk duidelijke keuzes te maken; ze hebben voortdurend het gevoel dat ze van alles moeten. Ze doen veel dingen, niet omdat ze dat echt willen maar omdat ze denken dat ze niet anders kunnen, dat het hun plicht is. In feite weten ze niet meer wat ze zelf nou willen, wie ze zelf zijn.

Freud heeft in een heel curieus artikel dat hij de titel 'Ontkenning' meegaf, laten zien waarom zo'n reactiepatroon op volwassen leeftijd in feite heel kinderlijk is. Zijn stelling is dat ons onderbewuste, zeg maar ons driftleven, het begrip van het negatieve, van 'nee' zeggen, niet kent. Het onderbewuste streeft alleen maar naar zo direct mogelijk, en zo frustratieloos mogelijk bevredigen van allerlei wensen. Als het goed is, leren we in de loop van onze ontwikkeling ontdekken dat er ook een realiteitsprincipe is. Een principe dat inhoudt dat in deze wereld een ongeremde bevrediging van onze driften niet mogelijk is en dat we moeten leren incasseren dat het antwoord op sommige van onze wensen door mensen 'nee' of 'niet mogelijk' is. Het omgekeerde is dus ook waar. Anderen moeten leren dat ons antwoord op sommige van hun wensen of vragen 'nee' of 'niet mogelijk' is. En dus moeten wij leren dat 'nee' of 'niet mogelijk' uit te spreken. Waarom dat zo moeilijk kan zijn, vooral wanneer 'ja' zeggen je eerste neiging is, wordt in het kader op pagina 175 uitgelegd.

Maar er is natuurlijk een prijs die betaald moet worden voor 'nee' zeggen waar je vroeger steeds 'ja' zei. Die prijs is dat anderen dat soms inderdaad niet zo leuk zullen vinden, je aanvankelijk misschien zelfs minder zullen waarderen. Wat overigens niet hetzelfde is als minder respecteren. Wie duidelijk eigen grenzen trekt, zijn eigen identiteit vaststelt, die verwerft meer emotionele bewegingsvrijheid en zelfrespect, maar verliest in zekere zin een comfortabel gevoel van 'we zijn met z'n allen één grote familie'. Er zijn nogal wat mensen die zowel 'nee' willen kunnen zeggen als ze daar zin in hebben als de relatie met anderen in hun directe omgeving precies hetzelfde houden als in de periode dat ze gewend waren altijd 'ja' te zeggen. Zulke mensen bedriegen zichzelf. Want kiezen is verliezen. En net als in de politiek zijn de niet-kiezers de echte verliezers.

Confronteren en respecteren vraagt soms om boosheid

Een van de duidelijkste manieren om 'nee' te zeggen tegen anderen, om aan te geven dat je grenzen op een onaanvaardbare manier worden overschreden, is boos worden. Wie niet boos op anderen kan worden of wie boosheid niet kan uiten, is ertoe veroordeeld om in stilte (en soms niet zo stil) zich ofwel depressief (het richten van niet geuite boosheid op jezelf) of vijandig te voelen. Niet zelden gaat dat samen. We hebben het er al even over gehad, vijandigheid kan eveneens een symptoom van depressie zijn. Nogal wat mensen die depressief zijn, koesteren vijandige gevoelens jegens anderen of de wereld. Soms zetten ze die zelfs om in een (poging) tot zelfdoding waarmee ze ook anderen de dood inslepen, de zogenaamde 'meeneem-zelfmoord'.

Het probleem met vijandigheid is dat het altijd destructief is, naar anderen en/of naar jezelf.

Waarom de weg van 'ja' naar 'nee' vaak doodloopt
Hoe vaker je 'ja' tegen iemand of iets zegt, hoe moeilijker het wordt om 'nee' te zeggen. De verklaring daarvoor is dat als een gewoonte zich eenmaal gevormd heeft, er allerlei krachten zijn die zich verzetten tegen het veranderen ervan. Iemand die altijd 'ja' zegt en plotseling op een dag besluit dat het beter is om ook eens 'nee' te zeggen op een bepaald verzoek, zal zich achteraf gespannen voelen. Net als iemand die altijd heeft gerookt en op een bepaalde dag besluit te stoppen, daarbij in het begin een gevoel van spanning zal ervaren. Waar het op aankomt, is hoe je dat onvermijdelijke gevoel van spanning interpreteert. De meeste mensen hebben de neiging om die 'veranderings-gespannenheid' te zien als een aanwijzing dat het feit dat ze nu 'nee' gezegd hebben, toch verkeerd moet zijn geweest. ('anders zou ik me toch niet gespannen voelen.')
De sticker 'verkeerd' op je veranderingsspanning plakken betekent al gauw dat je geneigd bent terug te keren naar je oude gedrag. Dus maar weer 'ja'. Dat vermindert weliswaar op korte termijn de spanning. Maar op langere termijn meestal juist niet, omdat het gevoel geen controle te hebben over je (gevoels)leven erdoor wordt versterkt. Nog een keer. Als je bijna altijd 'ja' zegt tegen iemand – een baas, collega, familielid of kennis – als die vraagt of je wilt komen helpen met een klus omdat jij daar goed in bent, dan roept één keer 'nee' zeggen spanning op. Als je die spanning interpreteert als 'toch niet zo aardig van mij, ik had het misschien toch maar even moeten doen, hij zal me vast niet sympathiek vinden...' kortom als 'verkeerd' of 'schuldig', dan ga je meteen of in ieder geval de volgende keer geheid weer voor de bijl.
Wanneer je tegen jezelf zou kunnen zeggen dat nu je 'nee' zegt, je daarmee een gewoonte doorbreekt, dat daarbij spanning vrijkomt, en dat zoiets een heel gewoon symptoom is van verandering, dan zul je jezelf minder snel verwijten gaan maken of gaan zeggen dat wat je doet verkeerd is. Door tegen jezelf realistisch te zeggen 'de spanning die ik nu voel betekent dat ik een gewoonte aan het veranderen ben', zet je een eerste belangrijke stap op weg naar het trekken van je eigen grenzen. En daarmee voor het opbouwen of versterken van je eigen persoonlijkheid en identiteit. Bovendien betekent het meestal ook minder (over)belasting van jezelf. En dus ook vaak minder onenigheid met je dierbaren.

Maar laat ik eerst Sol Gordon aan het woord laten over het belang van boosheid: 'Het legitieme doel van boosheid is om een
grief kenbaar te maken. Als dat niet op een juiste manier gebeurt,
kan boosheid gemakkelijk in vijandigheid omslaan, of zelfs in gewelddadige woede. Alleen maar stoom afblazen (schelden, foete-
ren, de deur dichtknallen) leidt er doorgaans niet toe dat je je op-
gelucht voelt, omdat het immers helemaal niets te maken hoeft
te hebben met – en dus niets duidelijk hoeft te maken over –
waarom je je precies gegriefd voelt. Het is altijd een goed idee
om tot tien te tellen voordat je je boosheid uit, en soms is het
ook een goed idee er even bij te gaan zitten en te zeggen:
"Nou, wiens probleem is dit eigenlijk?" Dan blijkt soms dat
het echt alleen maar jouw probleem is en dat het dus weinig zinvol is daarover een ander aan te vliegen.

Ik ben het eens met bepaalde deskundigen die zeggen dat, wanneer je het onderwerp van je grief niet in je reactie betrekt, je je
boosheid vaak beter in kunt houden dan uiten; de ontvangers
van jouw onduidelijke woede voelen zich bovendien vaak gekwetst; dus op die manier werkt het ook niet. Zwijgend in jezelf
zitten mokken is natuurlijk de ergste reactie. Het is een passieve
manier van vijandigheid uitdrukken, die meer kwetst dan duidelijk maakt.

Probeer te vermijden boosheid in een aanval om te zetten, met
name in een persoonlijke aanval. Beperk je tot de kwestie waar
het om gaat. Vlak niet de persoon in kwestie in één keer uit.
Zeg niet: "Ik heb een verdomde rothekel aan jou." Zeg: "Ik
ben boos om wat je zei." Of: "Ik ben boos om wat je gedaan
hebt."

Boosheid is een aanvaardbare en legitieme emotie; geweld is een
reactie die typerend is voor zwakke, onrijpe, onuitgebalanceerde
mensen (schurken), en minder voor uitgebalanceerde, verantwoordelijke mensen (helden-heldinnen).

De conclusie van een conferentie van de Wereldgezondheidsorganisatie in 1984 was: boosheid, mits op een juiste manier gebruikt, kan de mogelijkheid geven om grieven duidelijk te ma-

ken, problemen op te lossen, een ongelijkheid van macht of invloed in een relatie te corrigeren en om gekwetste trots te herstellen. Boosheid bevat de potentiële energie voor verandering.'

Maar boosheid kan, wanneer die wordt omgezet in onopgeloste vijandigheid, uitlopen op ernstige lichamelijke klachten, ernstige emotionele conflicten (vooral depressie), en daarmee op een verminderd vermogen om goed te functioneren in relaties, op school of op je werk. Het kan, zoals gezegd, soms zelfs ook uitlopen op zelfdoding of een poging daartoe,

Waar komt onze neiging tot vijandigheid (als we eigenlijk alleen maar boos zijn) vandaan? In veel gevallen wordt de voedingsbodem daarvoor gelegd in de ouder-kindverhouding.

20 Vijandigheid en opvoeding

Een middelbare scholier komt uit school, zijn moeder vraagt hem of hij een paar boodschappen wil doen en zijn reactie is: 'Ook dat nog. Ik kan werkelijk ook nooit eens even rustig zitten. Ik ben verdorie toch ook de hele dag op school geweest!?' En boos stapt hij op, stampt de kamer uit en knalt de deur achter zich dicht. Daar zit je dan als ouder en je moet kiezen uit een van de vele mogelijke scenario's, waarvan de meeste slecht zijn en maar enkele minder slecht of misschien goed.

Kies je voor het scenario van de verongelijkte martelaar, dan blijf je mokkend van zelfmedelijden over zo'n onattent, niet-coöperatief kind achter, ga je zelf de boodschappen halen en beklaag je je achteraf bij je partner, kennissen, collega's of therapeut over hoe ondankbaar het wel is om kinderen op te voeden.

Als je kiest voor het scenario van beledigd-zijn, stier je woedend achter kindlief de kamer uit en brult hem terug met: 'Wel allemachtig, ben jij nou helemaal belazerd! Je komt als de bliksem hier of...' Soms werkt dat in die zin dat de boodschappen alsnog gehaald worden, maar wel met 'zó'n gezicht', hangende schouders en woordloos. Gezellig is dat allemaal natuurlijk niet en zeker als er na het 'of...' een strafbedreiging komt, kun je dit soort machtsvertoon niet al te vaak opvoeren, want dan verliest het wapen zijn kracht. Bovendien maakt zoveel boosheid jezelf vaak nog meer overstuur dan je kind.

Een ander dubieus scenario is dat van het begrijpende type: 'Ach ja, dat is eigenlijk ook zo. Ga jij nou maar naar boven, dan zal ik wel zien wie die boodschappen voor mij wil halen.' En met uiterlijk een glimlach en innerlijk de pest in sjouw je zelf het winkelcentrum binnen.

Het probleem met alle drie de scenario's is dat ze uitgaan van het idee dat negatieve gevoelens eigenlijk niet horen, zeker niet in de omgang tussen ouders en kinderen. Komen ze toch voor, dan kunnen we niet meer gewoon met elkaar blijven omgaan. Maar waarom zou een kind dat van school komt niet de pest in mogen hebben? En waarom zou een ouder, ook al reageert dat kind vanuit die stemming negatief op een verzoek, dat verzoek niet gewoon rustig kunnen handhaven? Het antwoord op beide vragen is: er is geen zinnige reden waarom dat niet zou mogen of kunnen. Maar zowel het ene accepteren (de peststemming van het kind) als het andere doen (gewoon je verzoek overeind houden) is een ander scenario dan de genoemde drie. De essentie van dat scenario is feedback, dat wil zeggen (a) goed luisteren naar het kind (dat moeten we natuurlijk altijd en overal) en (b) aan het kind terugmelden wat we gehoord hebben of gemerkt hebben. In het voorbeeld betekent dat zoiets zeggen als: 'Ik zie dat dit misschien niet het gunstigste tijdstip is om je te vragen boodschappen te doen, maar dat wist ik natuurlijk ook niet van tevoren. Kom dan eerst maar even zitten en uitrusten, maar die boodschappen had ik toch wel graag straks gehaald gezien.'

Het is belangrijk om onszelf en anderen, inclusief kinderen, te leren dat boosheid en ontstemming een normaal onderdeel zijn van gezonde relaties. Kinderen en ouders zijn vaak bang voor hun eigen boosheid, omdat ze zich schuldig voelen over de heftigheid van hun negatieve gevoelens tegenover elkaar, dat wil zeggen tegenover degenen om wie ze vaak het meest geven. Kinderen hebben nogal eens de neiging hun boosheid binnen te houden, omdat ze bang zijn dat hun ouders minder van hen zullen gaan houden als ze eenmaal weten hoe sterk hun negatieve gevoelens soms zijn. Als ze vanuit zulke onuitgesproken gevoelens iets vervelends doen, zullen ze vervolgens op de vraag: 'Waarom heb je dat gedaan...?', natuurlijk niet zomaar eventjes het correcte antwoord geven. 'Ik weet niet' is dan vaak de veiligheidsklep.

Kinderen en ouders moeten leren inzien dat lief zijn en boos zijn elkaar niet uitsluiten. Het zijn beide vaak juist uitingen van betrokkenheid. (Weer dat spel van tegenstellingen!) Een kind dat boos is, wil daarom de relatie nog niet opzeggen. Maar een ouder die op kinderlijke boosheid reageert door, ook al is het maar tijdelijk, het contact op te schorten, legt de basis voor vijandigheid. Want die ouder wil in feite een bepaalde kant van het kind – de boze, ontstemde kant – weg hebben, vernietigen; die mag er niet zijn. Hetzelfde doet een kind dat wegloopt, naar zijn eigen kamer, of het huis uit, als de ouder boos uithaalt. Maar gevoelens gaan niet weg, eenvoudig omdat we niet toestaan dat ze uitgesproken worden.

De moeilijkste opgave voor ieder van ons is 'overeind' te blijven als iemand die we mogen die paar pijnlijke woorden uitspreekt: 'Ik heb nu gewoon de pest aan je.' De ouder wordt dan overspoeld door beelden van lange uren van inspanning voor het kind, van nachten bezorgd wakker liggen en van de keren dat zijn eigen wensen opzij werden gezet voor het kind. Een kind heeft het gevoel dat het 'absoluut slecht' is als een ouder zoiets zegt. Toch verlaag je je als ouder door zelf in reactie op vijandigheid van je kind, volwassen of niet, ook vijandschap te spuwen. Probeer hoogstens zoiets als: 'Blijkbaar heb ik in jouw ogen iets verkeerd gedaan. Dat moet je me dan maar uitleggen want ik, ik weet het niet.'

Ten slotte, overal waar ik de woorden 'ouders' en 'kinderen' heb gebruikt, kun je natuurlijk evengoed 'mannen' en 'vrouwen' of 'vrienden' en 'vriendinnen' lezen.

Schuldgevoel of boosheid en vijandigheid jegens jezelf

Behalve met boosheid en vijandigheid jegens anderen, hebben wij ook te kampen met gevoelens van boosheid (vaak) en vijandigheid (gelukkig meestal niet zo vaak) jegens onszelf. In feite is dit wat we 'schuldgevoelens' noemen. In het volgende geef ik de formuleringen van Sol Gordon over schuldgevoelens weer. Sol baseert zich daarbij in belangrijke mate op de rationeel-emotieve therapie van Albert Ellis, de grondlegger van die

therapie, die zowel Sol als mij heeft opgeleid.[1]
'Schuld is een goed gevoel als je iets verkeerd hebt gedaan. Maar er zijn twee soorten schuld. Gezonde schuld helpt je jezelf weer op orde te brengen en stelt je in staat op een verstandiger manier te reageren op soortgelijke situaties of verleidingen in de toekomst. Gezonde schuld kan je zelfrespect verhogen als je niet overdrijft en niet vervalt in destructieve schuldgevoelens. Ongezonde schuld ontregelt en overweldigt je. Je kunt meestal wel uitmaken of je schuld ongezond is. Schuldgevoel komt vaak voort uit een reactie op iets dat je verkeerd deed, maar nog vaker ontstaat schuld door iets dat je niet eens gedaan hebt (misschien was het iets waar je alleen maar aan gedacht hebt) of waar je niemand, jezelf incluis, schade mee berokkende. Zoals masturberen, als man in vrouwenkleren in je kamer rondlopen, af en toe een grap over iemand anders maken, je kind alleen laten afruimen en afwassen terwijl jij de krant leest. Dit soort (ongezonde) schuld is vaker wel dan niet een uiting van vijandige gevoelens tegenover jezelf, van behoefte jezelf te straffen.
Ongezonde schuld loopt vaak uit op depressie. Die depressie kan weer een wapen worden tegen de persoon tegenover wie je je schuldig voelt.
Bijna iedereen gaat zo nu en dan gebukt onder ongezonde schuld. Het veranderen, omzetten ervan in je gezond schuldig voelen kan een leerzame ervaring zijn. Iets waardoor je "rijpt". Maar om te rijpen, moet je begrijpen, begrip leren krijgen voor jezelf. Hieronder volgen enkele voorbeelden.

Laten we eens aannemen dat iemand om wie jij veel gaf, je als kind seksueel gebruikt heeft. Het allereerste dat je moet onthouden, is dat het jouw schuld niet was, ongeacht de omstandigheden. Zelfs als je het toegelaten hebt of het misschien niet eens onaangenaam vond. Alle deskundigen zijn het erover eens dat

1. Zie: Diekstra, R.F.W., *Ik kan denken/voelen wat ik wil,* Lisse, 1999 (27ste editie) (Swets & Zeitlinger).

het nooit de verantwoordelijkheid of schuld van het kind is als een volwassene zoiets uithaalt.

Misschien heb je als kind in een ander opzicht iets verkeerds gedaan of meegemaakt. Misschien heb je ooit een ernstige fout begaan. Maar dat is nu verleden tijd. Waarom jezelf daar nog altijd voor straffen? De beste manier om jezelf eroverheen te helpen is je ervaringen of fouten toe te geven en erover te praten met iemand die je vertrouwt. Het kan ook goed zijn iemand anders die soortgelijke ervaringen heeft gehad, te helpen of te steunen.

Als je boze of slechte gedachten had in een periode waarin je iets ergs overkwam, onthoud dan dat je slechte gedachten nooit de reden zijn waarom iets gebeurt. Er zijn kinderen die boze gedachten hebben over een ouder op dezelfde dag waarop die ouder overlijdt, een ongeluk krijgt of een ernstige ziekte blijkt te hebben. Ze gaan zich dan schuldig voelen over die gedachten. Maar de realiteit is dat je ongelukken of natuurlijke gebeurtenissen (zoals de dood) niet met je gedachten kunt oproepen of tegenhouden. Ga door met leefbaar te leven. Jouw overstuur-zijn of depressie schaadt nu misschien een hoop andere mensen (je vrienden, kinderen, partner). Het schaadt in ieder geval jezelf. Dat is niet handig.

Wat jij met je leven doet, beïnvloedt anderen, of je dat nu wilt of niet. En als je niet oppast, ga je je op den duur nog schuldig voelen over wat je met je ongezonde schuldgevoelens (en de depressie die daaruit voortvloeit) in je eigen leven en dat van anderen aanricht. Zo wordt depressie een oorzaak van depressie!

De kern van ongezonde schuldgevoelens is zelfveroordeling. Zelfveroordeling is jezelf voor onwaardig verklaren, tot een slecht mens uitroepen omdat je er niet in geslaagd bent aan bepaalde eisen te beantwoorden. Terwijl het best mogelijk is dat die eisen te hoog zijn, onrealistisch zijn. Onredelijke verwachtingen of eisen zijn de voornaamste redenen dat:

– teleurstellingen of tegenslagen in gedeprimeerdheid of depressies kunnen uitmonden;

- projecten of plannen in een te vroeg stadium worden opgegeven;
- zoveel partnerrelaties op een scheiding uitlopen;
- zoveel ouders ontevreden zijn over hun kinderen;
- zoveel kinderen teleurgesteld zijn in hun ouders;
- zoveel vriendschappen verbroken worden;
- zoveel gedachten verontrustend of storend zijn.

Veel mensen beschouwen zichzelf als "abnormaal" of "gestoord" omdat ze hun gedachten niet normaal vinden. Maar onthoud dat wat ons "normaal" of "abnormaal" maakt niet onze gedachten zijn. In feite zijn alle gedachten, lustvolle en onlustvolle fantasieën en dromen "normaal". Gedachten kun je willekeurig oproepen of ze kunnen zich onwillekeurig, uit je onderbewuste, aan je opdringen. Op sommige gedachten kun je invloed uitoefenen, op andere is dat heel moeilijk. Schuldgevoel is de energie voor het onwillekeurig herhalen van onaanvaardbare gedachten.

Als je dat beseft, dan doet het er nauwelijks toe hoe raar of spanningverwekkend je gedachten zijn. Het is normaal om agressieve of duistere gedachten te hebben, bijvoorbeeld je voor te stellen dat je vrienden of ouders dood zijn. Het is normaal te fantaseren dat je seks bedrijft met iemand met wie je dat niet verondersteld wordt te doen. Je gedachten leggen jouw gedrag of je leven niet vast.

Abnormaal, of in elk geval "ongezond" is het om jezelf te verbieden bepaalde gedachten te hebben of om bepaalde gedachten te onderdrukken. Trouwens, dat werkt meestal niet, want het verdringen of onderdrukken van gedachten verergert ze meestal of roept alleen maar angst en depressie op, of andere symptomen zoals lichamelijke klachten.'

Natuurlijk kunnen bepaalde gedachten hinderlijk zijn of misschien zelfs tot een obsessie uitgroeien (net zoals een liedje dat maar niet uit je hoofd wil). Bedenk dat iedereen af en toe (en mogelijk zelfs regelmatig) angstige, achterdochtige, magische, seksuele of bizarre repeterende gedachten heeft. Bedenk ook

dat de demonen van onze geest (al eeuwenlang) het meest effectief via de mond worden uitgedreven. Dus denk aan Sasha![1]
Praat over je hinderlijke gedachten met iemand anders in wie je
vertrouwen hebt. Of schrijf ze op, in een dagboek of via een
brief(je) of e-mail aan iemand die belang in jou stelt. Soms is
dat zo moeilijk, dat je uit schaamte of schuldgevoel misschien
nog liever je tong (of pen) af zou bijten.
Hoe begrijpelijk ook, zo'n houding is een vorm van zelfsabotage.
Als je je uiterlijk op orde wilt brengen, dan grijp je vrijwel automatisch naar een (glazen) spiegel. Om je innerlijk (je gedachten)
op orde te brengen, heb je meestal ook een spiegel nodig, zoals
iemand anders die reageert op wat jij denkt of een vel papier of
een computerscherm waarop je zwart op wit je gedachten weer-
spiegeld kunt zien. Natuurlijk is wat je jezelf hoort uitspreken of
wat je voor je ziet, niet altijd even verheffend of strelend voor je
gevoel van eigenwaarde. Op dat punt heb je meestal weinig keuze, je moet het leren aanvaarden.

1. Zie hoofdstuk 2.

21 Confronteer en respecteer je onvolmaaktheid

Bedenk dat de 'meest ware' uitspraak, die je over jezelf (of iemand anders) kunt doen, is dat je een feilbaar menselijk wezen bent. Natuurlijk zijn er mensen die graag de indruk wekken dat ze alles altijd volmaakt doen. Maar dat zijn niet de beste noch de meest gezonde voorbeelden om na te volgen, zoals het volgende verhaal zo fraai duidelijk maakt.

Een beroemde rabbi zat te midden van zijn talloze leerlingen, die driftig door elkaar aan het praten waren. Plotseling zonk de rabbi in diep gepeins voorover. De leerlingen werden op slag stil en wachtten gespannen af tot welke verheven gedachten de concentratie van hun meester zou leiden. Na een tijd kwam de rabbi weer overeind, hief zijn beide handen plechtig omhoog en zei: 'Ik heb een grootse gedachte gehad. Ik ga een boek schrijven dat zal gaan over "De Volmaakte Mens".'
Die aankondiging maakte op de leerlingen een verpletterende indruk en toen ze daar eenmaal van bekomen waren, begonnen ze opgewonden onder elkaar te bediscussiëren wat er wel niet allemaal in dat boek zou komen. Ze waren daar nog druk mee bezig, toen de rabbi opeens weer voorover zonk. De leerlingen stootten elkaar aan en fluisterden dat er nu nog iets belangrijkers ging komen. Deze keer duurde het inderdaad veel langer voor de rabbi overeind kwam. Opnieuw hief hij zijn handen op en zei: 'Ik heb nu een nog grootsere en nog wijzere gedachte gehad.' De leerlingen sprongen bijna uit hun vel van opwinding en het duurde een tijd voordat de rabbi zich weer verstaanbaar kon maken en zei: 'Die wijze ingeving is dat ik dat boek niet ga schrijven.'[1]

---

1. Zie Dosick, W., *Golden Rules. The Ten Ethical Values Parents Need to Teach their Children*, San Francisco, 1995 (Uitgeverij HarperCollins).

Het onvolmaakte lichaam, het onvolmaakte zelf

'God heeft er een janboel van gemaakt. Hij is begonnen met alles ongelijk te verdelen. Rijkdom, geluk, schoonheid, intelligentie, en pijn. Vooral pijn. En hij heeft er vervolgens nog niks aan gedaan ook. Er is iets fundamenteel niet goed aan zijn schepping.' Het meisje dat deze woorden in haar dagboek schreef was toen zeventien jaar oud. Ze was intelligent, gehandicapt en depressief. Elders in haar dagboek schreef ze het onrechtvaardig te vinden dat anderen een gaaf lichaam met de juiste proporties zo maar voor niks kregen, terwijl zij zich moest behelpen. Nog onrechtvaardiger was het in haar ogen dat de 'mooien' en de 'gaven' het in deze wereld gemakkelijker hebben, dat hen meer voordelen en gunsten in de schoot vallen dan de rest. En ze heeft gelijk. De wereld trekt mooie mensen in allerlei opzichten voor. Dat is onrechtvaardig en (soms) pijnlijk.

En opnieuw, de pijn signaleert dat het om iets wezenlijks gaat. Mensen, jong en oud, worden door anderen gediscrimineerd vanwege hun uiterlijk. Ze worden er op een gegeven moment zelfs om afgedankt. De vraag is alleen hoe je met dat *fact of life* omgaat. Zoek je de pijn ervan op om er vervolgens zo goed mogelijk, zo pijnloos mogelijk mee om te leren gaan. Of maak je hem groter. Ga je ook jezelf discrimineren, afdanken misschien zelfs.

Laten we eens aannemen dat je 'in bepaalde opzichten' inderdaad door de natuur niet uitermate gunstig bent bedeeld en je daar uiterlijk niet veel aan kunt veranderen.

Wat je dan nog altijd wel kunt veranderen, is je houding ten opzichte van dat stuk van jezelf. Het gaat hier om een van de eerste dingen die kinderen als ze opgroeien moeten leren: zich in hun lichaam te accepteren. Natuurlijk kun je een aantal dingen aan je lichaam bijwerken als je vindt dat je er niet zo uitziet als je wilt. Maar de marges daarvoor zijn meestal smal. En als je eenmaal begint met 'bijwerken', begint ook het risico de kop op te steken dat je te veel wilt, dat je de meetlat steeds een stukje hoger gaat leggen. Je komt dat al heel gauw op het pad van zelfsabotage, en dat is een weg, zoals we gezien hebben, die leidt tot minderwaardigheidsgevoelens en depressie. Wat dat betreft leven we niet in de beste tijd, psychologisch gezien. We mogen dan de politieke dictatuur in de meeste landen hebben afgeschaft, maar daarvoor is een psychologische dictatuur in de plaats gekomen. Vooral onze relatie met ons lichaam is daar het slachtoffer van.

Aan een tafeltje in de kantine van de sportclub waar ik een paar keer per week train, zit ik te praten met een jong stel. Ik zie ze soms samen met de krachttoestellen in de weer, maar meestal komt hij alleen. Na een tijdje staat hij op en zegt: 'Kom, we gaan.' Terwijl zij ook opstaat en haar spullen pakt, kijkt ze mij met een ondeugende blik aan en zegt: 'Weet je wat nou wat het eerste is dat hij doet als hij dadelijk thuiskomt?'
Ik schud nieuwsgierig van nee.
'Nou, het eerste wat hij doet is...' En terwijl ze hem aankijkt zegt ze: 'Mag ik het zeggen...?'
Met een pijnlijk-verlegen blik die verraadt dat hij precies weet wat ze wil gaan verklappen, zegt hij: 'Ach joh, laat nou, kom nou mee.'
Maar ze laat het niet. Terwijl ze weer gaat zitten, vertelt ze dat hij dadelijk thuis zich in de badkamer helemaal gaat uitkleden en voor de spiegel gaat staan, de ene voet voor, de andere achter, zijn armen gebogen langs de zij. En dat hij dan als een bodybuilder op een toernooi zijn spieren zoveel mogelijk probeert op te zetten. En maar kijken naar zichzelf. Als hij daarmee klaar is, draait hij zich een kwart slag en begint dan zijn buik nauwkeurig in de spiegel te bestuderen. Om vervolgens steevast met de vraag te komen: 'Ik heb toch beslist geen buikje, vind je wel?'
Waarop zij dan iedere keer geruststellend moet zeggen: 'Nee schat, heb je absoluut niet.'
Ze voegt eraan toe, alsof ze hem echt wil jennen dat, als ze iets zegt als: 'Nee joh, ik vind dat je een lief lichaam hebt', hij acuut ongerust wordt. Zijn reactie is dan van 'Ja maar, ik wil weten of je het ook mooi vindt.' Hij houdt pas op met vragen als ze

uiteindelijk zegt: 'Ja schat, ik vind het ook mooi en ook lief.'
Ze staat weer op, pakt hem liefkozend bij zijn hand als om de
plagerij goed te maken en trekt hem mee naar de uitgang. Terwijl ze weglopen, hoor ik hem nog fluisteren: 'Waarom doe je
nou verdomme zo stom om dat te zeggen...' en haar: 'Wat geeft
dat nou, hij snapt dat heus wel.'
En dat klopt. Mannen die vaak in een fitnessclub komen, kijken
vaak in de spiegel. Ze kunnen ook niet anders, want in dat soort
clubs zijn alle wanden behangen met lichaamsgrote spiegels. Dus
of je nou wilt of niet, je komt je spiegelbeeld voortdurend tegen.
Maar er zijn een heleboel mannen en vrouwen die ook uit zichzelf hun spiegelbeeld voortdurend opzoeken. Na vrijwel elke set
van krachtoefeningen gaan ze in de spiegel op zoek naar de con-
touren van hun spieren, van armen, borst, buik of billen. Een
aantal doet dat zelfs volkomen ongegeneerd. Alsof het hun echt
niets kan schelen dat anderen hun ijdelheid open en bloot kunnen zien en beoordelen. Opmerkelijk genoeg zijn het vaker mannen dan vrouwen die zo openlijk uitkomen voor het schoonheidsideaal waarvoor ze zich in het zweet werken.
Dat schoonheidsideaal werd niet zolang geleden onder woorden
gebracht door een andere klant van de fitnessstudio met wie ik
regelmatig praat. Hij was een tijdlang ziek geweest en toen hij
daarna voor het eerst weer kwam was zijn klacht dat hij zoveel
was afgevallen. Hij bedoelde dat hij zoveel spiermassa verloren
had. Ofschoon het volgens mij nauwelijks verschil maakte, hij
is sowieso een wandelende klerenkast, ging hij als een bezetene
weer aan het trainen. En aan het eten. Zoveel hij maar kon aan
eiwitrijk voedsel en aan voedingssupplementen. In het boek *Het
Adoniscomplex* beschrijven de Amerikaanse psychiater Harrison
Pope en zijn collega's[1] een syndroom dat zij 'bigorexia nervosa'
noemen. Het is het omgekeerde van anorexia nervosa. Waar
(vooral) vrouwen en meisjes bij anorexia voortdurend bang zijn

1. Pope, H.G., Phillips, K.A., en R. Olivardia *Adonis Complex: How to Identify, Treat
and Prevent Body Obsession in Men and Boys.*

dat ze te dik zijn, zijn (vooral) mannen en jongens die aan bigorexia lijden, voortdurend bang dat ze niet *big*, niet groot, niet gespierd genoeg zijn. En zoals anorexia-patiëntes zich vel over been
kunnen uithongeren, kunnen bigorexia-patiënten zich *beefen*,
zich opblazen tot ze zowat uit hun vel springen. Beide stoornissen kunnen volgens Pope worden gezien als uitwassen van heer-
sende schoonheidsidealen: de superslanke vrouw en de superge-
spierde man. Hij wijst erop dat de poppetjes waar Amerikaanse
jongetjes mee spelen, zoals G.I. Joe (die al bestaat sinds 1964) in
de afgelopen dertig jaar meer dan tweemaal zo gespierd zijn geworden. Net zoals de steeds frequenter voorkomende blote mannen in de reclame ook steeds gespierder zijn geworden. Het
waarschijnlijke gevolg is dat bij veel jongens een irreëel ge-
spierdheidsideaal tot een obsessie is geworden dat ze met alle
mogelijke middelen, van onschuldige tot zeer gevaarlijke (ste-
roïden), zullen proberen te bereiken. Op dezelfde manier als
waarop bij veel meisjes het irreële slankheidsideaal tot een obsessie is geworden. In ieder geval kan ik onder de bezoekers van mijn
fitnessstudio de bigorexie-patiënten duidelijk aanwijzen. Het
zijn degenen die bijna dagelijks trainen, die zo gespierd zijn dat
ze niet meer op een gewone manier hun armen tegen hun
lichaam kunnen houden en kunnen lopen, die voortdurend
met eten in de weer zijn om er toch beslist naar voor te zorgen
dat ze zoveel mogelijk op gewicht blijven en die voor god mag
weten hoeveel geld aan peperdure supplementen besteden. Toen
ik een van hen eens een keer vroeg waarom hij nooit op de loop-
machine ging hardlopen, was zijn antwoord eenvoudig dat hij
dan te veel gewicht zou verliezen. Tegen mij zei hij op zijn beurt
dat hij niet begreep dat ik zo vaak hardliep, want dan had mijn
spiertraining niet veel zin. Door het lopen verloor ik immers
iedere keer weer massa.
Pope en zijn collega's deden een aantal studies onder bodybuilders. Een van hun bevindingen was dat een aanzienlijk aantal
van hen zichzelf als veel minder groot en gespierd waarnemen
(bijvoorbeeld blijkend uit een tekening die ze van zichzelf maak-

ten of uit schattingen van hun borst-en bicepsomvang) dan ze in werkelijkheid zijn. Juist het feit dat ze zichzelf als te 'dun' waarnemen, drijft hen ertoe almaar meer te trainen, te eten en te slikken. Eigenlijk op dezelfde manier waarop anorexia-patiëntes zichzelf steeds als 'te dik' waarnemen, wat hen drijft tot alsmaar minder eten, overgeven, laxeermiddelen slikken en bewegen om er maar gewicht af te krijgen. In beide gevallen is dus er sprake van een gestoorde waarneming van de vorm van het lichaam, een stoornis die in de handboeken wordt aangeduid als *body dysmorphic disorder* (stoornis in de lichaamswaarneming). Centraal kenmerk van die stoornis is een chronische ontevredenheid met het eigen lichaam, die leidt tot een overmatig en dwangmatig bezig zijn met maatregelen om het lichaam te veranderen. Een groot deel van de tijd en de energie gaat zitten in het bezig zijn met het eigen lichaam. De ontevredenheid en alles wat er gedaan moet worden om het onwillige lichaam (of bepaalde lichaamsdelen) te dwingen een andere vorm te krijgen, brengt grote spanning en zelfs lijden met zich mee. Veel mensen zullen maar al te graag willen geloven dat bodybuilders met zo'n lichaamsbelevingsprobleem 'gestoorde' uitzonderingen zijn. Maar de feiten wijzen er eerder op dat ze extreme voorbeelden zijn van een algemene trend. Vanaf 1972 worden er in de Verenigde Staten bevolkingsonderzoeken naar lichaamsbeleving gedaan. Daaruit blijkt dat de ontevredenheid met het eigen lichaam toeneemt. Zei in 1972 nog 23 procent van de mannen dat ze ontevreden waren over hun eigen lichaam, in 1997 was dit percentage gestegen naar maar liefst 45 procent. Die ontevredenheid drijft ze behalve naar de fitnessstudios ook in grote aantallen naar de plastisch chirurg. Het komt zelfs al regelmatig voor dat mannen net als veel vrouwen siliconen in hun borsten laten implanteren om ook daar zo 'gespierd' mogelijk te lijken. Blijkbaar leven we steeds meer onder de dictatuur van het lichaam. Misschien komt dat wel omdat naarmate we minder in god of geest geloven, het lichaam een van de weinige overgebleven 'dingen' is die wij aanbidden kunnen.

Niet om je geest, om je lichaam

De conclusie uit het voorafgaande hoofdstuk is dat hoe goed je in je vel zit weinig te maken hoeft te hebben met hoe goed je vel is. Ik kan het ook anders zeggen: mensen die zichzelf confronteren en respecteren, zitten goed in hun vel ongeacht hoe goed hun vel is, en zijn daarmee aantrekkelijk voor andere mensen, punt uit. Het is daarom absoluut onjuist dat kleine, dikke of 'onaantrekkelijke' mensen niet aantrekkelijk kunnen zijn of geen partner of vriend(in) zouden kunnen vinden. Het is absoluut wel waar dat mensen die zichzelf lelijk vinden en dat laten merken door zich lelijk, onaantrekkelijk, kortzichtig of sullig te gedragen (dat is niet hetzelfde als er zo uitzien) anderen eerder afstoten dan aantrekken. Als je (wat) te zwaar bent, is het prima om op een verstandige manier op dieet te gaan. Maar het is niet verstandig om jezelf uit afkeer van jezelf of boosheid op jezelf, dood te hongeren of allerlei ongeteste of onbewezen middelen te gebruiken om maar superslank te worden. Zelfs als je op je streefgewicht zit, ben je er nog niet, want dan moet je nog altijd leren hoe met jezelf en anderen vriendschap te sluiten.

Het idee dat je emotionele problemen of je depressieve gevoelens te wijten zouden zijn aan je uiterlijk of aan een of ander lichamelijk 'gebrek', is vrijwel altijd een waanidee. Iemand die goed met zichzelf omgaat en zichzelf accepteert, vindt ook vrijwel altijd mensen die goed (en graag) met hem of haar omgaan. Als je belangstelling hebt voor de wereld en voor anderen, heeft de wereld en hebben anderen ook vrijwel altijd belangstelling voor jou. Maar als je jezelf niet veel soeps of vervelend vindt, dan ben je meestal ook vervelend om mee om te gaan.

Maar alles wat ik tot nu toe gezegd hebt, kan niet wegnemen dat andere mensen je soms niet (meer) moeten, niet (meer) accepteren omdat je er lichamelijk minder aantrekkelijk uitziet. Dat kan behoorlijk pijnlijk zijn.

Zo is een van de levenswetten dat oud wordt ingeruild voor jong. En een van de meest voorkomende en ontnuchterende bewijzen voor die wet is het inruilen van oudere vrouwen voor jongere. Het epidemische karakter van dit patroon waar ook ter wereld, toont aan dat zelfs als mannen meer bewondering hebben voor de 'persoonlijkheid' van hun oudere vrouw dan van hun 'nieuwere', dat hen vaak niet belet om de relatie met de eerste te verbreken en die met de tweede te beginnen. Dat is eenvoudigweg onrechtvaardig. Maar het gebeurt zo vaak, dat het wel moet gaan om een fundamenteel gegeven. Dat gegeven is, dat bij de bepaling van partnerkeuze en dus bij de bepaling van aantrekkelijkheid het lichaam vaak meer gewicht in de schaal legt dan de geest. In het tweede deel van dit boek, kom ik op dit gegeven nog uitvoerig terug.[1]

Zelfbeeld en handicap[2]

Als er een groep mensen is die de dictatuur van het lichaam en van uiterlijke aantrekkelijkheid het hardst aan den lijve ervaart, dan is het wel de groep mensen met een handicap. Er zijn ten minste twee belangrijke redenen waarom een lichamelijke handicap emotioneel ontwrichtend en 'depressogeen' kan zijn. De ene is de manier waarop iemand zelf met zijn handicap omgaat. De andere is de manier waarop anderen daarop reageren. Ik ga het eerst over de anderen hebben, daarna over gehandicapten zelf.

Als je zelf geen handicap hebt, dan ken je vrijwel zeker iemand, een familielid of een vriend, die er wel een heeft. Naar schatting heeft ongeveer vijftien tot twintig procent van de mensen in ons land (ruwweg 1 op 6) een ernstige lichamelijke of psychische handicap. Een handicap hebben betekent vaak allerlei soorten problemen: sociale, emotionele, seksuele en natuurlijk ook economische en financiële. Een belangrijk deel van de problemen ligt in het feit dat gehandicapten vaak van de hoofdstroom van het leven worden uitgesloten door de niet-gehandicapten.

1. Zie hoofdstuk *Jong voor oud.*
2. Uit: Gordon, S., *When Living Hurts,* New York, 1986 (Dell Publishing).

Als psycholoog die veel met gehandicapte mensen gewerkt heeft, heb ik een aantal adviezen aan mensen die zelf niet gehandicapt zijn, maar dat natuurlijk ooit kunnen worden:

– Doe een oprechte poging vriendschap te sluiten met de gehandicapte ander uit je omgeving. Doe dat niet uit medelijden, maar uit sympathie en betrokkenheid. Als een bewijs dat je een fatsoenlijk mens bent.

– Bouw je vriendschap op basis van gemeenschappelijke interesse(s) op door de persoon in kwestie te helpen interesse(s) te ontwikkelen op het gebied waarop je zelf bezig bent en waarvan je geniet.

– Behandel, wanneer er eenmaal een relatie is opgebouwd, de gehandicapte ander dan niet met overdreven voorzichtigheid of gevoeligheid; dat doet meer slecht dan goed.

– Doe net zoveel gewone dingen met hem of haar als je ook met een niet-gehandicapte vriend(in) zou doen.

– Aarzel niet openhartig duidelijk te maken wat je plezierig en onplezierig vindt.

Voorbeeld: het zou kunnen gebeuren dat je gehandicapte vriend(in) of kennis overdrijft of dat hij/zij vriendschappelijke belangstelling van jouw kant houdt voor liefde in de engere zin; als dat zo is, aarzel dan niet erover te praten, want hoe eerder en hoe duidelijker deze dingen besproken worden, des te beter.

Er is een ander belangrijk punt: het is niet gek als je je in het begin ongemakkelijk voelt. Maar heel weinig mensen zullen zich aanvankelijk op hun gemak voelen bij iemand die blind is, of doof, of die een hersenafwijking heeft (die bijvoorbeeld afatisch is, dat wil zeggen niet of heel moeilijk kan spreken). Door je ongemak onder ogen te zien, het toe te geven, vermijd je schadelijke of pijnlijke gevoelens als medelijden, schaamte, schuld, afwijzing en je terugtrekken. Praat er rustig over en vaak zal het zo zijn dat je gehandicapte vriend(in) in staat is je, direct of indirect, duidelijk te maken hoe daarmee om te gaan.

Ten slotte: Als je de gehandicapte mensen in je omgeving blijft ontlopen of het contact met hen tot het hoogst noodzakelijke beperkt houdt, dan is er iets mis met je. Wat er mis met je is, is dat je je niet los kunt maken van oppervlakkigheden, letterlijk en figuurlijk.

Verder een paar adviezen aan mensen die zelf een handicap hebben:
– Niemand kan er zonder jouw toestemming voor zorgen dat jij je minderwaardig voelt.
– Als je zelf interesses hebt, is er altijd iemand die interesse heeft in jou.
– Als je je chronisch verveelt, zul je ook vervelend zijn om mee om te gaan.
– Als je niets te doen hebt, doe dat dan niet waar iemand anders bij is.
Het belangrijkst: Als je in onze samenleving gehandicapt bent, zul je hard moeten werken om vrienden te maken, om aan de mensen om je heen duidelijk over te brengen dat je in de eerste plaats 'mens' bent, een persoon, en dat je handicap secundair is, dat die pas na alles komt wat voor jou nu als persoon belangrijk is.
Een van de dingen die je echt zult moeten leren, is het volgende. Om van anderen te krijgen wat je nodig hebt – materiële hulp, maar ook sociale en emotionele steun – moet je vaak vragen. Vergeet dat niet. Als je niet vraagt, omdat je vindt dat je eigenlijk niet van anderen afhankelijk zou moeten zijn of dat anderen uit zichzelf zouden moeten doen wat jij nodig hebt, dan doe je aan zelfsabotage. Je gooit je eigen glazen in. En op die manier maak je je handicap alleen maar groter.

Kiezen om te verliezen

Als je wordt afgewezen of als je een relatie verliest vanwege je ouder wordende lichaam of vanwege een handicap, dan gebeurt dat omdat je niet volmaakt bent. Dus kan die afwijzing of dat verlies niets zeggen over jouw waarde als mens. Het is dus ook nooit een reden om je zelfbeeld naar beneden toe bij te stellen. Want het is een verlies of een afwijzing die in beginsel voor iedereen die niet volmaakt is, is weggelegd. Voor iedereen dus. Het kan dus ook nooit een goede reden zijn voor gevoelens van minderwaardigheid. Sommige mensen hebben het geluk dat het hen niet overkomt: afwijzing. Maar dat is dus geluk of toeval, geen

verdienste. Het kan dus ook nooit een goede reden zijn voor gevoelens van superioriteit.

Of het moest zijn dat ouder worden of gehandicapt-zijn gelijk
staat aan minderwaardigheid. Maar dan is iedereen vroeg of laat
minderwaardig. En als iedereen minderwaardig is, dan is niemand minder waard dan een ander.

Dat alles neemt natuurlijk niet weg dat relatieverlies of afwijzing
wel een reden is voor pijn. Want ook al is het verlies, 'evolutio-
nair' gezien, meestal onvermijdelijk, het is en blijft wel een verlies.

Pijn is, zoals we al vaker gezien hebben, het signaal dat het om
iets wezenlijks gaat. In dit geval is het wezenlijke dit: voor de
evolutie ben je een ruilobject. En dus voor de meeste mensen
om je heen ook. Als ze denken dat ze iets beters of iets aantrek-
kelijkers kunnen krijgen dan jou, dan zullen ze het heel vaak niet
kunnen laten je in te ruilen of links te laten liggen. Ze hebben je
niet nodig. Ook al hebben ze heel lang geloofd of gedaan alsof.

De winst van de pijn ligt in de uitdaging waarop deze wijst. Die
uitdaging ligt in het besef dat jij hen ook niet nodig hebt. Dat je
je zelfbeeld op vele manieren positiever kunt maken en dat niemand daarbij onmisbaar is behalve jijzelf. Dus als iemand er niet
voor kiest een relatie met jou te hebben, dan is het gezondste wat
jij voor jouw zelfbeeld kunt doen, dit: ervoor kiezen de verloren
relatie te verliezen.

22 Depressie of geluk: een kwestie van verhoudingen

We hebben inmiddels behoorlijk wat antwoorden op de vraag wat depressie is en op hoe we de psychologische kern van depressie kunnen 'kraken'. Maar hebben we daarmee een antwoord op de vraag hoe we de tegenpool van depressie (vaker) kunnen bereiken, hoe we gelukkiger worden? Nee dus. Het verminderen van een probleem betekent niet automatisch het bereiken van een doel.

Wat is dan geluk? Of liever gezegd wat is essentieel voor gelukkiger worden??

Mijn antwoord: gelukkiger worden is een kwestie van verhoudingen. Of liever, een kwestie van meerdere verhoudingen. De meeste van die verhoudingen hebben we in de voorafgaande hoofdstukken expliciet of impliciet besproken. Maar het lijkt me zinnig om ze nog eens een keer op rijtje te zetten en nu niet zozeer in verband te brengen met depressie maar meer met geluk. Een van die verhoudingen die we al besproken hebben, is de 'verhouding met Sasha', dat wil zeggen de mate waarin we gebruik weten te maken van de vijf voornaamste psychische afweermechanismen. Daarnaast zijn er nog vier andere verhoudingen die we moeten onderhouden (en dus in de gaten houden) om ons vaker gelukkiger te voelen.

De eerste van die verhoudingen is de verhouding tussen wat we kunnen en wat we willen. Als we aanzienlijk meer willen dan we kunnen, lokken we gemakkelijk ongeluk en depressie uit. Een simpel voorbeeld. Als we tijdens het autorijden zowel naar de radio willen luisteren, mobiel willen bellen en ook nog eens onze agenda raadplegen en iets opschrijven, dan willen we aanzienlijk meer dan we veilig kunnen. Het gevolg: een verhoogd risico op ongelukken. Een minder simpel voorbeeld. Als we er zowel een huwelijk en gezin met alles erop en eraan op na houden alsook een minnaar of minnares (met alles erop en eraan), dan willen we meer dan we kunnen, althans op de langere duur. Het gevolg: een verhoogd risico op ellende en ongeluk, voor anderen van wie we houden en voor ons zelf. Nog een minder simpel voorbeeld. Als we er op ons zestigste nog net zo uit willen zien als op ons veertigste, daarom van alles aan ons lichaam laten verbouwen en als een bezetene met diëten in de weer zijn, dan willen we meer dan we kunnen. Het gevolg is dat we ons vaak gedeprimeerd en ongelukkig voelen en ons lichaam als een obstakel ervaren. Er mag best een zekere afstand bestaan tussen wat we willen en wat we kunnen. Dat is zelden een probleem en vaak een gezonde uitdaging. Maar als we de meetlat te hoog leggen, dan gaan we er letterlijk en emotioneel te vaak aan onderdoor.

Het is ook mogelijk dat we ongelukkig zijn omdat de meetlat voor ons te laag ligt. Dat we veel meer kunnen dan we doen of veel minder mogen doen dan we kunnen. *Depressie is heel vaak een toestand waarin we veel minder doen dan we kunnen die volgt op een toestand waarin we veel meer deden dan we konden.* In depressie ligt de meetlat zo laag, dat we eigenlijk tot weinig of niets meer komen. Het leven bevat geen uitdagingen meer, er is niets meer waar we nog echt interesse in hebben. In het omgekeerde van depressie, in de manie of hypomanie, ligt de meetlat zo hoog, dat we ons zelf zwaar overschatten. We lijden aan zelfoverschatting, maken keuzes en doen dingen die onverantwoord zijn. Waar het om gaat is dat we leren dansen op het koord dat gespannen staat tussen onze beperkingen en onze mogelijkheden en dat we het aandurven om onze mogelijkheden op te zoeken terwijl we onze beperkingen in het oog houden. Veel mensen zijn ongelukkig, gedeprimeerd of depressief zelfs omdat ze zich maar niet van hun beperkingen los kunnen maken. Ze durven het risico van het op- en uitzoeken van hun mogelijkheden niet aan. Ze lijden, zonder dat te beseffen, aan een complex: het Jonascomplex.

Het Jonascomplex of waarom jij niet?

Een collegezaal halverwege de jaren vijftig, ergens in de Verenigde Staten. De professor komt de zaal binnen, groet de studenten, zwijgt een tijdje en stelt dan deze vraag: 'Wie van jullie verwacht een grootheid te worden in het vak dat hij of zij gekozen heeft?' Er valt een stilte. De studenten, voorzover ze al durven, kijken de professor schaapachtig aan. Maar niemand zegt iets. Dan verbreekt de professor het stilzwijgen en zegt: 'Als het niemand van jullie is, wie dan?'

Later, in zijn boek getiteld *De uiterste grenzen van de menselijke natuur* zou de professor, wiens naam Abraham Maslow[1] was, een van de grote psychologen van de twintigste eeuw, reacties als die van zijn studenten analyseren. En aantonen dat het zeker niet alleen maar bescheidenheid, verlegenheid of valse schaamte was die velen van hen deed zwijgen.

Wat dan? Maslow noemde het 'het Jonascomplex', genoemd naar de profeet Jonas uit het Oude Testament. Het is de angst om ergens helemaal voor te gaan, om dat wat je aan mogelijkheden in je hebt ook maximaal te ontwikkelen. De angst om te worden wat je in de kiem bent. Jonas was een bescheiden koopman die op een dag door God wordt opgedragen te gaan preken tot de inwoners van de zondige stad Nineveh en hen tot inkeer te brengen. Jonas eerste reactie is: 'Ja dáág, waarom ik? Dat kan ik niet en ik jaag de hele handel ermee tegen me in het harnas.' Hij knijpt er tussenuit door aan boord te springen van het eerste het beste schip dat voorbij komt. Er steekt een storm op. Jonas neemt aan dat het de toorn van God is, en springt overboord om de rest van de bemanning niet in zijn ondergang mee te sleuren. Hij wordt opgeslokt door een walvis en brengt drie ellendige dagen en nachten in de buik van de vis door. Daarin komt hij tot het besluit zijn roeping niet langer te ontlopen als hij het maar overleeft. De walvis spuugt hem op het strand uit en Jonas trekt als prediker naar Nineveh.

1. Maslow, A., *Future Visions: The Unpublished Papers of Abraham Maslow*. Sage Publications (ed. E. Hoffman) 1996.

Colin Wilson[1], een leerling van Maslow, spreekt over de 'drogredenering van de onbeduidendheid' als de kern van het Jonascomplex. Iemand voelt innerlijk ('de stem van God') de roeping tot iets, hij vindt het ook zinvol om die te volgen, maar hij durft het toch niet aan. Dat innerlijke conflict lost hij op door zichzelf als te onbeduidend ('Waarom ik?'), als niet belangrijk genoeg voor de rol te bestempelen. Alsof de mensheid is ingedeeld in een categorie die belangrijk genoeg is om het woord te voeren en een categorie die te onbeduidend, te onbelangrijk is om dat te mogen doen. De drogredenering van de onbeduidendheid is een manier om angst weg te redeneren. Angst voor het nemen van risico's en daarmee, het meest essentiële punt, angst voor zelfontplooiing. Veel mensen durven niet te worden wat ze kunnen zijn uit angst om te falen.

Indrukwekkend heb ik op dit punt altijd het verhaal over Moeder Teresa gevonden. Toen zij tijdens de hongersnood in Ethiopië in de jaren tachtig zich ontfermde over de talloze zieke en stervende mensen, vroeg een journalist een keer aan haar hoe ze dit werk kon doen in de wetenschap dat ze lang niet bij iedereen succes zou kunnen hebben. Moeder Teresa antwoordde daarop: 'Wij zijn hier niet om succes te hebben. We zijn hier om trouw te zijn.'

Het woord 'trouw' heeft hier een dubbele betekenis. Trouw aan de medemens, maar ook trouw aan je eigen roeping. Als datgene wat je doet aan die beide vormen van trouw voldoet, dan doet het er niet meer toe of je succes hebt of niet.

Mensen die hun Jonascomplex overwinnen, ontplooien hun mogelijkheden maximaal en worden daardoor letterlijk en figuurlijk uniek, eenmalig. Omdat ze geen of weinig angst hebben voor het oordeel van de massa, of in ieder geval daar minder gewicht aan hechten als aan wat ze als hun innerlijke roeping zien, roepen ze zowel grote bewondering op als ook regelrechte jaloezie en heftige vijandigheid. In sommige culturen is dat, objectief gezien, gevaarlijker dan in andere. Ik vind het een verontrustende gedachte dat zoveel mensen niet datgene in zichzelf ontwikkelen wat ze wel in huis heb-

---

1. Wilson, C., *New Pathways in Psychology: Maslow & the Post-Freudian Revolution.* Zorba Press. Deluxe eBooks Editions, 1972, 2001.

ben en wat ze (eigenlijk) wel willen. Veel te veel 'gewone' mensen halen hun potentiële grootheid niet uit zichzelf, uit angst voor de risico's. Het gevolg is 'onvoltooid' leven. Volgens mij is het hoog tijd voor een nationale campagne ter bestrijding van het Jonascomplex onder 'gewone' mensen.

De tweede verhouding die wezenlijk is voor geluk, is de verhouding die we hebben met de voornaamste gebieden in ons leven. In mijn opvatting zijn dat werk, relaties, gezondheid, vrije tijd en spiritualiteit of zingeving. Geluk hangt mede af van de mate waarin we onze tijd, aandacht en energie voldoende evenwichtig over deze vijf levensgebieden verdelen. In werk en relaties kunnen we ons nuttig voor anderen maken en de ervaring nuttig te zijn is belangrijk voor ons geluk. Maar de houding dat alles wat we doen nut moet hebben, ondermijnt onze gezondheid en ons plezier in het leven en bevordert het risico op depressie.

Activiteiten die nutteloos zijn maar waarvan het doen uit zichzelf vreugde geeft, behoren tot de meest gelukkig makende in het leven. Liefhebben, muziek maken, tekenen, schilderen, een dagboek schrijven, mediteren, bidden, of gewoon op een bankje in het park zitten peinzen. Mensen doen dit soort dingen nogal eens omdat ze hopen dat het nuttig is. Ze mediteren bijvoorbeeld omdat ze gelezen hebben dat het de concentratie op het werk verhoogt. Maar daarmee wordt het de zoveelste nuttige bezigheid en al snel een nieuwe verplichting en dus nog meer werk. Echte vrije tijd betekent dit: zonder de dwang van een nuttig effect dingen doen enkel en alleen omdat het leuk is, uit zichzelf bevrediging schenkt. Als ons leven weinig of geen vrije tijd in deze zin kent, is het gevolg te veel spanning en ernst en te weinig vreugde.Het omgekeerde is natuurlijk even waar. Als we ons in het leven te weinig nuttig maken of kunnen maken, als wat we doen voor niets of niemand echt wat betekent, ook dan is ongeluk meestal ons deel.

Veel drugverslaafden leiden zo'n leven. Dat leven is zowel voor henzelf als voor anderen grotendeels een ongelukkig makend leven. Maar ook voor geïsoleerde ouderen geldt dat ze vaak voor niets of niemand nog echt wat betekenen en daarom ongelukkig zijn. Kortom, het (kunnen) vinden en volhouden van de juiste verhoudingen tussen de vijf levensgebieden is een belangrijke factor van geluk.

De derde geluksverhouding is de verhouding tussen wat we vinden en voelen aan de ene kant en wat we uiten of kunnen uiten, aan de andere kant. Als de kloof tussen wat we vinden of voelen en wat we uiten doorgaans groot is, zijn we ook doorgaans ongelukkig. Als we bijvoorbeeld meestal bang zijn om tegen onze partner te zeggen dat we het met hem of haar niet eens zijn, dan zijn we vaak ongelukkig in de relatie. Als we tegen een ouder, collega of chef geen 'nee' durven zeggen, terwijl we wel 'nee' vinden en voelen, dan doen we vaak dingen tegen heug en meug en zijn, opnieuw, vaak ongelukkig. De kloof tussen vinden en voelen enerzijds en uiten anderzijds kan ook groot zijn, niet omdat we niet durven maar omdat we niet kunnen of mogen. Sommige mensen kunnen zich gewoon niet goed uiten en dat maakt hen vaak zeer ongelukkig. Dat geldt bijvoorbeeld voor mensen die een ernstige trauma hebben meegemaakt, zoals seksueel misbruik of een overval waarbij hun leven bedreigd werd. Ze kunnen vaak niet de gevoelens en de beelden, de herinneringen daaraan, uiten, hoewel die in hun binnenste voortdurend actief zijn. Dat wel voelen maar het niet kunnen uiten, maakt hen erg gespannen en ongelukkig.
Er zijn ook mensen die zich niet mogen uiten. Een van de redenen waarom mensen in een democratie door de bank genomen gelukkiger zijn dan mensen onder een totalitair regime, is dat in zo'n regime de kloof tussen wat je vindt of voelt en wat je mag zeggen heel groot is. Overigens, ook bij ons lijken bepaalde gezinnen, relaties en bedrijven soms benauwend veel op totalitaire regimes. Als een ambtenaar zijn mond opentrekt over de mis-

standen die bij de overheid plaatsvinden, is de kans heel groot dat hij daardoor zelf het kind van de rekening wordt. In veel situaties is de kloof tussen wat je echt vindt en voelt over hoe het toegaat en wat je mag zeggen, vaak angstaanjagend groot. Daarom is daar de arbeidsvreugde vaak ook niet bijster groot en het ziekteverzuim hoog.

Ten slotte de laatste, en misschien wel meest belangrijke, geluksverhouding. Dat is die tussen onze behoefte aan zelfstandigheid of autonomie en onze behoefte aan afhankelijkheid of ergens bij willen horen. In wezen moeten we ons hele leven dansen op een koord dat gespannen is tussen die twee polen: zelfstandigheid en afhankelijkheid. Gelukkig leven is in belangrijke mate de kunst van het steeds weer opnieuw vinden van een goed evenwicht, van een goede positie, daartussen. Maar de plaats op het koord waar de positie goed is en voelt, verschilt van situatie tot situatie. In sommige situaties is het belangrijk dat we zoveel mogelijk aan de kant van zelfstandigheid staan. Dat zijn situaties waarin we tegen al het geroep en soms gescheld van de mensen om ons heen toch die keuze maken die voor ons de juiste is. In andere situaties is de meest gezonde positie die waarbij we ons afhankelijk opstellen. Als we ziek zijn, in levensgevaar verkeren of een probleem op ons bord gesmeten krijgen dat we echt niet zelf aankunnen, is het belangrijk dat we ons kunnen overgeven aan de zorg of koestering of leiding van anderen. En in weer heel veel andere situaties is de positie ergens in het midden tussen de twee polen de meest evenwichtige of gezonde. Dat wil zeggen dat we compromissen zoeken tussen aan de ene kant wat we zelf willen en aan de andere kant wat anderen graag van ons zien of van ons verlangen.

Maar welke positie we ook kiezen, er blijft op het koord altijd een zekere spanning voelbaar.

Er is in dat opzicht overigens iets raars met hoe we naar autonomie en afhankelijkheid kijken. Als we van iemand zeggen dat hij een zelfstandige persoonlijkheid is dan heeft dat een overwegend positieve betekenis. Maar als we van iemand zeggen, dat het een persoon is met een sterke afhankelijkheidsbehoefte dan klinkt het al gauw als een psychiatrische diagnose. En dat is gek want vrijwel alle mensen hebben een grote behoefte aan afhankelijkheid en een sterk verlangen erbij te horen. Alleen lijkt het vaak in hun eigen ogen slap of zwak of onvolwassen om daar voor uit te komen. De reden daarvan is dat we ons leven in volstrekte afhankelijkheid beginnen en pas heel langzaam onze zelfstandigheid ontwikkelen. Daarom is afhankelijkheid voor ons vaak gelijk aan kinderlijkheid, aan iets wat tot de kindertijd behoort. Dat is ook zo. Maar het behoort evengoed tot de volwassenheid.

Want laten we eerlijk zijn: volwassenen zijn weinig anders dan met wat meer vlees en been aangeklede kinderen.

Slot

Depressiever of gelukkiger. Het is op de eerste plaats een kwestie van verhoudingen. De verhoudingen met jezelf. En de verhoudingen met anderen.
Over de verhoudingen met jezelf hebben we het nu we voldoende gehad. In het volgende zullen we het daarom hebben over verhoudingen met anderen. En over de 'depressogene' of gelukkiger makende mogelijkheden die daarin verborgen liggen.

Deel II

Relaties: geluk en gelazer, hemel en hel

Inleiding

Als jochie had ik groot ontzag voor mijn vader. Niet dat ik altijd gehoorzaam was, integendeel zelfs. Maar mijn beeld van de wereld, van wat goed en slecht was, van wat belangrijk was en niet, werd in hoge mate bepaald door zijn opvattingen en uitspraken. Ook in uiterlijk was hij mijn voorbeeld. Ik ging vaak naar hem toe om mijn haar door hem te laten kammen omdat ik wilde dat het net zo zou zitten als bij hem. Hij droeg een bril en dus wilde ik er ook een. Dat lukte mij ten slotte op mijn tiende door een tijdlang te doen alsof ik niet goed meer kon zien, hoewel er niets mis was met mijn ogen. Mijn hecht geloof in mijn vader ging hand in hand met een hecht geloof in God. Soms, zoals nu terwijl ik dit opschrijf, herinner ik me weer even dat gevoel van veiligheid en zekerheid dat mijn onvoorwaardelijke geloof in hen beiden teweegbracht. Alsof ik nergens echt bang voor hoefde te zijn omdat zij er waren.

Ze zijn er al heel lang niet meer. Mijn vader stierf ruim dertig jaar geleden. Maar mijn ontzag voor hem was al eerder gestorven. Ik denk in ongeveer dezelfde periode dat ook mijn ontzag voor God verschrompelde. Ik vind hun verlies nog altijd niet leuk, eerder verdrietig. Terwijl ik me ook bewust ben van het feit dat ik me nooit meer aan hun gezag zou kunnen onderwerpen. Het is het conflict tussen het kind in mij dat zo graag wil kunnen leunen en de volwassene die weet dat de enige benen waarop hij kan en wil staan die van hemzelf zijn.

In wezen is ons hele leven een voortdurend heen en weer geschuif op een koord dat strak gespannen staat tussen de polen 'afhankelijkheid' en 'zelfstandigheid'. Beide zijn authentieke menselijke behoeften. Maar juist daarom worden we er ook constant tussen heen en weer getrokken. We willen onze eigen grenzen stellen en tegelijk willen we bij anderen horen, het liefst zelfs onbegrensd toegang tot hen hebben. We willen van anderen horen dat het goed is wat we doen en tegelijkertijd willen we onze eigen keuzes maken. We willen ons onderscheiden van anderen, maar tegelijk willen we van diezelfde anderen bewondering, applaus of ontzag daarvoor ontvangen. We gaan soms zelfs zover dat we het gezag van anderen aantasten om hun ontzag in te boezemen.

Dat eeuwige spanningsveld tussen afhankelijkheid en zelfstandigheid maakt dat we altijd ambivalent staan tegenover degenen die gezag over of invloed op ons hebben. Dat begint al bij onze ouders. Met hun invloed zijn we een groot deel van ons leven aan het worstelen. Het zet zich voort in de relaties met onze partners en al die andere mensen, groepen en organisaties met wie en waarmee we in ons leven te maken krijgen. Aan de ene kant willen we graag onder de paraplu van de steun, de zorg, het gezag of de macht van anderen kunnen schuilen. Maar aan de andere kant willen we zelf heer en meester van ons leven en toekomst zijn. Dat betekent dat we steeds weer ingaan, moeten ingaan zelfs, tegen de invloed, het gezag of de zorg van anderen.

Het is daarom dat kinderen, om zich goed te ontwikkelen, vroeg of laat hun ouders moeten afwaarderen, devalueren. Alleen zo kunnen ze zich voldoende aan hun invloed onttrekken. Dat is voor beide partijen vaak een moeilijk, niet zelden pijnlijk proces. Maar het is niet anders. Het is ook daarom dat partners elkaar na verloop van tijd vaak gaan afwaarderen. Ook dat is pijnlijk en kwetsend. En ook daarvoor geldt dat het vaak niet anders kan. Het moet vaak omdat de een de verantwoordelijkheid voor het geluk en de ontwikkeling van de ander op zich heeft genomen. Maar die verantwoordelijkheid kunnen mensen niet duurzaam voor elkaar dragen. Dat moeten ze ook niet proberen. We kunnen een ander niet gelukkig maken. Als we vinden dat we dat toch moeten kunnen, worden we onvermijdelijk te dominant en tasten we de zelfstandigheid of eigenheid, en daarmee de ontwikkeling, van die ander aan. Het gevolg is onbehagen, ongeluk, falen. Er is dus in alle gezinnen en in alle andere intieme relaties een fundamentele spanning. Namelijk de spanning tussen afhankelijkheid of ondergeschiktheid aan de ene kant en zelfstandigheid of dominantie aan de andere. Die spanning is niet altijd zichtbaar of openlijk. De betrokkenen hoeven zich er niet eens bewust van te zijn. Hoe vaak wordt bijvoorbeeld dominantie niet 'verkocht' onder de noemer van 'ik heb dat alleen maar voor jouw bestwil gedaan' of '.... omdat ik dacht dat jij dat graag zou willen'.

De positie die mensen ten opzichte van elkaar op de dimensie afhankelijkheid/zelfstandigheid innemen, hoe bewust ze zich daarvan zijn en vooral ook hoe flexibel in het vinden van nieuwe posities als omstandigheden of ontwikkelingen daarom vragen, is beslissend voor de kwaliteit van hun relatie. Het gaat hier onder andere om de mate waarin ze vrijheid, vrijheid om je keuzes te maken, je voorkeuren en meningen uit te spreken, je gevoelens te uiten, als een centrale waarde van hun relatie beschouwen. Maar behalve om vrijheid gaat het hier ook om een andere waarde, namelijk rechtvaardigheid. Niet te dwingen waarin jezelf ook niet gedwongen wilt worden. Niet te eisen waar jezelf ook niet aan kunt of wilt voldoen. Niet meer te nemen dan je geeft. Relaties zijn in belangrijke mate een zaak van waarden en normen. Ik kom daar verderop nog uitvoeriger op terug. Hier is van belang de constatering dat vrijheid en rechtvaardigheid worden aangetast als de ene persoon te dominant ten opzichte van de andere persoon is. Dat leidt onvermijdelijk tot gevoelens van onbehagen en niet zelden zelfs van haat bij de andere, te ondergeschikte of afhankelijke persoon. Maar omgekeerd doet te grote afhankelijkheid dat ook. Door je te afhankelijk te gedragen, tast je de vrijheid van de ander aan. Je behandelt hem of haar ook onrechtvaardig. Je verlangt meer verantwoordelijkheid van de ander voor jouw leven dan jij verantwoordelijkheid neemt voor dat van de ander. Ook dat leidt tot onbehagen, boosheid of zelfs afkeer bij die ander.

Hoe komt het dat we zo vaak en zoveel in onze relaties zitten te hannessen met kwesties van afhankelijkheid en zelfstandigheid?

Het antwoord is in wezen eenvoudig. We worden in volstrekte afhankelijkheid geboren. Zelfstandigheid moeten we bevechten, veroveren. En dat in een wereld die aan de ene kant wil dat we zelfstandige mensen worden maar aan de andere kant dat eigenlijk alleen maar toestaat als we dat op haar voorwaarden doen. Verwarrender en paradoxaler kan het eigenlijk niet. Daar komt nog bij dat we zelf ook zo'n paradoxale basiswens hebben. We willen zowel vrij als verbonden zijn. Gegeven die voorwaarden kan het haast niet anders dan dat relaties heel vaak 'gesodemieter' zijn, geluk en gelazer, hemel en hel.

1 Wij en de ander

'We beginnen allemaal ons leven door anderen zodanig uit te vergroten, te vervalsen, dat we de angst voor onze onbetekenendheid en hulpeloosheid in deze wereld – onze existentiële of bestaansangst – zoveel mogelijk uit kunnen bannen.'

Op een nacht maakte Davy, mijn toen zevenjarig zoontje, mij wakker. Dikke tranen biggelden over zijn wangen en fluisterend uit respect voor het late uur zei hij: 'Papa, ik ben bang.' Waar hij bang voor was, werd duidelijk toen ik hem naar zijn kamer terugbracht. Hij had het gordijn voor zijn raam opengeschoven en doordat het een heldere zomernacht was, kon je de talloze sterren aan de hemel zien. Een paar weken tevoren had ik hem verteld dat er evenveel sterren en planeten in het heelal waren als er zandkorrels op de stranden van de aarde lagen. Ik had ook verteld dat de meeste van die hemellichamen groter zijn dan onze aarde. Die dag was hij naar het strand geweest, was moe gespeeld en tevreden gaan slapen. Maar na een paar uur was hij wakker geworden. Denkend aan het zand op het strand en aan mijn schatting van het aantal sterren had hij zijn gordijn opengeschoven, was naar de hemel gaan kijken en toen was het hem gaan duizelen. De ontzagwekkendheid van het heelal had het bevattingsvermogen van zijn hersentjes overspoeld en een angstaanjagend gevoel van nietigheid en alleen-zijn bij hem teweeggebracht.

Later, toen ik hem met geruststellende woorden weer in slaap had gekregen, besefte ik pas goed hoe merkwaardig het hele gebeuren eigenlijk was. Een kind wordt overvallen door de ontzagwekkendheid van het heelal en zijn eigen kwetsbaarheid daarin. Vervolgens vlucht het uit angst naar een volwassene, die daartegen in feite net zo machteloos, net zo nietig is als het kind zelf. En toch weet die machteloze volwassene het kind een gevoel van bescherming, van geborgenheid te geven. Dat kan natuurlijk alleen maar als het kind zich die volwassene voorstelt als machtig genoeg om het tegen de bedreigingen, de verschrikkingen van de buitenwereld te beschermen. Zo krijgt in de belevingswereld van het kind de ouder vrijwel evenveel macht als het ontzagwekkende heelal.

In de psychologie wordt dit proces, dat zich overal en altijd tussen kind en ouder voltrekt, 'overdracht' genoemd. Het kind draagt aan de ouder kwaliteiten over die het zelf niet heeft, zoals macht, kracht en intelligentie. Door zich te binden aan die machtige maar nabije ouder – aan het heelal kun je je niet binden, want dat is te ver weg, te groot, te onpersoonlijk – en door de ouder als een soort beschermwal te plaatsen tussen zichzelf en de buitenwereld, krimpt voor het kind het afschrikwekkende heelal in tot een kleinere, veiligere wereld. Een plaats waar het zich 'gerust' kan voelen. De ouder wordt voor het kind als het ware zijn hele wereld, de wereld waar het 'bij hoort'. Want de ouder hoort het kind. Het heelal niet. Daarin zou de stem van het kind in het niets oplossen en een kind dat niet gehoord wordt, sterft. Overdracht is daarom voor het kind van levensbelang. Of zoals Erich Fromm het in zijn boek *Angst voor de vrijheid* schrijft: 'De mogelijkheid alleen gelaten te worden is noodzakelijkerwijze de ernstigste bedreiging van het hele bestaan van het kind'.[1]

In het proces van overdracht gebeurt nog iets anders. Door zich te binden aan en zich te richten naar de ouder en deze te imiteren verwerft het kind voor zijn gevoel iets van de kwaliteiten van de ouder. Het voelt zich machtiger en zekerder, omdat het een machtige ouder heeft. Aan de rokken van moeder hangend durft

---

1. Fromm, E., *Escape from Freedom*, 1959. Het hierboven weergegeven citaat is een vertaling van de volgende uitspraak: 'The possibility of being left alone is necessarily the most serious threat to the child's whole existence' (p. 20).

het andere kinderen wel uit te schelden. Met vader of moeder aan de zijlijn levert het betere sport- of schoolprestaties. Maar door het voor ieder kind noodzakelijke proces van overdracht ontstaat ook een aantal fundamentele psychologische problemen, waarmee veel mensen vaak hun leven lang blijven worstelen. Omdat geen mens is opgewassen tegen de krachten in het universum, maakt het kind in zijn beleving de ouder veel machtiger dan deze in feite is. Anders gezegd: we beginnen allemaal ons leven door anderen zodanig uit te vergroten, te vervalsen, dat we de angst voor onze onbetekenendheid en hulpeloosheid in deze wereld – onze existentiële of bestaansangst – zoveel mogelijk kunnen uitbannen.

De prijs die we daarvoor moeten betalen, is die van een andere angst, namelijk de angst om die ander of anderen te verliezen of te mishagen. Vandaar dat jonge kinderen werkelijk talloze malen per dag kunnen controleren, door roepen of rondkijken, of de ouder er nog wel is. Vandaar ook dat scheiding van de ouders, bijvoorbeeld door ziekenhuisopname of huwelijksverbreking, voor het jonge kind een uiterst traumatische ervaring kan zijn. Maar overdracht is een psychologische paraplu die vroeg of laat inklapt, stukwaait, onvoldoende plaats biedt. Voor het volwassen wordende kind is verlies van de ouder(s) als bolwerk tegen de dreiging van 'de grote wereld' onvermijdelijk. In de puberteit of later ontdekken we dat onze ouders geen bijzondere mensen zijn. Ze zijn gewoon, kwetsbaar, feilbaar. Daarmee brokkelt de beschermwand, waar we steeds tegenaan hebben geleund, af. Nu dreigt het gevaar dat we vrij, maar alleen, op onszelf en ongeborgen, komen rond te zweven in de wereld. Door de scheuren in de muur van de overdracht begint de existentiële angst, de bestaansangst, door te sijpelen. De depressieve, angstige buien van veel jongeren, hun soms plotselinge stemmingswisselingen en hun bezig-zijn met de dood zijn daarvan voor een belangrijk deel uitingen.

Maar er gebeurt nog iets anders. Als onze ouders kwetsbare, feilbare mensen zijn en wij zijn hun kinderen, dan zijn wij dat ook.

De devaluatie van onze ouders betekent ook een aanslag op ons zelfbeeld en op ons zelfvertrouwen. Het is een van de redenen waarom jongeren, en ook volwassenen, meestal niet willen horen dat ze op hun ouders lijken.

Om die reden gaan veel jongeren op zoek naar andere voorbeelden, bij voorkeur voorbeelden die hen, als jongeren, apart zetten, onderscheiden van de volwassenen van deze wereld. Vandaar het vaak overdreven, haast hysterisch aandoende gedweep van jonge mensen met popidolen, sportsterren, en ook 'gewone' leeftijdgenoten. Voortgedreven door (onbewuste) angst voor het alleen-op-de-wereld-zijn en voor de volwassenheid, draagt de jongere dezelfde gevoelens die hij eerder jegens zijn ouder had nu over op een andere generatie. Hij maakt de popster, de vriend of het vriendinnetje meer dan levensgroot, net zoals hij vroeger met zijn ouders deed. En hij maakt zich er net zo afhankelijk van. Vandaar zijn neiging om zich net zo te kleden en te gedragen als zijn idool en daaraan een gevoel van identiteit, zekerheid en 'erbij horen' te ontlenen.

Kinderen maken zich vrij om zich te binden. Ze willen niet meer bij hun ouders horen omdat ze ergens anders bij willen horen. Dat laatste lijkt op een eigen keuze. Hun ouders hebben ze immers niet gekozen, die werden hen toegewezen. Maar kinderen of volwassenen kiezen niet om ergens bij te horen. Ze moeten. De behoefte om ergens bij te horen is zo dwingend, dat ze zich daar, hoe 'zelfstandig' ook, gewoonweg niet aan kunnen onttrekken. Door ergens bij te horen, kunnen we ons bewustzijn van onszelf, van onze eigen individuele nietigheid, van onze weerloosheid tegen geweld, dood, ziekte, veroudering, afleiden, binnen de perken houden. Door ergens bij te horen, een gezin, groep, bedrijf, geloof, natie, krijgt ons leven een zekere betekenis en richting. Zoals Fromm zo pijnlijk raak zegt, als we nergens bij zouden horen, zouden we verlamd van twijfel niet in staat zijn tot leven.

Daarmee stuiten we op de raadselachtige situatie waarin wij allemaal, jong en oud, gevangen zitten, zowel wat onszelf betreft als onze relaties met anderen. Wij zijn doodsbang voor wat we ontzettend graag willen: vrijheid. Maar vrijheid, in de zin van autonomie, van zelfbepaling, is tegelijkertijd een fundamentele waarde en behoefte. We willen graag vrij zijn in ons denken, in het uiten van onze mening, in het maken van keuzes, de inrichting van ons leven. Maar we willen ook bij anderen horen en die willen bepaalde dingen niet van ons horen. Die willen niet meer bij ons horen als we ons op bepaalde manieren gedragen of bepaalde keuzes maken of ons bepaalde vrijheden veroorloven. De conclusie is die welke Freud in zijn boek *Het onbehagen in de cultuur*[1] trok. Deel uitmaken van een gezin, van een relatie, van een groep, van een samenleving, is onvermijdelijk frustrerend. Er is in ons en tussen ons altijd een onbehagen. Niemand is echt gelukkig. Wat hij of zij zichzelf of anderen ook op de mouw probeert te spelden. Dat betekent niet dat iedereen ongelukkig is. Maar er is altijd onzekerheid, twijfel, pijn in relaties. Die gevoelens hoeven op zich niets met de kwaliteit van de relatie te maken te hebben. Een relatie met veel onzekerheid, twijfel, pijn, kan tegelijkertijd een heel erg belangrijke en zelfs gewenste relatie zijn. En een relatie met weinig onzekerheid, twijfel en pijn kan een onbelangrijke en niet zo erg gewenste relatie zijn. Hoe meer je bij iemand wilt horen, hoe meer pijn er vaak bij hoort. Of zoals het in de tekst van een klassieke popsong heet: 'You always hurt the one you love.'

---

1. Freud, S., 'Het onbehagen in de cultuur.' In: *Beschouwingen over cultuur*. Meppel, 2000 (Uitgeverij Boom).

Zoals gezegd zijn de relaties met onze ouders meestal onze eerste relaties. Ze vormen als het ware de blauwdruk, het grondschema, van veel van onze latere relaties. Ook met onze kinderen, tegenover wie we vaak 'terugvallen' in het gedrag van onze ouders ten opzichte van ons. Wat we zelf als jongere of volwassene maken van de relatie met onze ouders heeft dus grote invloed op de rest van ons leven, op ons levensgeluk of gebrek daaraan, op de kans op depressie of gedeprimeerdheid. Vandaar dat ik eerst inga op relaties tussen kinderen (vanaf de tienerleeftijd tot in de volwassenheid) en ouders en pas daarna op partnerrelaties. Maar niet zonder daar tussendoor ook nog iets gezegd te hebben over de innige relatie tussen ouderschap en partnerschap.

2 Ouders en kinderen, kinderen en ouders

*'Het valt moeilijk te ontkennen dat dit bij sommige ouders inder-
daad het geval is: ze zijn niet geschikt voor die roeping en hadden
er vermoedelijk beter maar helemaal niet aan kunnen beginnen.
Maar dat zijn uitzonderingen...'*

Een moeder, een vader en hun zeven jaar oude dochtertje zaten
in een restaurant. De serveerster nam eerst de bestelling van de
ouders op en vervolgens die van het meisje. 'Wat zal het voor
jou zijn?' vroeg ze.
Het meisje keek behoedzaam naar haar ouders en zei toen tegen
de serveerster: 'Ik wil graag een hotdog.'
'Nee, beslist geen hotdog,' kwam de moeder tussenbeide.
'Brengt u haar liever iets van kip.'
'Met gebakken aardappels en groene groente,' voegde de vader
eraan toe.
De serveerster bleef het meisje aankijken en vroeg: 'Wil je ketchup of mayonaise op je hotdog, of allebei?'
'Ketchup alstublieft,' antwoordde het meisje.
'Komt voor elkaar,' zei de serveerster en spoedde zich naar de
keuken, de familie in verbouwereerde stilte achterlatend.
Toen zei het meisje, terwijl ze haar ouders aankeek: 'Wat dacht je
wat! Ze denkt dat ik echt ben!'
Dit verhaaltje is een van een stuk of tien verhaaltjes die werden
gebruikt in een onderzoek naar houding ten opzichte van ouderschap.[1] Degenen die aan het onderzoek deelnamen, zowel jongeren als ouderen, moesten onder meer aangeven wiens of wier reactie ze het meest sympathiek vonden. In dit geval kozen de
meesten voor de serveerster. De neiging om in geval van conflic-

---

1. Zie ook Dosick, W., *Golden Rules: The Ten Ethical Values Parents need to Teach their
Children*, San Francisco, 1995 (Uitgeverij HarperCollins).

ten tussen ouder en kind achter het kind te gaan staan, is vrij algemeen. Ze is vooral sterk als er sprake is van een kind met emotionele problemen, zoals angsten of depressie, die verband lijken te hebben met problemen in de wijze waarop de ouders als opvoeders fungeren. Zowel 'gewone' mensen als hulpverleners blijken sterk geleid te worden door ideeën als: 'Ja, nogal logisch dat het met dat kind niet goed gaat, als je ook ziet hoe het daar thuis toegaat' of 'Eigenlijk zou je dat kind daar moeten weghalen, want zoals die ouders daarmee omgaan, komt er niets van terecht'. Zulke gedachten drukken eerst en vooral een bekommernis om het kind uit, zoals de serveerster uit het verhaal zich eerst en vooral om het kind bekommerde.

Maar hoe zit het met de bekommernis om de ouder die het niet goed doet? Het antwoord op die vraag is simpel: daar zit het slecht mee. In het algemeen overheerst nog de mening dat de ouder als grote, als volwassene, beter zou moeten weten en het anders en veel beter zou kunnen doen als hij of zij maar meer in de opvoeding investeerde. Daaronder zit het verwijt verborgen dat veel ouders van kinderen met problemen te weinig verantwoordelijkheidsbesef als opvoeder hebben en hun kinderen al te gemakkelijk aan de straat, aan de school of aan anderen overlaten, er gewoon slecht opletten, het slecht verzorgen of gewoonweg verwaarlozen. Het valt moeilijk te ontkennen dat dit bij sommige ouders inderdaad het geval is: ze zijn niet geschikt voor die roeping en hadden er vermoedelijk beter maar helemaal niet aan kunnen beginnen.

Maar dat zijn uitzonderingen: voor de allergrootste meerderheid van de ouders geldt dat ze hun kind of kinderen goed willen voeden, zoals de ouders van het zevenjarige meisje, en opvoeden. Die neiging zit gewoonweg in onze evolutionaire uitrusting verpakt, want slecht ouderschap brengt het voortbestaan van de soort in gevaar. Maar net als met onze neiging tot voortplanting, is het probleem dat de evolutie wel de neiging levert maar niet de concrete handleiding en vaardigheden voor hoe die neiging onder de gegeven omstandigheden zo goed mogelijk vorm te geven. Daarvoor zijn we aangewezen op cultuur en opvoeding; kortom, op andere mensen. Maar net als de natuur laat ook onze cultuur het grotendeels afweten als het gaat om het leren van ouderschap. Wij kennen geen opleiding tot ouderschap. In zekere zin rotzooit iedereen op zijn eigen manier maar wat aan en is het eigenlijk verbazingwekkend dat het nog zo vaak goed terechtkomt.

Het feit dat onze cultuur geen opleiding tot ouder kent, creëert een heel merkwaardig probleem. Terwijl, zoals gezegd, de meeste ouders geleid worden door een duidelijk verantwoordelijkheidsbesef voor het wel en wee en de ontwikkeling van hun kinderen, weten ze vaak niet hoe ze die verantwoordelijkheid waar moeten maken. Ouder-zijn betekent, bijvoorbeeld, in belangrijke mate het uitoefenen van macht en invloed over een ander wezen. Maar hoe oefen je op een verantwoorde en zorgvuldige manier macht en invloed uit? Wat moet je je kind gewoon opleggen, zij het niet zonder uitleggen? Wanneer zet je je kind te veel onder druk? Wanneer is er sprake van machtsmisbruik door jou jegens het kind? Wanneer kun je je macht gaan delen met of gaan delegeren aan je kind? Wanneer moet je een machtsstrijd beslist niet uit de weg gaan en wanneer wel? (Een dilemma waar de ouders van het zevenjarige 'hotdog'-meisje voor werden geplaatst.) Wanneer is je macht of gezag onvoldoende om het gedrag van je kind in goede banen te leiden en wordt het nodig om hulptroepen van buiten op te roepen? Of, zelfs, om de macht volledig aan iemand anders over te dragen? (Ook dat kan een uiting van verantwoordelijkheidsbesef zijn!)

Voor de meeste mensen geldt dat ze over niemand in hun leven zoveel macht zullen hebben als over hun kind of kinderen. Maar hier geldt net als op allerlei andere gebieden, zoals het bedrijfsleven, de politiek, de wetenschap en de media, dat het zorgvuldig uitoefenen van macht geleerd moet worden. Idealiter zou iemand pas met macht bekleed moeten worden als er tenminste enige indicatie bestaat dat hij of zij deze goed en zorgvuldig kan hanteren. Maar dat betekent in feite een jarenlange leerschool doorlopen alvorens een bepaalde machtspositie te kunnen bekle-

den. En dan nog kan het misgaan, kan er wanbeheer of machtsmisbruik zijn.

Wat moet je dan verwachten bij het uitoefenen van macht en
invloed, waarvoor behalve traditie (dat wat je bijvoorbeeld in je
gezin van herkomst hebt meegemaakt) geen enkele scholing
bestaat: de ouderlijke macht? Bovendien geldt, net als in de
politiek en op andere gebieden, ook bij het ouderschap dat je
macht en gezag vaak ondermijnd worden door krachten van
buitenaf en is het een lastige opgave je daar doeltreffend tegen
te weren. Lastig is ook dat je meestal je macht en invloed over
een kind met iemand anders moet delen, een partner of mede-
ouder, en doen zich dus vragen van afstemming en samenwerking voor. Ouderschap is daarom in belangrijke mate afhankelijk
van partnerschap. Problemen in de partnerrelatie kunnen, ook
bij ouders met het grootst mogelijke verantwoordelijkheidsbesef,
tot ouderschapsproblemen en dus tot problemen met en bij hun
kind leiden.

Bovendien is het omgekeerde vaak evengoed het geval: partnerschap is in belangrijke mate afhankelijk van ouderschap. De ene
partner ontwikkelt vaak respect voor de ander, of juist niet, op
grond van de wijze waarop deze met de kinderen omgaat, zich
als opvoeder gedraagt.

Kortom, veel partnerproblemen zijn opvoederproblemen. Een
betere partnerrelatie leidt tot beter opvoedersgedrag en dus tot
een betere opvoeding. En beter opvoedersgedrag leidt tot een betere opvoeding, daarmee tot minder problemen en meer geluk
met kinderen, en dus tot een betere partnerrelatie. Aangenomen
dat die aan de orde is.

Wat een ouder goed moet kunnen

Het voorafgaande roept een wel heel heikele vraag op, namelijk
wat moet een ouder goed kunnen? Om zowel voor kinderen als

voor zichzelf en partner het leven niet onnodig moeilijk of pijnlijk te maken? We hebben al eerder gezien dat die vraag ooit aan Freud werd gesteld op de manier van 'wat moet een mens goed kunnen?' en dat hij toen eenvoudig antwoordde: 'Lieben und Arbeiten.' Liefhebben en werken. Laten we daar nog eens even bij blijven stilstaan. Het is onwaarschijnlijk dat Freud, bedachtzaam als hij was, de volgorde zonder nadere bedoeling gekozen heeft. Het is waarschijnlijk ook niet toevallig dat het woordje 'en' in het antwoord voorkomt. Het lijkt dat Freud heeft willen zeggen 'liefhebben is het allereerste dat een mens goed moet kunnen maar liefde is niet genoeg'. Mensen kunnen heel liefdevol toch het verkeerde ten opzichte van elkaar doen.

Ouders kunnen liefdevol gestart zijn met hun kinderen, maar uiteindelijk door onhandigheid of door gebrek aan kennis, vaardigheid of zelfbeheersing toch de relatie met hen volledig op de klippen doen lopen. Ze hebben dan liefgehad, maar ze hebben er geen goed werk van kunnen maken. Ouders kunnen zich ook heel erg voor hun kinderen hebben uitgesloofd, om ze te voeden, te kleden en een goede opleiding te geven, maar vanaf het allereerste moment toch niet van ze gehouden hebben. Ze hebben voldoende aan hun kinderen gewerkt, maar uit plichtsbesef, niet uit liefde.

Beide scenario's kunnen heel ingrijpende gevolgen hebben, voor ouders en voor kinderen. Zoals levenslang gevoelde pijn, verbittering, vijandschap of zelfs duurzame scheiding. Laten we maar naar een paar voorbeelden kijken.

Verbitterende opvoeding

'... aan de ene kant wilde je als kind dat beeld ook graag overeind houden, maar aan de andere kant zocht je ook naar mensen aan wie je de waarheid kon vertellen, die het voor jou, op welke manier dan ook, op zouden nemen. Al was het alleen maar door je te geloven.'

Veel van degenen die nu 45 jaar of ouder zijn, zijn opgegroeid in gezinnen waar emotionele verwaarlozing en lijfstraffen tot het standaard opvoedingspakket behoorden. Vooral als het gezin groot, de vader autoritair en de moeder volgzaam was, was dat schering en inslag. Angst, onderdrukt verdriet en in stilte aanzwellende gevoelens van agressie en haat jegens de ouders en vooral de vader, maar ook een steeds terugkerende hoop dat het ooit goed zou komen, dat ze op een dag toch in genade, in liefde door de ouder(s) zouden worden aangenomen, bepaalde jarenlang het gevoelsleven van velen van hen. Die innerlijke verscheurdheid vormt nog altijd een duidelijk aanwijsbare kwetsbare plek in de wand van de ziel van veel volwassenen van nu. Zij het dat ze vaak overdekt is met een korst van bitterheid over onvervuld verlangen en nooit verkregen erkenning.

'Toen ik als zeventienjarige of zo me ooit tegen de ouders van een vriendinnetje iets liet ontvallen over hoe het er bij ons thuis aan toeging, merkte ik dat ze moeite hadden me te geloven. Al helemaal toen ze een tijdje later mijn vader ontmoetten, in hun ogen een heel charmante man; dat kon hij naar buiten toe inderdaad zijn. Voor de buitenwereld waren we een soort modelgezin. En aan de ene kant wilde je als kind dat beeld ook graag overeind houden, maar aan de andere kant zocht je ook naar mensen aan wie je de waarheid kon vertellen, die het voor jou, op welke manier dan ook, op zouden nemen, al was het alleen maar door je te geloven.'
Achter de manier waarop zij, een 52-jarige vrouw, dit bijna veertig jaar na dato vertelt, voel ik hoe het emotioneel diepgewonde kind zich nog altijd heftig roert. Ik vraag haar haar ogen te sluiten, geef haar een aantal ontspanningsinstructies en stel haar dan voor me mee terug te nemen in de tijd, naar een moment, een gebeurtenis, waarop het kind dat ze was en nog altijd is, zo diep gekwetst raakte. Ze neemt me mee naar toen ze een jaar of acht was en haar vader op een middag zo rond een uur of vijf haar slaapkamer binnenkwam, blijkbaar door haar moeder geïnstru-

eerd dat ze iets verkeerds had gedaan. Hij begint scheldend en tierend allerlei spullen uit haar kast en van de vensterbank op de grond te gooien en stuk te trappen. Vervolgens grijpt hij haar bij haar haar, gooit haar op de grond en slaat en trapt waar hij haar maar raken kan. Daarbij schreeuwt hij dingen als: 'Weet je wat ik eigenlijk met je zou moeten doen, hé, smerige rotmeid dat je bent, dood zou ik je moeten trappen, niks dan ellende hebben we van je, je bent het eigenlijk niet eens waard dat we nog voor je zorgen...' Als hij, ten slotte, de slaapkamer verlaat, een grote puinhoop en een klein hoopje ellende van een kind achterlatend, barst ze in een ontroostbaar huilen uit, als dat van een welp die uit de troep is gestoten, doodsbang en van ieder begrip en bescherming verlaten.

In mijn behandelkamer is ze even ontroostbaar en ellendig als ze indertijd vermoedelijk is geweest. Wanneer ze weer enigszins tot bedaren is gekomen, stel ik haar voor haar eigen ouder te zijn. 'Zo groot als je nu bent, ga naar dat verdrietige, angstige meisje in haar slaapkamertje toe, ga naast haar op de grond zitten, sla je armen om haar heen en warm haar, troost haar.' Mijn suggestie drukt blijkbaar krachtig op een plek van oude, diepzittende pijn, want een nieuwe golf van verdriet spoelt over haar heen. Ik vraag haar door haar tranen heen aan dat meisje dat ze in haar armen houdt, te vragen wat zij graag wil horen. Als het meisje antwoordt dat ze nooit meer geslagen wil worden, dat ze wil horen dat ze lief is, dat er wel van haar gehouden wordt, vraag ik haar precies dat, luid en duidelijk, tegen het meisje te zeggen. Ze moet zich eerst door een derde golf van tranen heen werken, voor ze het klaarspeelt.

Tegen het einde van de sessie als ze in een toestand van opgeluchte uitputting weer met open ogen tegenover me zit, vraag ik haar of ze ooit tegen haar ouders heel duidelijk en volledig heeft gezegd wat ze haar hebben aangedaan. Ze vertelt dat ze er ooit tegen haar vader over begonnen is, maar dat die in eerste instantie reageerde alsof hij absoluut niet wist waar ze het over had. Die reactie had haar diep gekwetst en ze had hem vinnig gevraagd hoe het dan kwam dat al haar broers en zussen wel precies wisten waar ze het over had. Daarop was hij woedend geworden en had haar dreigend toegebeten dat als ze ooit geslagen was, het dan zeker voor haar bestwil was geweest. Op dat moment, zo had ze bij zichzelf gemerkt, was de oude angst voor geweld weer opgekomen. Ze had zich omgedraaid en was zonder verder nog iets te zeggen weggelopen. Ze had besloten dat dit de laatste keer was geweest dat ze het geprobeerd had.

'Ik besefte toen voor het eerst,' zei ze, 'dat het geen zin had om te proberen het weer goed tussen ons te krijgen, want het was nooit goed geweest. Maar,' zo voegde ze eraan toe, 'het zou voor mij toch al veel hebben uitgemaakt als hij ten minste erkend had wat hij mij heeft aangedaan. Maar als iemand het zo heftig ontkent, dan heb je ook nog de neiging om aan jezelf te gaan twijfelen, om je te gaan afvragen of je niet overdrijft. Terwijl de pijn die je voelt en al die jaren gevoeld hebt maar al te reëel is.'

Waarom reageren ouders zo vaak zo? Waarom weren ze iedere toespeling dat ze op bepaalde punten hebben gehandeld op manieren die voor de ontwikkeling en het levensgeluk van hun kinderen ongunstig zijn geweest, zo radicaal af? Waarom verliezen ze nog liever voorgoed het contact met hun (volwassen) kinderen, dan toe te geven, te erkennen?

Ik heb de vraag niet zo lang geleden gesteld aan een ouder, een moeder, in een gesprek waar een van haar dochters bij was. Haar antwoord was dat ze niet van plan was voor haar kinderen op de knieën te gaan, dat ze zich niet alles maar liet gezeggen, dat ze zich altijd dag en nacht voor haar kinderen had uitgesloofd en dat ze het intens gemeen vond dat ze nu alleen maar stank voor dank kreeg. 'Ik heb van al mijn kinderen altijd evenveel gehouden en ik heb ze altijd op een gelijke manier behandeld,' voegde ze er verdedigend aan toe.

Toen ik haar erop wees dat sommigen van haar kinderen dat absoluut niet met haar eens waren, werd ze woedend. Waarop haar dochter haar te hulp schoot: 'Misschien kan het ook niet,' zei ze kalmerend, 'om als je vijf, zes kinderen hebt, van allemaal evenveel te houden.' Het resultaat was exact het omgekeerde van wat ze beoogd had. De moeder keerde zich met woedende tranen in haar ogen tegen haar dochter. Met bittere felheid riep ze dat ze wel van allemaal evenveel gehouden had en zich voor ieder van haar kinderen evenzeer had uitgesloofd. Juist daarom, voegde ze er bijna schreeuwend aan toe, snapte ze er absoluut niets van dat een aantal van haar kinderen niets meer met haar te maken wilde hebben.

Een ouder in doodsnood. Dat was de gedachte die bij mij bleef hangen, nog lang nadat moeder en dochter waren vertrokken. Het is vreselijk als het zo moet aflopen. En het is een vreselijk gezicht om te zien.

En toch, het is geen zeldzaamheid.

3 Teleurgestelde ouders

Voor veel ouders blijken kinderen op de langere termijn een teleurstellende, frustrerende ervaring. Een grote investering in tijd, liefde, aandacht, zorg en geld die zich niet of nauwelijks lijkt terug te betalen. Hoewel vrijwel alle ouders op een of andere manier een band met hun kinderen willen houden, blijkt die nogal eens weinig meer te zijn dan een dunne draad van steeds weer opnieuw beleefde teleurstellingen. Teleurstellingen, bovendien, waarover niet of nauwelijks met andere ouders gepraat kan worden. Toegeven dat je in je eigen volwassen kinderen teleurgesteld bent, dat ze zich veel minder aan je gelegen laten liggen dan je graag zou zien, is voor velen hetzelfde als toegeven als ouder gefaald te hebben. Aan de Griekse wijsgeer Aristoteles wordt deze voor veel ouders herkenbare maar ook pijnlijke stelling toegeschreven: Ouders houden meer van hun kinderen dan kinderen van hun ouders houden.

Hoewel het nauwelijks een troost is te noemen, is Aristoteles' uitspraak vermoedelijk een juiste weergave van zoals de natuur of de evolutie het geregeld, het gewild heeft. De Leidse psycholoog Marc Cleiren heeft ooit het verband onderzocht tussen verwantschapsrelatie met de overledene en problemen met de rouwverwerking onder volwassenen.[1] Het blijkt dat moeders die een kind verliezen de grootste en meest langdurige verwerkingsproblemen hebben, gevolgd door vaders, dan degenen die hun levenspartner verliezen, dan vrouwen en mannen die een broer of zus verliezen, en ten slotte dochters of zoons die een of beide ouders verliezen. Die 'laatste' plaats voor volwassen kinderen die hun ouder(s) verliezen, wil overigens helemaal niet zeggen dat er niet diep om dat verlies getreurd of gerouwd wordt. Wat het wel wil zeggen is dat zo'n verlies vaak als 'natuurlijker'

1. Cleiren, M., *Adaptation after Bereavement*, Leiden, 1991 (DSWO Press).

wordt ervaren en emotioneel minder diep insnijdt dan het verlies van een kind bij een ouder. Dat verschil doet zich vaak al bij leven en welzijn van kinderen en ouders voelen. Volwassen kinderen kunnen emotioneel meestal beter buiten contact met hun ouders, of kunnen met minder contact toe, dan omgekeerd. Omdat daarover zelden of nooit openlijk wordt gesproken, het onderwerp is te pijnlijk of roept al te zeer schuldgevoelens op, is er tussen veel ouders en hun volwassen kinderen een ondergronds spanningsveld, waarin de een (de ouder) voortdurend 'trekt' en de ander (het kind) voortdurend 'afhoudt'.

Ooit werd ik geconsulteerd door een 63-jarige gescheiden vrouw met twee gehuwde dochters, met wie de verhouding heel moeizaam was. Kort tevoren was het tussen haar en een van de dochters tot een heuse explosie gekomen die geleid had tot een reactie in de trant van 'Mam, we willen je voorlopig niet meer bij ons zien'. Dat werd overigens zo niet gezegd, maar uit allerlei arrangementen bleek het zonneklaar. Een voorbeeld: kort voor de verjaardag van een van de (klein)kinderen had de vrouw haar dochter gebeld met de vraag wanneer ze het zouden vieren en wat de beste tijd was om langs te komen om een cadeautje te brengen. De dochter had geantwoord dat ze dat nog niet precies wisten en nog wel zou laten weten hoe en wat. Pas op de dag van de verjaardag zelf had de dochter gebeld, met de mededeling dat ze later die middag met haar dochtertje de stad in zou gaan. Ze stelde voor om in een bepaald koffiehuis af te spreken waar het cadeautje overhandigd kon worden. Toen de moeder daartegen protesteerde omdat ze het veel leuker vond om haar kleindochter thuis te feliciteren, werd uiteindelijk het compromis gesloten dat ze van halfvijf tot halfzes langs zou komen, maar: 'Niet langer dan tot half zes want om uiterlijk zes uur moeten we eten.'

Toen ik het voorval later een keer in het bijzijn van de moeder met de dochter doornam, legde deze haar gedrag als volgt uit. 'Ik vind het echt geen punt en ook leuk,' zei ze, 'als mijn moeder af en toe bij ons langskomt, maar als ze er dan zo'n uur of ander-

half is geweest, dan is het voor mij voorlopig wel weer genoeg.
Dat is zo'n beetje mijn limiet, dan ken ik alle verhalen wel weer.
Maar ze gebruikt dan altijd allerlei trucs om toch maar langer te
blijven. En dat zou ik nog niet eens zo erg vinden als ze dan maar
zichzelf zou vermaken. Maar als mijn moeder er is, dat was vroeger al zo en dat is nog altijd zo, dan moet alles om haar draaien.
Ze geeft je altijd het schuldgevoel dat je niet genoeg en niet lang
genoeg met haar bezig bent. En op den duur, ja, dan ontplof je
een keer.'

De dochter raakte hier aan een universele klacht van oudere
ouders over hun volwassen kinderen. Die klacht is dat die kinderen niet genoeg tijd voor hen hebben. Ze komen niet vaak en
lang genoeg langs, ze bellen niet vaak genoeg op, ze zijn niet
geïnteresseerd genoeg in het wel en wee van hun ouders en ze geven hun ouders niet genoeg toegang tot hun leven.

De meeste ouders kunnen er maar heel moeilijk tegen dat hun
kinderen hun grenzen stellen. Ze ervaren grenzen als afwijzing,
en herhalen daarmee in wezen een oud patroon, dat van de band
tussen de ouder en het jonge kind, waarin permanente beschikbaarheid en toegankelijkheid over en weer een belangrijk gegeven is en grenzen daaraan als frustrerend of zelfs beangstigend
worden ervaren. Beangstigend omdat ze de associatie van mogelijk verlies van de ander oproepen. Maar kinderen moeten, om
volwassen, om zelf-'standig' te worden die angst overwinnen en
tussen zichzelf en anderen, inclusief hun ouders, grenzen gaan
trekken en bewaken.

Omdat kinderen zich gewoonlijk nu eenmaal sneller ontwikkelen dan hun ouders, zijn ze vaak al bezig grenzen te trekken terwijl hun ouders daaraan nog niet toe zijn en zich daartegen zelfs
verzetten. Want het zelfstandig worden van het kind betekent
voor de ouder het verlies van het kind, psychologisch gesproken.
En veel ouders slagen er niet in dat verlies te verwerken, afscheid
te nemen van hun kind als kind. Misschien ook wel omdat onze
cultuur geen rituelen meer kent voor die overgang. Ik herinner
me in ieder geval nog heel goed dat ik het psychologisch afscheid

van mijn kinderen moeilijk vond en dat het iets was dat me de
nodige tijd kostte een goede plaats te geven.

Omdat je kinderen moet laten gaan

Die maandagochtend vroeg, het was nog donker en de lantaarns
brandden nog, heb ik mijn jongste zoon naar de trein gebracht.
Het grootste gedeelte van de rit zwegen we. Beiden onder de indruk van en bedrukt door de betekenis van het moment. Met zijn
vertrek naar het opleidingscentrum waar hij ongeveer een jaar in-
tern zou zijn, werd een belangrijke periode in zowel zijn als in mijn
leven afgesloten. Na twintig jaar verliet hij zijn ouderlijk huis. En
daarmee het huis waar hij zijn hele leven heeft gewoond. In datzelfde huis zijn nu voor het eerst in zevenentwintig jaar geen kinderen meer.
Hoe dat voelt, hoe leeg, hoe verdrietig, was me zelfs nog niet echt
duidelijk op het moment dat ik hem ten afscheid kuste. Pas toen
ik door de stille straten weer naar huis reed, overviel het me als een
stortbui die ondanks een dreigende lucht toch nog plotseling komt.
Eerlijk gezegd wist ik een tijdje lang niet wat ik met mijn verdrietige
gevoelens aan moest. Een kind van wie ik zielsveel hou, maakt een
belangrijke volgende stap in en voor zijn leven en dus zou ik juist blij
en trots moeten zijn. Maar dat was ik niet. Ik vond het erg dat hij
wegging. Ik had hem graag bij mij willen houden. Het voelde een
beetje als doodgaan, terwijl het dat toch niet is.
Hebben andere ouders dat ook, vroeg ik me af? En als dat zo is,
waarom hoor je er dan zo weinig over? Waarom praten ze vooral
over hoe trots ze zijn op de opleiding of de baan die hun kind heeft
gekozen en nauwelijks over hoe het voelt, hoe pijnlijk, om weer een
'kinderloos' bestaan te leiden?
Op een gegeven moment gingen mijn gedachten uit naar mijn vader
toen ik het huis uitging en naar de vraag of hij zich ook zo gevoeld
heeft als ik me nu voelde. Ik zal het nooit weten. Wat ik weet, is dat
we met knallende ruzie uit elkaar gingen. Hij was ontzettend boos
op mij en ik op hem. Daarover nadenkend bedacht ik me opeens
hoe vaak afscheid nemen, uit elkaar gaan, met boosheid gepaard
gaat. Waarom is dat? De meest voor de hand liggende reden lijkt:

omdat de een de ander iets heeft aangedaan dat kwetsend of beschadigend is geweest. Boosheid is dan de emotionele uitdrukking van de problemen die de relatie hebben opgeblazen. Maar vaak is er ook boosheid bij het verbreken of veranderen van een relatie zonder dat de een de ander iets slechts heeft aangedaan. Boos worden is dan een soort van emotionele pijnbestrijding. Als je boos bent, voel je je eigen verdriet of pijn minder. Je stoot de ander van je af, zodat je de verlating door de ander minder hoeft te voelen. Zo bezien is het erg oppassen met interpreteren wat het betekent als iemand boos op ons is. Het hoeft helemaal niet te betekenen dat hij of zij ons niet meer moet. Juist het tegenovergestelde kan waar zijn: we zijn voor de ander belangrijk, iets dat wij doen of willen is daarom pijnlijk voor hem of haar en boosheid is de manier om die pijn te neutraliseren.

Ik hoop dat de boosheid van mijn vader toen ik het huis uitging voor hem die functie had. In elk geval heb ik hem gekend als iemand die nog liever zijn tong zou hebben afgebeten dan zoiets ooit toe te geven. Want dat zou hem in zijn ogen tegenover mij te zwak, te kwetsbaar, te afhankelijk hebben gemaakt. Maar boosheid is op die manier ook een risicovolle emotie. Want het kan ons verhinderen om anderen datgene te laten weten wat het meest kostbare is voor mensen om van elkaar te weten. Namelijk te weten wat je voor elkaar betekent, hoeveel liefde of verlangen naar contact je jegens elkaar koestert en hoe je daar graag vorm en uitdrukking aan wilt geven. Natuurlijk maakt het ons kwetsbaar. Want het is goed mogelijk dat die ander ons verlangen of onze liefde niet deelt of niet op die manier vorm wil of kan geven die wij willen. En dat doet pijn. Toch is de enige relatie met een ander waar we echt wat aan hebben, die relatie die we echt kunnen hebben. Dat wil zeggen de relatie die de ander echt met ons wil. Meer is er niet. Nooit.

Terugrijdend naar huis die maandagochtend, prentte ik me dat inzicht heel duidelijk in. Ik wil niet meer relatie, niet meer contact met mijn zoon dan hij, gegeven wat goed is voor zijn leven en ontwikkeling, mij wil en kan geven. En dat zal de volgende jaren aanzienlijk minder zijn dan het de voorafgaande twintig jaar was. Dat doet pijn, voelt verdrietig. Maar ik wil die pijn en dat verdriet voelen. Want ze zijn uitdrukking van zijn grote betekenis voor mij, en van mijn kleinere betekenis voor hem. Die betekenis wil ik ervaren en desnoods uitspreken op momenten waarop het er echt op aankomt. Dus is er geen plaats voor boosheid. Al helemaal niet op hem. Maar ook niet op het leven dat kinderen geeft en ze ook weer neemt. Ze zijn niet van je, hoogstens via je.

Toen ik, thuisgekomen, de deur tussen mezelf en de donkere, stille ochtend dichtdeed, voelde het huis leger dan het ooit gevoeld had. Maar als het een goed huis voor hem is geweest, dan is het ook goed zo.

(Geschreven op maandag 4 december 2000)

Een probleem van veel ouders, vaker moeders maar niet zelden ook vaders, is dat ze onbewust of in ieder geval ondergronds tegen het psychologische verlies van hun kind blijven protesteren. Ze grijpen zoveel mogelijk gelegenheden aan om dat verlies, ook al is het maar voor even, ongedaan te maken, om de ouder-kindgevoelens van indertijd weer op te rakelen. Iets waartegen psychisch gezonde kinderen zich wel moeten verzetten omdat het voor hen een terugval naar een vroeger stadium, en daarmee vaak een gevoel van benauwdheid, van weer opgeslokt te worden, oproept.

Illustratief in dit opzicht was wat de dochter, over wie ik het eerder had, op dit punt vertelde: 'Mijn moeder zegt vaak, met een soort van heimwee-achtige klank in haar stem dat we vroeger zo fijn, zo "close", arm in arm, samen door de stad konden lopen. Nou, dan krijg ik het al benauwd, want daar moet ik echt niet aan denken, maar als ik dat hardop zeg, ben ik bang dat ik haar voor het hoofd stoot.'

Toen ik de moeder vroeg wat ze vond van wat haar dochter zei, was ze eerst even stil, waarna ze toegaf dat ze dat pijnlijk vond om te horen. Ik vroeg haar eens terug te gaan naar de relatie tussen haarzelf en haar moeder en de vraag te beantwoorden of zijzelf graag zo met haar moeder door de stad zou zijn gelopen.

Haar reactie was dat ze dat wel gedaan had maar inderdaad soms met grote tegenzin. Maar, voegde ze daaraan gelijk toe, haar verhouding met haar moeder was dan ook een heel andere geweest dan die zij nu met haar dochter had. Het lukte mij haar duidelijk te maken dat dat mogelijk zo was, maar dat bepaalde processen, zoals de noodzaak grenzen te stellen voor kinderen, gewoon van alle tijden is.

'Maar hoe zit het dan met andere moeders en dochters?' wierp ze tegen. 'Die zie ik wel vaak zo met elkaar omgaan!' Het lukte me opnieuw haar duidelijk te maken dat het best kon zijn dat die dochters er net zo bij liepen als zij vroeger naast haar moeder gelopen had; maar zelfs als dat niet zo zou zijn, betekende dat alleen maar dat kinderen verschillen in hun voorkeuren voor het omgaan met anderen, inclusief hun ouders. En dat mag, ook al zou je het als moeder misschien graag anders gehad hebben.

Ik stelde haar voor haar dochter een brief te schrijven waarin ze zou vertellen hoe ze wilde proberen in de toekomst met haar om te gaan. Dat deed ze. Ze schreef daarin onder andere dat ze begreep dat om haar dochter als een soort vriendin, voor zover dat mogelijk was, terug te krijgen, ze haar als kind moest laten gaan. Maar wat me het meest trof was het citaat uit Kahlil Gibrans boek *On Children*, waarmee ze de brief eindigde: 'Uw kinderen zijn niet uw kinderen. Ze zijn de zoons en dochters van het verlangen van het leven naar voortzetting van zichzelf. Ze kwamen door u maar niet van u. En hoewel ze bij u zijn, behoren ze niet tot u.'

Door je kinderen doodverklaard

'Maar als dat wat ná jou komt niet langer ván jou wil komen, als je letterlijk en figuurlijk door je kind "ont-kend" wordt, als je kind je niet langer wil kennen? Dan wordt een belangrijk, en misschien wel het belangrijkste, stuk van jezelf niet erkend.'

Niet lang nadat ik het voorgaande had geschreven en, bij wijze van 'test', als column in een aantal kranten had gepubliceerd, werd ik door een bevriend stel uitgenodigd met hen te gaan eten bij een ander stel dat ik ooit een keer op een feest ontmoet zou hebben. De werkelijke aanleiding voor de uitnodiging, zo bleek tijdens het bezoek, was dat ze de column hadden gelezen. Die was voor hun gevoel volledig op hun situatie van toepassing en ze wilden daar graag een keer informeel met mij over praten. Ik zal het etentje niet snel vergeten. Op een gegeven moment, tussen twee gerechten door, stond de man op, haalde de column tevoorschijn en zei met tranen in zijn ogen en een verdrietige ruis in zijn stem: 'Kijk, deze zin heeft ons zo getroffen: "Ouders houden meer van hun kinderen dan kinderen van hun ouders houden".' En toen vertelden ze samen het verhaal.

Sinds een jaar of acht had hun dochter, getrouwd en drie kinderen, ieder contact met hen afgehouden. Het jongste kleinkind, inmiddels een paar jaar oud, hadden ze nog nooit gezien. Talloze pogingen om toch op een of andere manier contact te krijgen, waarbij ze ook bemiddelaars uit de familie hadden ingeschakeld, waren op niets uitgelopen. De vraag 'Waarom?' had in al die jaren voor hen geen enkel begrijpelijk, laat staan bevredigend antwoord gekregen. Naast de boosheid op hun dochter en vooral hun schoonzoon, waren er ook verwijten naar elkaar ontstaan. De een vond dat de ander in het verleden op manieren met de dochter en vooral haar man was omgegaan die mogelijk tot de breuk had bijgedragen. Zo bleek inderdaad dat ze in het begin over hun aanstaande schoonzoon dingen hadden gezegd, ook tegen hun dochter, die er simpelweg op neerkwamen dat hij niet goed genoeg was. Toen ik daarover doorvroeg bleek dat ze er in wezen nog steeds zo over dachten.

Een van de meest kapitale fouten die ouders kunnen maken, is openlijk kritiek leveren op de partnerkeuze van hun kinderen. Natuurlijk heb je als ouder daarover je eigen gedachten. Maar schort die op, hou die voor je. Probeer vanuit het perspectief van je kind te kijken naar de partnerkeuze en vertrouw erop dat dat voor hem of haar een goede keuze is totdat het tegendeel blijkt. Maar het is niet aan jou als ouder om te besluiten dat wat niet jouw keuze zou zijn ook niet de keuze van je kind zou moeten zijn.

Hoe dan ook, wat ze gemeenschappelijk hadden en wat steeds erger werd naarmate ze ouder werden, was hun verdriet. Hun verdriet over het verlies van een levend kind. Maar dit is een heel ander verlies dan het verlies van een kind door de dood. Dit verlies kan ongedaan worden gemaakt. Alleen, het wordt niet ongedaan gemaakt. Het is ook een heel ander verlies dan het verlies van een kind door vermissing. Deze 'vermissing' kan ongedaan worden gemaakt. Alleen, ze wordt niet ongedaan gemaakt. Weten dat je kind leeft en dat het zich toch dood voor je houdt. Weten waar je kind is en dat het zich toch verborgen voor jou houdt. Het is, naar mijn overtuiging, de meest vreselijke afwijzing die je als mens kan overkomen. Een partner kan je afwijzen en dat kan heel erg zijn. Maar je kunt besluiten om op enig moment een andere partner te zoeken en zo de afwijzing in belangrijke mate ongedaan maken. Een ouder kan je afwijzen en dat kan heel erg zijn. Maar je kunt besluiten om je aan andere mensen te hechten en met hen een toekomst op te bouwen. Maar als je volwassen kind je afwijst, kun je niet een vervangend kind kiezen. Als je kind bij leven het contact met je verbreekt, dan wordt in zekere zin je contact met de toekomst verbroken. Want je kind of je kinderen vormen je nakomelingschap, dat wat van jou na jou komt. Maar wat als dat wat ná jou komt niet langer ván jou wil komen, als je letterlijk en figuurlijk door je kind 'ont-kend' wordt, als je kind je niet langer wil kennen? Dan wordt een belangrijk, en misschien wel het belangrijkste stuk van jezelf niet erkend.

Een ouder die door een eigen kind wordt ontkend, wordt als ouder doodverklaard. En gaat daardoor ook emotioneel voor een deel dood. Maar omdat hij of zij op andere manieren, als partner, werknemer of zelf als kind van ouders, doorleeft, is het een doodgaan dat voortdurend gevoeld moet worden. Dat is ook wat ik voelde die avond aan tafel bij die twee ouders. Dat er bij hen voortdurend iets aan het doodgaan was en dat dit proces zo'n pijn deed dat ze al die jaren niet of nauwelijks aan iets anders hadden kunnen denken. Natuurlijk hadden ze hun manieren gevonden om die pijn zo goed en kwaad als het ging te bestrijden. Werken, mooie spullen kopen, samen reizen. Maar al die afleidingen werkten niet echt en maar kort.

Als ouders hun kind door de dood verliezen, blijven ze vaak achter met schuldgevoelens: 'Als ik nou maar... dan had het misschien...' Maar als ouders hun kind verliezen door afwijzing, dus door een wilsbesluit van het kind, zijn de schuldgevoelens en zelfverwijten vele malen heftiger: 'Wat heb ik verkeerd gedaan waardoor mijn kind mij niet meer moet?'

Ja, wat hebben ouders eigenlijk verkeerd gedaan als hun kind hen niet meer moet? Een antwoord is dat bepaalde ouders bepaalde dingen ten opzichte van hun kind inderdaad vreselijk verkeerd hebben gedaan en dat het kind terecht, uit zelfbescherming, de ouder(s) afdankt. Dan gaat het om dingen als lichamelijke, seksuele of emotionele mishandeling. Dat laatste, ook wel zielemoord genoemd – ik kom daar later nog op terug – betekent dat de ouder opzettelijk probeert zelfvertrouwen bij het kind te ondermijnen door het kind steeds opnieuw, wat het ook doet of probeert, met minachting of erger te bejegenen. Het kind was nooit goed genoeg.

Maar de meeste ouders hebben hun kind niet lichamelijk, seksueel of emotioneel mishandeld. Sterker nog, op hun manier hebben ze altijd grote betrokkenheid op de ontwikkeling en het wel en wee van hun kind getoond. En toch overkomt het ook deze ouders dat ze door hun kind(eren) worden verlaten. Mijns inziens is het vooral deze categorie 'verlatingen' die toeneemt.

Waarom? De antwoorden zijn voor een deel dezelfde als die op de vraag 'Waarom is het percentage echtscheidingen zo sterk toegenomen?' Een deelantwoord daarop is dat mannen en vrouwen, en met name de laatste, nu economisch veel minder van elkaar afhankelijk zijn dan, pakweg, vijftig jaar geleden. Een ander deelantwoord is dat voor zowel mannen als vrouwen de relatie met elkaar tegenwoordig maar een klein deel vormt van het netwerk van sociale relaties die ze hebben. In veel van die andere relaties, zoals op hun werk, treden ze zelfstandig op en niet als 'de vrouw van'. Kortom, voor veel mannen en vrouwen tegenwoordig geldt dat het niet geld of sociale positie is die hen samenhoudt maar de mate waarin ze psychologisch of emotioneel bij elkaar passen. Maar de psychologische pasvorm is een kwetsbare.

Iets soortgelijks geldt voor de relatie tussen ouders en volwassen kinderen. De meeste kinderen zijn zo druk met hun eigen carrière en/of die van hun partner bezig, en met een hoop andere dingen daaromheen, dat het onderhouden van een relatie met hun ouders vaak een sluitpost op de tijdsbegroting is. En dan ook nog een die niet zelden, na alle gedane arbeid en gehaast, als een druk wordt ervaren.

Daarbij speelt bovendien dat de meeste ouders meer vrije tijd hebben dan hun volwassenen kinderen. Als de een in een relatie meer tijd ter beschikking heeft voor die relatie dan de ander is er sowieso altijd een zekere druk.

Verder ervaren veel volwassen kinderen hun ouders niet echt als interessante mensen om mee om te gaan. Ze hebben doorgaans minder opleiding gehad, zijn wat betreft hun kennis en vaardigheid in de moderne technieken vaak analfabeten en komen uit een generatie waarin psychologie en emoties dikwijls maar verdachte dingen zijn. Niet zelden schamen volwassen kinderen zich zelfs voor hun minder ontwikkelde ouders.

Als dan bovendien geldt dat je je ouders economisch niet nodig hebt en je, anders dan vroeger, vaak ook nog een heel eind uit elkaars buurt woont, hoeft er soms niet zo heel veel te gebeuren wil het contact op een heel laag pitje komen of het pitje zelfs uit-doven.

Voor ouders zijn kinderen een zeer belangrijke taak. Daarom is het voor hun zelfrespect en hun vrede met het leven ook heel be-langrijk regelmatig een signaal te krijgen dat ze die taak, ondanks hun onvolkomendheden, redelijk volbracht hebben. En de meeste ouders hebben dat ook. Ook de meesten van degenen die nu door hun kinderen dood worden verklaard. Kinderen die dat desondanks toch blijven doen, sporen psychologisch niet. Want, de cruciale vraag omtrent onze ouders is niet of ze vol-maakt waren of niet, maar of ze op de voor hen mogelijke wijze goed genoeg zijn geweest.

4 Herinnerde ouders

Een aspect dat ik tot nu toe onvermeld heb gelaten, is dat ouders voor hun volwassen kinderen in zekere zin altijd verleden tijd zijn. Ook als ze nog in leven zijn, zijn ze voornamelijk belangrijk omdat ze belangrijk geweest zijn en niet zozeer omdat ze nog belangrijk zijn. Ze vormen als het ware de coulissen, of althans een belangrijk deel daarvan, waarvoor het leven van die kinderen zich afspeelt. Ouders zijn meestal geen hoofdrolspelers meer.

Maar net als coulissen in een toneelstuk, zijn ouders of de relatie met ouders belangrijke sfeerbepalers in het dagelijks-praktische en innerlijk-emotionele leven van volwassen kinderen. Hoe kinderen zich hun ouders herinneren is van grote invloed, niet alleen op hoe ze tegenover die ouders zelf staan, maar ook hoe ze ten opzichte van veel andere mensen staan. Er zijn heel wat kinderen die vooral vanwege slechte herinneringen weinig of niets meer met hun ouders te maken willen hebben. Dat roept voor ouders een cruciale vraag op die al tijdens de opvoeding, terwijl kinderen nog jong zijn, leidraad voor hun handelen zou moeten zijn, als ze althans willen voorkomen ooit door hun kinderen te worden verlaten, namelijk: hoe wil je dat je kinderen jou herinneren?

Een vader, 64 jaar oud, schreef mij enige tijd geleden op de volgende bittere manier over zijn zoon: 'Zoals het er nu voorstaat, als het zo blijft, dan zal hij wanneer ik overlijd geen traan over me laten. In zijn geest zullen geen positieve herinneringen aan mij achterblijven. Maar wat ik hem misdaan heb, begrijp ik niet.'

Het bracht mij op de vraag waar ik het zonet over had en die, merkwaardig genoeg, vrijwel nergens expliciet aan de orde komt. Niet in wetenschappelijke verhandelingen van psychologen, niet in populair-wetenschappelijke publicaties en al evenmin in religieuze geschriften, namelijk: 'Hoe willen mensen, hoe willen ouders, door hun kinderen herinnerd worden?' En, daarmee samenhangend de vraag: 'Is het belangrijk voor ouders hoe ze herinnerd zullen worden?'

Tijdens een lange autorit stelde ik die vraag ooit aan mijn drie medepassagiers, allen vaders. Een van hen antwoordde direct heel nuchter dat het hem heel weinig kon schelen wat zijn kinderen na zijn dood over hem dachten, maar heel veel wat ze nu over hem dachten. Waarop een ander hem heel slim probeerde te tackelen met: 'Dus als wij nou een ongeluk krijgen en jij overlijdt en jouw kinderen reageren op de manier van "Blij dat die ouwe eindelijk is opgerot en wij houen er ook nog een paar leuke centen aan over", dan, zeg jij, kan je dat weinig of niks schelen?' 'Ja, goh, ik ben er dan toch niet meer bij, dus hoef ik me ook niet meer druk te maken over wat ze over me denken,' luidde het zwakker wordende verweer. 'Trouwens, ik denk niet dat ze dan zo over me zullen denken, als ze nu ook niet zo over me denken.' Op dat moment sprongen wij hem alle drie bijna in koor op zijn nek: 'Maar weet jij dan wat ze nu over je denken? Weet je wat voor beelden en gevoelens er bij hen opkomen als ze nu aan je denken?'
Het was het sein voor een langdurig en heftig gesprek over precies die vraag: wat weten ouders eigenlijk van de oordelen, gedachten en gevoelens die hun kinderen over hen hebben, niet alleen over hen als ouder maar ook als persoon? Wat is het oordeel van een kind over de persoon of persoonlijkheid van de ouder? Hebben onze vaders, zo vroegen we ons op een bepaald moment alle vier af, ooit geweten hoe wij over hen dachten? We konden ons geen van allen herinneren dat daar ooit naar gevraagd was, in ieder geval niet door onze vaders zelf. De twee van ons van wie de vader overleden is, konden zich wel herinneren na zijn dood vaak en vaak uitvoerig over zijn persoon, wat voor man het eigenlijk was geweest, met anderen, zowel familieleden als vrienden, gesproken te hebben. Maar tijdens zijn leven nooit met

hem. Onafwendbaar kwam dan ook de vraag aan de orde of wij zouden willen door onze kinderen herinnerd te worden op de manier waarop wij ons onze vaders herinneren. En het al even onafwendbare antwoord was, met enige schaamte uitgesproken, steeds: nou eigenlijk liever niet. Dat 'liever niet' bleek vooral te maken te hebben met het feit dat we onze vaders als emotioneel afwezig, zoals dat tegenwoordig wordt genoemd, hadden ervaren. We konden ons weinig, te weinig, situaties of perioden van langere duur herinneren waarin sprake was geweest van een warme, intieme, hartelijke, open omgang met elkaar, van het samen oversteken van belangrijke of gevaarlijke emotionele kruispunten. We bleken betrekkelijk weinig plezier met, en daardoor weinig plezier aan onze vaders te hebben gehad. En voor zover daar wel momenten van waren geweest, hadden we er daar veel meer van gehad willen hebben.

Gek genoeg bleken vaderlijke eigenschappen als intelligent en hardwerkend van weinig invloed op de kwaliteit van de herinnering. Wat lijkt te onderstrepen hetgeen door de vooraanstaande psycholoog Richard Lazarus in zijn in 1991 verschenen maar inmiddels al tot klassieker geworden boek *Emotion and Adaptation* (Emotie en aanpassing)[1] werd gesteld, namelijk dat het de emoties die mensen bij elkaar oproepen zijn die betekenis aan relaties en aan de herinnering aan relaties geven, en niet zozeer wat mensen, met wie we een (familie)relatie hebben, doen of presteren. Als mannen, zoals wij met zijn vieren in die auto, dit soort 'gevoelige' ervaringen aan elkaar vertellen, dan gaan al gauw opmerkingen heen en weer in de trant van 'Jongens, we zitten wel een beetje soft te doen met zijn allen, hallo!' Maar, zoals een van ons op een bepaald moment opmerkte, het is precies die reactie die het gelijk van onze (zelf)analyse en van Richard Lazarus' stelling bevestigt. Want als we de neiging hebben om van soft te spreken als het over gevoelens gaat en als het enige betekenisvolle, het enige 'harde', dat in onze herinnering aan onze vaders achter-

1. Lazarus, R.S., *Emotion and Adaptation*, Oxford University Press, 1991.

blijft nou juist de gevoelsmatige band is die we met hem gehad hebben, dan zetten we de wereld op zijn kop door wat in wezen hard is (en hard kan aankomen als het er niet is!) zacht te noemen. En door wat uiteindelijk in wezen 'zacht' blijkt te zijn, omdat er in onze herinnering maar weinig tastbaars, weinig 'hards' van overblijft, zoals de maatschappelijke prestaties of het harde werken van onze vaders, hard te noemen.

Richard Lazarus schrijft op dit punt in zijn boek heel treffend het volgende: 'Wat bedoelen we eigenlijk als we zeggen dat iemand "emotioneel" is? Hoewel het vaak als een soort van sneer bedoeld is, suggererend dat de persoon in kwestie op de een of andere manier de controle over zichzelf heeft verloren en niet redelijk meer is, weten we ook dat iets die persoon sterk geraakt heeft...Want als we een emotie ervaren, wijst dat erop dat er iets persoonlijk belangrijks met ons gebeurd is.'

Kortom, daar werden we het op een gegeven moment in die auto als vaders met elkaar over eens: hoe wij vaders door onze kinderen herinnerd zouden willen worden, is als mensen door wier toedoen iets dat voor hen persoonlijk belangrijk is, in positieve zin, is gebeurd. Maar slagen we daarin? Wat is daar voor nodig? En, kunnen we iets leren uit het feit dat onze vaders daar blijkbaar niet zo goed in geslaagd zijn?

Een van ons vier gaf op die laatste vraag een antwoord dat ik niet gauw zal vergeten. 'Mijn vader,' zei hij, 'was absoluut geen slechte man. Hij werkte zich kapot. Voor ons, opdat we het redelijk goed zouden hebben, dat we een fatsoenlijke opleiding zouden krijgen. Maar dat was ook eigenlijk alles wat hij deed, waar al het andere voor moest wijken, zijn werk. Hoe vaak hij ons niet beloofde om iets te gaan doen, weet ik veel, naar het strand, naar de speeltuin, samen voetballen. En hoe vaak we niet op hem hebben zitten wachten om uiteindelijk te horen dat hij toch niet op tijd kon zijn en dat we maar zelf of maar alleen met mijn moeder moesten gaan. Al die onvervulde beloftes, al die leuke vooruitzichten die uiteindelijk toch niet waar gemaakt werden. Hij was een man die te veel deed en daarom te weinig. En dat laatste heeft hij nooit willen erkennen. Als we er al iets van durfden te zeggen, soms, dan waren we ondankbaar of vluchtte hij in zelf-medelijden. Misschien vond hij werken wel leuker dan iets met ons doen. Maar dan had hij dat een keer duidelijk moeten zeggen. Door te doen zoals hij het deed, creëerde hij bij ons het idee dat werk, dat wat je maatschappelijk presteert, altijd belangrijker is, altijd de voorrang moet hebben en ook altijd de voorrang heeft boven het onderhoud aan, boven de kwaliteit van relaties met de mensen direct om je heen. De emotionele band met je partner en je kinderen komt altijd op de tweede plaats, het werk gaat altijd voor het meisje (en dus ook voor de kinderen van dat meisje). Dat is het voorbeeld dat ik gekregen heb. En dat is het voorbeeld waar ik mij van moet zien los te maken. Dat is verrek-te lastig.'

Als je het mij vraagt, is vaderdag (of moederdag) vooral daarvoor bedoeld, of zou het moeten zijn: je kinderen uit te leggen hoe jij graag wil dat ze jou ooit zullen herinneren en hen te vragen om jou onomwonden te zeggen of je daar nú al ver genoeg in gevorderd bent. Nu! Want je weet maar nooit wanneer je een herinnering wordt.

> Waar het in feite allemaal op neerkomt, om nog even terug te keren naar Freud, is of je een liefdevolle relatie met je kinderen als een belangrijke prestatie ziet.

Een liefdevolle relatie als prestatie

'Is dit het gezin dat je je altijd gewenst hebt?'
Terwijl hij de vraag tot zich laat doordringen, verschijnt er een blos op zijn wangen en slaakt hij een diepe zucht. 'Is dit het gezin dat ik me altijd gewenst heb?' herhaalt hij langzaam. Dan zegt hij, met de duidelijke bedoeling het onderwerp weer snel van ta-

fel te krijgen: 'Ik weet het niet. Maar ik zal het ermee moeten doen. Punt uit!'

Het is dat 'punt uit' dat me doet besluiten om hem niet zo gemakkelijk weg te laten komen. 'Je moet het er helemaal niet mee doen. Je kunt kiezen om ermee te stoppen. Je kunt zelfs kiezen om een nieuw gezin beginnen.'

Hij kijkt me aan met een gezicht van 'wat zit je nou te kletsen man!' en haalt laconiek zijn schouders op. Zo van 'hierover zijn we wel uitgepraat'. Dan besluit hij er toch nog wat over te zeggen: 'Dat wil ik niet,' zegt hij.

Ik hoed me ervoor nu de voor de hand liggende vraag 'Waarom niet?' te stellen. Daar heeft hij ongetwijfeld een aantal sociaalwenselijke antwoorden op. In plaats daarvan zeg ik: 'Als jij niet weet of dit het gezin is dat je je gewenst hebt en als je vindt dat je het ermee moet doen, terwijl je het er in werkelijkheid helemaal niet mee moet doen, dan lijkt me de hamvraag te zijn: "Wat doe jij eigenlijk met je gezin?" Doe jij met je vrouw, met je kinderen wat je zou moeten doen, of in ieder geval wat jij vindt dat je eigenlijk zou moeten doen?'

Opnieuw een diepe zucht. 'Met mijn vrouw wel,' zegt hij dan.

'En met je kinderen?' vraag ik.

Stilte en weer een zucht. Dan zegt hij op zachte toon: 'Met mijn zoon niet.'

Ik zeg dan, meer als een conclusie dan als een vraag: 'Het gaat niet goed tussen jullie?'

Hij schudt zijn hoofd ter bevestiging en er verschijnt een zweem van pijn, verdriet haast, over zijn gezicht.

Het verhaal dat volgt, is in zijn kern het verhaal van tal van vaders of moeders die met een van hun kinderen zijn vastgelopen. Die kern is deze ouderlijke boodschap aan het kind: 'Wat je ook doet, het is nooit goed genoeg. Het kan altijd beter.' En of het kind nu vijf of vijftig jaar oud is, het onvermijdelijke gevolg daarvan is dat schuldgevoel de emotionele hoofdkleur van de relatie tussen kind en ouder vormt. Het opmerkelijke is dat veel ouders zich daar niet bewust van zijn en zich evenmin bewust zijn van de ingrijpende gevolgen die dat heeft voor de relatie met hun kinderen.

Schuldgevoel is een meerkoppig monster. Aan de ene kant bindt het mensen. Als je je schuldig voelt jegens iemand, dan laat die persoon je niet onverschillig. Je 'moet' iets met hem of haar. Aan de andere kant scheidt schuldgevoel mensen. Want schuldgevoel is een onaangenaam gevoel en dus ga je degene ten aanzien van wie je je schuldig voelt het liefst uit de weg. Kortom, schuldgevoel betekent dat je iets met iemand moet maar niet wilt. Een voorbeeld. Veel volwassen kinderen bellen regelmatig hun ouders omdat ze dat 'moeten', niet omdat ze dat willen. En om het allemaal nog wat ingewikkelder te maken: over het feit dat ze dat niet willen, voelen ze zich vaak weer schuldig. ('Wat ben je dan voor dochter/zoon dat je er zo vaak van baalt je vader of moeder te bellen!')

Een relatie die gekenmerkt wordt door schuldgevoel is daarom een relatie waarin veel verwarring, spanning en onvrede is. Al die kenmerken had ook de relatie tussen mijn patiënt en zijn zoon, ook al was hij zich daarvan, net als de meeste andere ouders, niet goed van bewust. Hij merkte eigenlijk alleen de gevolgen. Zijn zoon had hem meerdere keren boos of verdrietig voor de voeten geworpen dat hij het bij hem toch nooit goed deed. Hij ontliep hem ook zoveel mogelijk en probeerde, als het enigszins kon, niet alleen met hem te zijn. Hij van zijn kant ontliep hem ook. Want, zo zei hij, hij nam toch weinig of niets van hem aan en het minste of geringste was vaak al reden voor ruzie. Maar door hem te ontlopen, had hij ook een cruciale keuze gemaakt. De keuze namelijk om niet aan de verbetering van de relatie met zijn zoon te werken. Heel veel ouders, en met name vaders, die een slechte relatie met een kind hebben doen dat. Ze richten zich op andere dingen zoals werk. Na enige tijd beginnen ze zelfs te geloven dat het feit dat ze zo weinig, en zo weinig goed contact met hun kind hebben, komt omdat ze zoveel werk hebben. Maar vaak hebben ze zoveel werk omdat ze zo slecht contact met een kind hebben. Werk is dan zowel medicijn voor als symptoom van een gestoorde relatie met een kind. Daarmee zenden ze ook nog eens een boodschap naar het kind uit, die het allemaal nog moeilijker maakt. De boodschap is: de relatie met jou (kind) is voor mij (ouder) geen prioriteit.

Toen ik mijn patiënt wees op het feit dat zijn prioriteit blijkbaar ergens anders lag dan bij een goede relatie met zijn zoon, bestreed hij dat aanvankelijk. Hij vond het wel degelijk heel belangrijk de relatie met hem te verbeteren. Maar dat waren woorden. In daden gingen zijn tijd, aandacht en energie naar andere dingen. Zoals naar zijn werk – hij gaf als manager leiding aan een paar honderd mensen. Naar zijn opleiding in Oosterse talen, die hij goed in zijn werk kon gebruiken. En naar zijn proefschrift, waaraan hij het werken onlangs weer had opgepakt, na het een aantal jaren onderbroken te hebben. Toen ik hem vroeg waarom hij zoveel deed, kwam de echte aap uit de mouw. Hij vertelde dat hij altijd zoveel tegelijk had gedaan. Zo gauw het een af was, moest er iets anders, en vaak zelfs meer dan een iets, voor in de plaats komen. Hij twijfelde er altijd aan of hij wel genoeg deed. Ik vroeg hem van wie hij dat had, en zijn antwoord was: 'Van mijn vader. Ik vroeg hem hoe zijn verhouding met zijn vader was geweest, en zijn antwoord was: 'Slecht.' Ik vroeg hem of zijn vader de vader was geweest die hij zich altijd gewenst had en zijn antwoord was: 'Nee.' Ik vroeg hem of hij dacht dat hij de vader voor zijn zoon was die deze zich altijd gewenst had, en zijn antwoord was: 'Ik denk het niet.' Ik wees hem erop dat hij blijkbaar met zijn zoon deed wat zijn vader met hem gedaan had en vroeg hem of het niet tijd werd dat iemand dat doorgeven van generatie op generatie van verdrietige vader-kindverhoudingen een keer zou stoppen, en hij antwoordde: 'Dat vind ik wel ja.' Ten slotte vroeg ik hem of hij die iemand wilde zijn, en zijn antwoord was: 'Ik weet niet of ik dat kan.'

Maar dat was geen antwoord op de vraag. Ik wees hem daarop: 'Je zei: "Ik weet niet of ik dat kan." Maar zou je dat graag willen kunnen? Een vader zijn voor je zoon zoals jij graag een vader voor jezelf had willen hebben?' Blijkbaar raakte die vraag aan een oud verdriet bij hem. Want met tranen in zijn ogen vroeg hij me wat hij daarvoor dan doen moest.

Ja, wat moet een mens daarvoor doen? Mijn antwoord is: besluiten om lief te leren hebben, je kind en jezelf, zonder dat er eerst aan bepaalde voorwaarden voldaan moet worden. Zonder dat daar eerst voor gewerkt moet worden. Werken of het leveren van prestaties kan nooit een voorwaarde voor onvoorwaardelijke liefde zijn. Dat kan gewoon niet. Wie toch eerst prestaties eist alvorens zijn kind of zichzelf lief te hebben, die zal altijd een gespannen, onzekere, verwarde relatie met dat kind en met zichzelf houden. Het meest overtuigende bewijs van die stelling wordt wel geleverd door het feit dat mensen met hoge prestaties vaak veel relaties aantrekken. Maar zo gauw het misgaat met hun prestaties, gaat het ook mis met het grootste deel van hun relaties. Dat komt omdat zulke relaties weinig met genegenheid en veel met eigenbelang, met het feit dat men er persoonlijk beter van wordt, te maken hebben. Dat mag. Maar dat mag niet in de ouder-kindrelatie. Als een kind moet presteren omdat de ouder zich dan pas goed voelt, en dan pas liefde kan geven, dan heeft het de verkeerde vader of moeder meegekregen. Want voor de echte ouder is een liefdevolle relatie op zichzelf meer dan voldoende prestatie.

Waarom lukt het veel ouders, en vooral veel vaders, niet om dat ook zo te zien en tot leidraad voor de omgang met hun kinderen te maken? Overigens lijkt het erop dat vaders daar gemakkelijker in slagen als het hun dochter(s) dan als het hun zoon(s) betreft. Ik denk weleens dat we in het tijdperk zijn beland van een overmatige voorkeur van vaders (en moeders) voor meisjes en een ondermaatse voorkeur voor jongens. Alsof je meer hebt aan dochters dan aan zonen. Hoe is dat idee ontstaan, en belangrijker, wat richt het aan? Ik waag een poging.

Opvoedingsproblemen en geslacht

Geslacht, een combinatie van innerlijke en uiterlijke kenmerken, speelt een belangrijke rol in de opvoeding en bij opvoedingsproblemen. De betekenis daarvan zou in de komende tijd weleens toe kunnen nemen, want alles wijst erop dat meisjes het gemiddeld beter doen dan jongens. Minder gedragsproblemen, betere schoolprestaties en minder uitval. Het is nu zelfs zo dat vooraanstaande onderzoekers op het terrein van de kinderlijke ontwikkeling 'mannelijk geslacht' als risicofactor in hun lijst van risicofactoren hebben opgenomen.[1] Uit onderzoek blijkt verder dat moeders en ook peuter- en kleuterschoolpersoneel meer agressie van jongens dan van meisjes accepteren. Ook vaders blijken opschepperij, agressie en competitiedrang meer te accepteren van zoons dan van dochters. Verder blijken ouders gedrag, zoals laat op straat rondzwerven, alcoholgebruik en seksuele activiteit gemakkelijker van puberende zoons dan van dito dochters te accepteren. Bovendien dringen veel ouders er minder bij zoons dan dochters op aan te vertellen 'wat ze gisteravond of vannacht hebben uitgevreten'. Onder het motto 'die jongen gaat toch wel zijn eigen gang' laten ze die jongen ook inderdaad vaak zijn gang gaan.

Het erge is dat veel jongens dat ook gaan doen als ze zich eenzaam, verdrietig, depressief, bang en minderwaardig voelen. Ze praten daar veel minder over met anderen, maar drukken dat des te meer uit in stoer, agressief of destructief gedrag. In vergelijking met meisjes begaan jongens als pubers vijfmaal zoveel ongelukken in het verkeer onder invloed van alcohol, zijn zesmaal zo vaak dronken, zijn tienmaal zo vaak betrokken bij vernieling, brandstichting, relletjes en sportgeweld en maken drie- tot viermaal zo vaak zelf een einde aan hun leven. Een van de belangrijkste oorzaken daarvan is waarschijnlijk het waanidee – zowel bij ouders, andere volwassenen en zelfs bij politici – dat jongens van nature agressiever zijn dan meisjes en dat je hun daarom meer uitlaatkleppen voor hun agressie moet geven, bijvoorbeeld via sport, spel en eventueel indirect via gewelddadige films in de bioscoop of huiskamer. Maar het bezig zijn met agressie maakt een mens niet minder agressief, hoogstens meer. Mark Twain: 'Hetzelfde gesteente dat met tederheid bewerkt een diamant wordt, wordt met geweld tot puin geslagen.'

---

1. Zie Loeber, R., en Farrington, D.P., *Serious and Violent Juvenile Offenders: Risk Factors and Successful Interventions*, 1998 (Sage Publications).

5 Vaderloze mannen

'Van mijn vader heb ik niets geleerd. Als hij er was, werkte hij. En als hij niet werkte, was hij er ook niet. Ik herinner me niet één advies van hem dat voor mijn leven echt belangrijk is geweest, ik herinner me geen kracht die van hem uitging, ik herinner me geen vader.'

Als hij uitgesproken is, valt er een onbehaaglijke stilte in de groep. Het lijkt alsof de anderen zich zitten af te vragen hoe dat dan met hun vader zat. En het lijkt ook alsof ze allemaal in stilte tot ongeveer dezelfde conclusie komen maar het beschamend vinden om dat hardop toe te geven.

'Eigenlijk was het bij mij net zo,' verbreekt iemand eindelijk het stilzwijgen. 'Als ik iets had, besprak ik dat meestal met mijn moeder. Nu nog, als ik naar huis opbel en ik krijg toevallig als eerste mijn vader dan weten we allebei na "goeiendag" en "hoe gaat het" eigenlijk niet wat we verder moeten zeggen. En dan gebeurt er iets heel mafs: of hij zegt al heel gauw "Nou, ik zal je mam maar even geven" of ik vraag zelf of ze thuis is. Met haar praat ik dan honderduit.'

De andere aanwezige mannen reageren herkennend. 'Mijn moeder was altijd de postbus tussen kinderen en vader. Zelfs aan tafel waar mijn vader bij zat, gebeurde het dat wij tegen mijn moeder zeiden "Wilt u nu eens vragen of het goed is dat..." Dan vroeg zij aan hem iets voor ons en hij antwoordde haar in plaats van ons. Niemand die blijkbaar in de gaten had wat voor een volslagen krankzinnige manier van doen dit was.'

Als ik de groepsleden vervolgens vraag of ze hun vader op een of andere manier bewonderen antwoorden acht van de negen mannen ontkennend. De meesten vinden hun vader geen onaardige man, maar echt bewonderen doen ze hem niet. Een voorbeeld is hij zeker niet voor hem. Een paar zeggen zelfs dat ze eerder een zeker medelijden met hem hebben.

Maar het meest schokkend zijn de antwoorden die op tafel komen, als ik ze vraag om te vertellen hoe zij denken dat hun moeder haar man en hun vader ziet. Dan blijkt namelijk dat de meesten over hun vader denken op dezelfde manier waarop (ze veronderstellen dat) hun moeder dat doet. Hoe problematisch dat kan zijn voor de psychische ontwikkeling van de zoon en voor de vader-zoonrelatie heeft de Zwitserse psycholoog Carl Gustav Jung ooit uitgelegd. Als de zoon, aldus Jung, zijn vader primair met de ogen van zijn moeder ziet, dan kan het haast niet anders dan dat hij een ambivalente houding ten opzichte van zijn vader en ten opzichte van zijn eigen mannelijkheid ontwikkelt. Veel vrouwen en moeders hebben immers de opvatting dat emotionaliteit, liefde, tederheid en zorgzaamheid gebieden zijn die moeders met dochters of moeders met gevoelige zonen delen, terwijl de vader alles belichaamt wat zakelijk, ongevoelig, rationeel, technisch en emotioneel-naïef is.

Als bovendien datgene wat de vader in het leven doet, zijn werk, voor de zoon niet of nauwelijks zichtbaar is – de vader doet dat vaak ver van huis en de inhoud van zijn werk is voor een jong kind meestal niet begrijpelijk – is het resultaat dat de zoon de eerste vijftien of meer jaren van zijn leven op grote afstand van zijn vader leeft. Dit gebrek aan contact en aandacht van de vader (volgens een recent Amerikaans onderzoek hebben vaders gemiddeld acht minuten per week beschikbaar voor een gewoon gesprek met hun kinderen) maakt het de zoon moeilijk om zich met zijn vader te identificeren. Voor voorbeelden of idolen moet hij dus elders zijn, zoals de film of (M)TV, maar daar wordt hij met minstens zo'n verwarrend en vaak zelfs met een denigrerend beeld van de man en van mannelijkheid bestookt. In vrijwel alle comedy-series wordt de vader voortdurend neergezet als een naïeve, lachwekkende, niet serieus te nemen, hoewel in zijn onhandigheid af en toe wel vertederende, malloot. De moeder heeft meestal de rol van degene die er het verstand en het gevoel nog tenminste een beetje bij houdt, die waarschuwt voor wat er nu weer mis kan gaan als hij niet tijdig oplet en die, waar nodig, de reddende engel speelt. Volgens mij kan het niet anders dan dat de scenarioschrijvers van comedy's allemaal volgelingen zijn van Valerie Solanas, de schrijfster van het invloedrijke SCUM-manifest uit 1968, waarin werd opgeroepen om een einde te maken aan het verschijnsel man. Solanas, die haar oproep zelf in praktijk probeerde te brengen door drie pistoolschoten te lossen op Andy Warhol, legt daarin onder meer het volgende uit: 'De man is een biologisch ongeval: het Y (mannelijk) gen is een incompleet X (vrouwelijk) gen, wat betekent dat hij een onvolledig stel chromosomen heeft. Met andere woorden, de man is een onvolmaakte vrouw. Mannelijk zijn wil zeggen gebrekkig zijn, emotioneel beperkt zijn: mannelijkheid is een aangeboren afwijking en mannetjes zijn ontdaan van gevoel. Hun intelligentie is een vulgair instrument dat uitsluitend in dienst staat van het bevredigen van hun eigen lusten en behoeften. Hun geest is niet in staat tot liefde en evenmin tot zorgzaamheid. De man behoort tot een duister gebied in de evolutie, een halfproduct van mens en dier.'

Maar ook de andere mannelijke modellen die de media te bieden hebben, zijn verwarrend. Een veel gehoorde oproep is dat mannen veel meer de vrouwelijke kant in zichzelf moeten ontwikkelen. Dat ze moeten leren over eigen gevoelens en over die van anderen te communiceren, en de tedere en zorgzame kanten bij zichzelf moeten ontwikkelen. Onmiskenbaar is dat belangrijk, maar toch heeft zo'n model de paradoxale boodschap in zich dat een man een betere man is naarmate hij meer 'vrouwelijke' en minder 'mannelijke' kanten heeft. Bovendien blijkt het volgen van die weg bepaald geen garantie te zijn op meer geluk of stabiliteit in relaties. Veel mannen die geleerd hebben om zich emotioneel meer voor hun partner open te stellen en mee te voelen, hebben ook gemerkt dat dat vaak niet voldoende is om hun partnerrelatie door moeilijke tijden te laveren. Iedere relatie heeft op bepaalde momenten strijd, botsingen, dingen uitvechten en het wederzijds stellen van grenzen nodig. Het contact hebben met en het kunnen hanteren van de eigen natuurlijke agressie is een 'mannelijke' kant, die veel mannen juist door de afwezigheid van contact met een mannelijk voorbeeld, niet hebben ontwikkeld. Ze zijn er bang voor of hebben er zelfs een afkeer van. Voor een deel komt dat omdat ze het op één lijn stellen met het macho-rambomodel dat uiteindelijk alleen maar tot zinloos geweld leidt. Voor een ander deel omdat ze het op één hoop gooien met de al even verguisde autoritaire vader. Inderdaad zijn nogal wat mannen tussen de dertig en vijftig opgegroeid onder autoritaire vaders, die een soort van onderdrukkingsregime uitoefenen, jaloers waren op hun zonen en hun creativiteit en streven naar zelfontplooiing probeerden te verstikken.

Kortom: het grote drama van de 'vaderloze' mannen van deze tijd is dat ze andere mannen in wezen wantrouwen, er emotioneel afstand tot bewaren en daarmee, omdat ze zelf ook man zijn, ook emotioneel op afstand zijn komen te staan van zichzelf en van traditionele mannenrollen zoals de vaderrol. Ik vrees dat een van de redenen dat zoveel mannen tegenwoordig zelf geen vader meer willen zijn (tot verdriet van veel vrouwen), of althans liever niet van een zoon, te vinden is in het feit is dat zij zelf veelal in een vaderloze samenleving geboren zijn.

Om nog even terug te komen op wat ik eerder de merkwaardige opvatting genoemd heb dat een man een betere man is naarmate hij meer 'vrouwelijke' en minder 'mannelijke' kanten heeft. Ik geloof dat een man een betere man is, psychologisch gezien, naarmate dat hij beter in staat is tedere relaties met andere mannen te onderhouden, om te beginnen met zijn zoon of zonen als hij die heeft. Maar daarvoor moet hij doorgaans eerst diep afdalen in zijn eigen psyche.

6 Vaders en zonen

De Amerikaanse schrijver Mark Twain (1835-1910) merkte ooit op dat op de leeftijd van twaalf jaar een jongen een man begint na te doen, en dat hij daar de rest van zijn leven mee doorgaat. 'Ik vermoed,' aldus de Amerikaanse psycholoog Samuel Osherson in een gesprek dat we ooit hadden naar aanleiding van zijn boek *Finding our Fathers* [1], 'dat er in het leven van de meeste mannen een moment komt dat ze tegen de vraag aanlopen hoezeer ze nog altijd aan het "nadoen" zijn, in plaats van te leven vanuit een eigen, sterke innerlijke overtuiging omtrent hun "man-zijn".'

Voor zijn boek interviewde Osherson een groot aantal vaders en zonen, onder andere om na te gaan hoe het leven van mannen is beïnvloed, of nog altijd wordt, door de relatie met hun vader. Uit de interviews komt het beeld naar voren dat veel vaders, nu meestal zo tussen 60 en 70 jaar oud, niet erg gelukkige mensen zijn of waren.

Vaak bleken ze innerlijk boos en gedeprimeerd, koesterden gevoelens van woede en frustratie jegens de traditionele 'deal' die ze met hun echtgenotes en de maatschappij gesloten hadden: verbannen uit de intimiteit van het gezin naar de openbaarheid van de samenleving, naar de wereld van werk en prestatie.

Eenmaal deze 'deal' gesloten, iets dat zeker tot voor zo'n twintig jaar geleden haast natuurlijk was en waaraan ook weinig of niets te veranderen leek, voelden veel vaders, zo vertelden ze Osherson, zich volkomen in de val zitten. Zoals de vader van een chirurg, zelf chirurg, met een duidelijke ondertoon van bitterheid zei: 'Een man die zijn verantwoordelijkheid kent, die gaat naar zijn werk... Hij werkt en werkt en werkt, zodat zijn kinderen

---

1. Osherson, S., *Finding our Fathers: How a Man's Life Is Shaped by His Relationship with His Father* (McGraw-Hill Companies).

een fatsoenlijke opleiding kunnen volgen en er in het gezin een beetje luxe is. Als hij iemand is die voelt dat de grote liefde die hij koesterde voor zijn vrouw toen hij haar trouwde moet blijven voortbestaan, dan moet hij daar tijd en energie in blijven investeren. Maar als je werk zoveel van je tijd en energie vergt, dan is het op een gegeven moment óf het een óf het ander. In mijn geval heb ik nooit geweten dat ik een keuze had. Ik ben opgevoed om me verantwoordelijk te voelen, om te werken, mijn gezin te onderhouden.'

Zijn boosheid en zijn gevoel van verlies, verlies van iets dat nooit meer teruggewonnen kan worden, barstte als het ware zijn ziel uit toen hij eraan toevoegde: 'Ik keek naar mijn kinderen, niet zozeer als wezens om van te houden, te koesteren, intiem mee te zijn. Ik keek naar ze als wezens waarvoor je verantwoordelijk bent, dat ze niet ziek worden, dat ze naar de goede school gaan, dat ze hun opleiding afmaken, dat ze flinke mensen worden en in de maatschappij hun partijtje mee kunnen blazen. Mijn kinderen vertellen me nu dat er altijd een onoverbrugbare muur was. Ik ervoer hen eerst en vooral als een verantwoordelijkheid.'

Veel jongere vaders proberen tegenwoordig meer tijd thuis door te brengen en reageren daarmee op het gevoel dat ze met hun eigen vaders een waardevolle ervaring van intimiteit en koestering hebben gemist. Maar hoe zit het met de gevoelens van boosheid en somberheid die veel van hun vaders voelden? Gevoelens die als voorbeeld en beeld ook in de psyche van hun zonen opgeslagen liggen en die hun beeld van henzelf als man en vader sterk beïnvloeden? Veel tegenwoordige vaders zitten klem in het innerlijke conflict tussen aan de ene kant het verlangen naar meer emotionele intimiteit in hun gezin, met hun eigen kinderen, en aan de andere kant hun innerlijke vaderbeeld. De angst uiteindelijk net zo'n vader te worden voor hun kinderen als hun vader voor zijn kinderen was, vormt voor veel van hen een emotionele drempel en maakt het voor hen niet zelden moeilijk of beangstigend zich zo toegankelijk, zo transparant te maken voor hun gezinsleden als ze zich 'deep down' eigenlijk wensen.

Nogal wat van de mannen die Osherson interviewde zeiden dat ze bij gebrek aan een goed vadervoorbeeld en daarmee aan een goed emotioneel gedragsrepertoire, zelf met vallen en opstaan hun weg moeten zoeken met hun kinderen. Toch zien ze daarmee een belangrijk punt over het hoofd: het gebrek aan een goed emotioneel gedragsrepertoire bij henzelf betekent ook dat ze zelf nog altijd hun 'zaken' met hun eigen vader niet kunnen uitwerken, laat staan oplossen. En daarom nog altijd met een problematisch beeld rondlopen van wat er aan emotionele intimiteit en helderheid tussen mannen, dus ook tussen hen en hun eigen zonen, mogelijk is. Er zijn heel wat jonge vaders die emotioneel uitstekend met hun dochter(s) overweg kunnen, maar met hun zoon(s) in dat opzicht een veel grotere afstandelijkheid vertonen. Het is verontrustend om te zien hoe vaders ten opzichte van hun zoons, vroeger maar ook nu nog, veel gemakkelijker gevoelens van boosheid of zelfs vijandigheid vertonen dan van zorg en genegenheid. Mogelijk speelt een rol dat er tussen vaders en zonen altijd sprake is van een ambivalente (liefdes)relatie. Het is de duistere zijde van de hoge waarde die eeuwenlang aan jongens is gehecht en in veel culturen nog altijd wordt. Omdat zoveel van de mannelijke identiteit op presteren berust, zijn zonen ervoor bestemd om op een dag hun vaders te overtreffen. Op die manier worden zonen ambivalente liefdesobjecten, zowel geliefd als gevreesd door hun vaders. Daar komt bij dat een zoon de sterfelijkheid van de vader op een, voor de laatste, zeer ongemakkelijke manier kan symboliseren. Als de zoon opgroeit tot man, confronteert hij daarmee de vader in toenemende mate met diens ouder worden. Door het feit dat hij op een dag sterker, aantrekkelijker, mannelijker op de bekende traditionele kenmerken zal zijn dan zijn vader en dus zijn vader als zwakker zal gaan zien roept hij bij zijn vader zowel gevoelens van vrees als van frustratie of boosheid op.

En dan is er nog die andere vrees, de vrees die van alle mogelijke het moeilijkst bespreekbaar is tussen vader en zonen, namelijk de vrees voor homoseksualiteit. Wat vaders er van weerhoudt om hun volwassen zonen ooit aan te raken, te omhelzen, te kussen, is dat ze dat niet gewend zijn, omdat ze zo nooit met elkaar omgingen. Maar bijna altijd blijkt dat op de achtergrond de angst voor gedachten bij de ander aan homoseksuele neigingen een belangrijke rol speelt. Bij sommige mannen is die angst zelfs zo sterk dat lichamelijke aanraking van andere mannen, dus ook hun eigen zoon, werkelijk weerzin oproept.

Ook Osherson vond in zijn interviews dat het heel erg moeilijk is om (oudere) mannen hierover aan het spreken te krijgen. Hoewel ze het achteraf meestal als goed, opluchtend zelfs, ervaren om erover gesproken te hebben. Het interview dat op het punt van hoe vaders en zonen uit deze wederzijdse emotionele impasse kunnen komen, bij mij de diepste indruk heeft nagelaten, was dat waarbij zowel vader als zoon aanwezig waren en de zoon op een gegeven moment tegen zijn vader zei: 'Ik heb je altijd zowel als heel sterk als heel zwak gezien. Als iemand voor wie ik bang was dat hij mij heel erg pijn kon doen en als iemand van wie ik bang was dat ik hem pijn kon doen, hem diep kon kwetsen. Ik was er absoluut zeker van dat als ik je zou vertellen in welke opzichten ik je als zwak, als kwetsbaar en als angstig ervaar, doodsbang voor iedere zweem van homoseksualiteit, je ontzettend boos zou worden en je van me zou afkeren. Ik was er zeker van dat het enige beeld dat jij mij van jou zou toestaan dat is van de sterke man, van de vader die zijn verantwoordelijkheid kent. Dat je je nooit zou laten kennen, zoals goede vrienden bijvoorbeeld doen.'

Waarop de vader met evenveel onderdrukte ontroering antwoordde: 'Ik heb me nooit een moment gerealiseerd dat ik, toen jij opgroeide, zowel je vriend als je vader zou kunnen zijn.'

7 Verloren zonen

'De kracht van de vader-zoonrelatie kun je daarom eigenlijk alleen maar aflezen aan de twee dingen. De moeite die beide mannen zich geven om elkaar geen dingen te zeggen die in wezen bedoeld zijn om de ander te kleineren, te overheersen of in het ongelijk te stellen. En de moeite die beide mannen nemen om elkaar eerst te begrijpen alvorens begrip van elkaar te vragen.'

Vaders die zich niet realiseren dat zij ooit de vriend van hun zoon zouden kunnen worden en dat ze daar al vroeg de basis voor moeten leggen. En zoons die zich niet realiseren hoe cruciaal vriendschap met hun vader is voor hun zelfbeeld en hun eigen vaderschap en die bovendien niet weten hoe daarvoor de basis te leggen.

In een van zijn interviews vroeg Sam Osherson aan David, een 34-jarige politieagent en vader van een jochie van zes, wat hij graag wilde doen met, of zeggen tegen, zijn vader als hij zou kunnen. David dacht een ogenblik na en zei toen: 'Ik zou gewoon tegen hem willen kunnen zeggen, op een rustige en ontspannen manier: "Ik hou van je." Ik kan dat tegen anderen wel zeggen. Maar het is iets dat bij hem heel moeilijk over mijn lippen komt. Ik zou in staat willen zijn zoiets wezenlijk eenvoudigs tegen hem te zeggen.'

Het verlangen naar een emotioneel intiemere, liefdevollere relatie met zijn vader, zoals hij dat verwoordt, blijkt bij veel andere dertigers en veertigers ook te leven. Maar bij de meesten van hen is, net als bij David, de aarzeling om hun emotionele kaarten bij hun vader open op tafel te leggen groot.

Achter die aarzeling gaat vaak angst schuil. Op de eerste plaats angst om iets te doen of iets te zeggen, dat sterk afwijkt van hoe het er normaliter tussen hen en hun vader toegaat. Het is voor zonen bepaald niet gewoon om naar hun vader te stappen en te zeggen: 'Ik zou graag vrienden met je willen zijn' of 'Ik zou graag beter contact met je willen hebben'. En toch is er bijna geen uitspraak tussen ouder en kind die zoveel, in emotioneel opzicht, kan betekenen dan deze.

Veel zonen hebben ook de angst dat als ze zich kwetsbaar opstellen door hun wens naar meer intimiteit uit te spreken, hun vader met dat verzoek absoluut geen raad weet, het mogelijk maar flauwekul vindt of het zelfs ronduit afwijst: 'Wat heb jij nou opeens? Zeker een van die maffe psychologieboekjes gelezen.'

Sommige zonen willen ook beslist niet zelf het initiatief nemen tot het verbeteren van de relatie met hun vader. Voor hun gevoel staat dat gelijk met het hoofd voor hem buigen en toegeven dat hij uiteindelijk toch gelijk heeft gehad met alles wat hij over hen dacht en zei. Zoals een van de door Osherson geïnterviewde zoons het uitdrukte: 'Als hij uit zichzelf komt, nou dat wil ik ook wel, maar ik verdom het om voor hem op de knieën te gaan.'

De emotionele prijs voor die koppigheid is voor beide partijen vaak hoog. Want hoe je het ook wendt of keert, het mis- of verloren gaan van de relatie tussen vader en zoon laat vrijwel altijd diepe emotionele wonden achter, die tot in lengte van jaren zowel vader als zoon blijven kwellen. Ook al nemen ze naar buiten toe vaak de stoere houding aan van 'Wij hebben elkaar absoluut niks meer te zeggen'.

Een 62-jarige bedrijfsleider beweerde aanvankelijk dat hij aan Oshersons vader-zoononderzoek niks bij te dragen had. 'Want,' zei hij, 'onze situatie is uniek. Twintig jaar geleden is mijn zoon het huis uitgegaan en hij is nooit meer terug geweest. We hebben geen relatie meer.' Maar bij de vraag wat het voor hem zou betekenen wanneer zijn zoon ook niet zou komen opdagen als hijzelf of zijn vrouw zou komen te overlijden, raakte hij emotioneel duidelijk van slag. Uit het vervolg van het gesprek bleek dat zijn verlangen naar contact met zijn zoon allesbehalve dood was. Toch kon hij zich er niet toe zetten om zelf contact te zoeken: 'Hij is weggegaan, dus hij moet maar terugkomen. Waarom zou ík de minste moeten zijn?'

Het verhaal van wegblijvende zonen is vaak het spiegelbeeld van dat van 'afstandhoudende' vaders. Nogal wat zonen voelen zich zo weinig geliefd en gewaardeerd door hun vader dat ze niet geloven dat er meer dan een oppervlakkige, beleefde relatie in zit. 'Ik weet zeker dat hij nooit tevreden over mij is geweest,' vertelde de zoon van de bedrijfsleider toen hij geïnterviewd werd. 'Maar eigenlijk is tevreden niet het goede woord. Als iemand niet tevreden over je is, is dat, nou ja, niet leuk, maar dat kan ik wel hanteren. Het is meer dat hij mij gewoon als persoon afwijst, niet moet. Hij kan geen enkele waardering en dus geen enkele interesse opbrengen voor waar ik voor sta. Dus wat moet ik met hem? Tussen hem en mij loopt uitsluitend de draad van vroeger beleefde teleurstellingen.'

Inderdaad blijken vaders zich vaak zo teleurgesteld te voelen over de weg die hun zonen hebben ingeslagen, dat ze deze vrijwel constant ervaren als bewijs dat ze zelf als vader gefaald hebben. 'Hier is een man die alle mogelijkheden in zich heeft, die alle kansen heeft,' zei een 60-jarige vader over zijn 35-jarige zoon, 'maar hij weet er gewoon geen gebruik van te maken. Ik zeg altijd dat hij een 8-cilinder is die maar op twee cilinders loopt. Het kan haast niet anders dan dat wij ergens iets toch verkeerd hebben gedaan.'

In relaties als deze is er weinig hoop op werkelijke toenadering tussen vader en zoon. En als dat er al van komt, dan is het vaak onder omstandigheden die voor elk van beiden nauwelijks echt bevredigend zijn – bijvoorbeeld als na jaren van afstand of vijandigheid het ziekte of dood moet zijn die voor enkele dagen, weken of maanden vader en zoon in elkaars buurt brengt.

Wat maakt dat bepaalde zonen hun vaders op volwassen leeftijd (weer) vinden en anderen hun volwassen leven lang 'vaderloos' blijven?

Het onderzoek levert wat aanwijzingen voor waar we het antwoord op die vraag moeten zoeken. Op de eerste plaats, vader en zoon lijken er gemakkelijker in te slagen om als volwassenen een goede relatie met elkaar op te bouwen, als de vader actief betrokken is geweest bij de opvoeding van zijn zoon en dingen samen met hem deed. Zoons die zich uit hun kindertijd een betrokken en liefhebbende vader herinneren – weer dat belang van herinnering – zijn als volwassenen eerder bereid om een moeilijke of gespannen relatie te verbeteren dan zoons die zich alleen een vader herinneren die er nooit was, of nog erger, die lichamelijk of emotioneel wreed tegen hen optrad. In die gevallen waarin vader en zoon elkaar na jaren van verwijdering en verwaarlozing uiteindelijk toch in de armen sluiten, is er vrijwel altijd een kindertijd geweest waarin de relatie over het algemeen goed was.

Op de tweede plaats, de kansen op een hechte vader-zoonrelatie zijn groter als ze ofwel een verwant beroep ofwel andere gemeenschappelijke interesses hebben die buiten de directe gezinssfeer liggen. Opmerkelijk, hoewel niet verrassend, is dat de kans op gemeenschappelijke interesses groter is bij vaders die veel met hun zoons op jonge leeftijd gedaan hebben.

Op de derde plaats, in tegenstelling tot wat er nogal eens wordt beweerd, is er geen enkel bewijs dat de hechtheid van de relatie iets te maken heeft met de geografische afstand tussen de woonplaats van de zoon en van de vader (hetzelfde geldt ook voor moeder en dochter). Nabijheid tussen ouders en volwassen kinderen is een tweesnijdend zwaard, dat de ene keer de intimiteit ten goede kan komen maar de andere keer ook de spanningen kan verhogen.

Ten slotte, een goede vader-zoonrelatie vergt van beide mannen een hoge mate van tact en invoelingsvermogen. De belangrijkste opgave voor vaders is tot het inzicht komen dat hun zoons niet alleen het recht hebben om hun eigen leven op hun eigen manier te leiden. Maar dat ze ook recht hebben op een vader die wil begrijpen waarom ze nu net die keuzes maken, voor beroep, partner, levenshoudingen, die ze maken. Zonen hebben bovendien het recht op vaders die geen oordeel uitspreken als daar niet uitdrukkelijk om gevraagd wordt. En die, als ze een oordeel uitspreken dat altijd uitspreken als hún oordeel, nooit als hét oordeel.

Dat is wijsheid en wijsheid is wat zonen van vaders mogen eisen. De wijsheid die vaders nodig hebben is die welke de Franse schrijfster Marguerite Yourcenar de Romeinse keizer Hadrianus in de mond legde in haar *Herinneringen van Hadrianus*. 'Er is meer dan één wijsheid, en voor de wereld zijn ze allemaal nodig. Het is wel goed dat ze elkaar afwisselen.'

De belangrijkste opgave voor zonen is om de manier van leven en denken van hun vaders te begrijpen. Begrijpen is heel iets anders dan weten. Als zoon weet je na zoveel jaren maar al te goed hoe je vader op bepaalde zaken en gedragingen reageert. Dat ervaar je juist vaak als het probleem. Maar dat is niet het probleem. Het probleem is dat heel veel zonen de houdingen en reacties van hun vaders niet begrijpen. Ze weten vaak zo weinig van de geschiedenis en de ontwikkeling van hun vaders als kind en jongere, en daarmee van de achtergronden en oorzaken van hun vaders gedrag, dat ze er letterlijk en figuurlijk geen begrip voor kunnen opbrengen.

De kracht van de vader-zoonrelatie kun je daarom eigenlijk alleen maar aflezen aan de twee dingen. De moeite die beide mannen zich geven om elkaar geen dingen te zeggen die in wezen bedoeld zijn om de ander te kleineren, te overheersen of in het ongelijk te stellen. En de moeite die beide mannen nemen om elkaar eerst te begrijpen alvorens begrip van elkaar te vragen.

De geschiedenis van een mens is in belangrijke mate de geschiedenis van het geslacht waaruit hij of zij is voortgekomen. Het gezin is van alle instellingen die we kennen de oudste en meest belangrijke voor ons leven en overleven, omdat het gezin de eerste groep in ons leven is, het eerste netwerk van relaties waarin we ons hebben moeten invoegen en hechten. Het gezin geeft ons niet alleen onze erfelijke blauwdruk mee, maar ook allerlei andere belangrijke patronen zoals de taal die we spreken, de wijze waarop we uiting geven (of niet!) aan onze gevoelens en gedachten, onze manieren en voorkeuren, houdingen, overtuigingen en gedragsgewoonten. Omdat de hoofdfiguren in onze gezinsgeschiedenis doorgaans onze ouders zijn, zit er nauwelijks overdrijving in de uitspraak: 'Hoe beter we onze ouders begrijpen, hoe beter ook onszelf.'

8 De geschiedenis van je ouders, de geschiedenis van jezelf

Mensen, schrijft Valentine Winsey in haar boek *Yourself as History*[1], zijn als ijsbergen. Meer dan 90 procent van hun leven, van hun ervaringen, herinneringen en gevoelens gaat verborgen onder het oppervlak van de zee van alledaagse beslommeringen. Alles wat we van hen lijken te weten is wat we zien en horen in onze dagelijkse omgang. Neem onze ouders. Meestal zien we hen als degenen die ons opgevoed en verzorgd hebben, die zich overal mee bemoei(d)en, als degenen die de beslissingen voor ons namen en vaak nog altijd willen nemen. Soms zien we ze nog als voorbeelden, maar vaker als de oppas voor onze kinderen, als het onvermijdelijke behang bij verjaardagen en familiebijeenkomsten, als mensen met wie we vooral over koetjes en kalfjes praten. Vanwege die typische ouder-kindrelatie hebben we met hen meestal niet de intieme uitwisselingen die we met mensen van onze eigen leeftijd hebben. Daardoor vergeten we nogal eens dat onze moeders en vaders niet alleen maar 'familiefunctionarissen' zijn, mensen van wie we vanwege gezinsbanden gebruik of misbruik kunnen maken, maar ook personen met individuele eigenschappen en een geschiedenis die vaak net zo bijzonder en interessant is als die van onze beste vrienden. Met dit verschil dat de persoonlijke geschiedenis van onze ouders een belangrijke bepaler van onze eigen geschiedenis is.

Het gezegde 'Zeg me wie je vrienden zijn en ik zal zeggen wie je bent' is simpelweg minder waar dan 'Vertel me het verhaal van je ouders en ik zal je een verhaal over jezelf vertellen'. Dat dit laatste gezegde niet bestaat, kan geen toeval zijn. De reden is waarschijnlijk een merkwaardige eigenaardigheid die veel kinderen hebben, niet alleen als jongere maar ook als volwassene, name-

---

1. Winsey, V.R., *Yourself as History*, New York, 1992 (Pace University Press).

lijk: ze willen liever niet op hun eigen ouders lijken. Sterker nog, veel kinderen schamen zich zelfs min of meer voor hun ouders. Het is niet voor niets dat, althans in onze cultuur, tegen iemand zeggen 'Je bent net je moeder' (vader mag ook) gelijk staat aan haar of hem bekritiseren.

Dit soort reacties zijn aan de ene kant te begrijpen als uitingen van onze behoefte om ons los te maken van onze ouders en hun generatie en onze eigen individualiteit te bevestigen. Maar aan de andere kant weerspiegelen ze ook een betreurenswaardige afstand, vervreemding zelfs, tussen generaties. Het is volstrekt een illusie, ook al koesteren we die graag, dat we ons leven zelf wel bepalen. Zowel lichamelijk als psychisch maar ook sociaal wortelen ons leven en onze persoonlijkheid in die van voorafgaande generaties. Wie zichzelf goed wil leren kennen en respecteren, zal die wortels moeten leren kennen en leren respecteren. Anders gezegd, onze zelfkennis hangt voor een belangrijk deel af van hoe goed we met onze voorafgaande generatie, onze ouders dus, kennis hebben gemaakt.

Ik hoor nogal eens van mensen wier ouders overleden zijn dat ze het jammer vinden zo weinig van hen te weten. Zoals iemand ooit tegen mij zei: 'Ik heb er eigenlijk nooit echt bij stilgestaan wat voor vragen ik mijn vader zou willen stellen of hoe ze te stellen.' Dezelfde persoon had kort na de begrafenis van zijn vader voor het eerst via een oom gehoord dat zijn moeder, die twintig jaar eerder was overleden, een aantal jaren in een psychiatrische inrichting had gezeten. Daar was ze ook gestorven. Die onthulling en de daarop volgende naspeuringen door hemzelf hadden hem drie inzichten opgeleverd.

Het eerste was dat er een heel groot en tragisch stuk familiegeschiedenis was waar hij niets van had geweten maar waarvan hij nu begon te begrijpen hoezeer dat de sfeer van zijn opvoeding had beïnvloed. Het tweede was dat de geslotenheid van zijn vader, die hij hem op den duur was gaan verwijten en waardoor steeds meer afstand tussen hen beiden was gekomen, waarschijnlijk voor een belangrijk stuk zelfbescherming was geweest. Onder andere tegen intense gevoelens van zelfverwijt en schuld over hoe het met zijn vrouw was gelopen en over zijn mogelijke rol daarin. Het derde was dat de depressies waar hij (de man in kwestie) nu als volwassene aan leed, waarschijnlijk voor een deel hun wortels hadden in een erfelijk bepaalde kwetsbaarheid van moeders zijde. Op grond van dat laatste inzicht was hij opeens bereid een bepaalde behandeling die hij tot dan toe had geweigerd, namelijk met antidepressiva, nu wel te proberen.

Het voorbeeld laat zien hoe belangrijk het kan zijn om nog tijdens hun leven met je ouders in gesprek te gaan over hun geschiedenis. Behalve dat het je voor jezelf belangrijke, en soms zelfs essentiële informatie kan opleveren, heeft het niet zelden ook twee andere belangrijke gevolgen. Je ouders zullen die belangstelling voor hen van jouw kant persoonlijk meestal waarderen. Jij zult, omdat je je ouders beter leert kennen, hen vaak meer gaan waarderen. En een goede relatie met je ouders is een belangrijke pijler voor je eigen geestelijke gezondheid.

De moraal: Vraag je ouders om een interview. Leg uit waarvoor je dat wilt. Benadruk de vertrouwelijkheid van de gesprekken. Vraag toestemming om aantekeningen te maken, eventueel op band op te nemen. En maak hun duidelijk dat ze natuurlijk de vrijheid hebben – weer die belangrijke waarde voor relaties – om ergens wel of niet antwoord op te geven.

9 In gesprek met je ouders

'Toen ik mijn vader belde om hem te vragen of hij zich door mij over zijn leven wilde laten interviewen, was ik behoorlijk zenuwachtig. Ik had eigenlijk gedacht dat hij het maar een vreemd verzoek zou vinden en dat hij er niet aan zou willen. Maar tot mijn verbazing reageerde hij heel positief. Het was alsof hij erop had zitten wachten tot iemand hem eindelijk eens zou vragen zijn verhaal te vertellen.'

Veel volwassen kinderen worden min of meer angstig als ik ze aanspoor om eens echt persoonlijk met hun ouders te gaan kennismaken. Als ik patiënten of studenten adviseer om hun ouders te gaan interviewen over hun leven, zijn de eerste reacties vaak: 'Ja zeg, moet dat nou! Ik weet niet of ik dat nou wel wil. Ik vraag me trouwens ook af of mijn ouders daar wel zo'n behoefte aan hebben. Volgens mij komt er ook niet veel uit. Ik denk dat ik die mensen daar alleen maar verdrietig mee maak, als ik al die dingen met ze ga zitten oprakelen.'
Dergelijke aarzelingen blijken bij nader inzien meestal weinig anders dan het zoveelste bewijs van een weinig persoonlijke, weinig emotioneel-intieme relatie tussen de betrokkene en zijn of haar ouders. Als ik vraag waarom ze tot nu toe niet of nauwelijks met hun ouders over hun leven hebben gesproken, dan is het antwoord vaak iets onduidelijks in de zin van: 'Ja, zo is onze verhouding niet. Wij praten niet gemakkelijk over dat soort dingen. Mijn vader praat eigenlijk nooit over zijn verleden, laat staan zijn gevoelens.' Als ik dan blijf aandringen en vraag: 'Waarom doet hij dat niet, weet je dat? Weet je bijvoorbeeld hoe het tussen hem en zijn vader was? Weet je hoe hij het als kind heeft ervaren dat er tussen hen nooit persoonlijk werd gepraat?' dan moeten ze het antwoord meestal schuldig blijven. Ik wijs er dan op dat het best mogelijk is dat hun vader weer met hen gedaan heeft wat

hun grootvader met hem deed. Bovendien zou het best eens kunnen zijn dat zij, als ze zelf vader of moeder zijn, weer hetzelfde met hun kinderen zullen doen. Dat laatste ontkennen ze natuurlijk heftig. Want zij zullen het zeker heel anders gaan doen. Als ik zulke reacties krijg, wijs ik erop dat hun eigen vader dat misschien ook ooit heeft gedacht, maar daar uiteindelijk blijkbaar toch niet voldoende in is geslaagd. 'Misschien is jouw vader er helemaal niet zo gelukkig mee dat er tussen jullie nooit een echt persoonlijk gesprek op gang is gekomen, wie weet? Hoe dan ook, er is maar één manier om daarachter te komen. Bovendien, als je het zelf anders wilt doen, waarom zou je dan wachten tot je zelf kinderen hebt als je nu al de kans hebt om het anders aan te pakken?' Gaandeweg ons 'gestoei' over de opdracht zijn ze vaak wel zo reëel om toe te geven dat ze er ook nog nooit aan gedacht hebben om het initiatief tot zo'n gesprek met hun vader of moeder te nemen. Ze hebben dus in feite ook geen idee hoe de reactie op zo'n verzoek zal zijn.

Wat voor vragen te stellen?

Op de eerste plaats kun je 'gewone' informatie inwinnen: waar is je vader/moeder geboren, wanneer, onder welke omstandigheden (was hun vader bijvoorbeeld in de buurt of was die weg), was het een moeilijke bevalling, waren er complicaties? Vraag naar het huis waar hij/zij woonde. De buurt. De stad. Vraag of het gezin vaak verhuisd is (voor en na geboorte van je vader/moeder), wat de reden daarvan was.

Vraag hem of haar hoeveel broers en zussen er in het gezin waren. Veel mensen denken dat ze dit soort zaken wel van hun ouders weten, totdat ze te horen krijgen dat er geen vier maar vijf kinderen in het gezin waren, dat een al op jonge leeftijd is overleden maar dat over die tragedie altijd het stilzwijgen in het gezin en naar buiten toe is bewaard.

Vraag wat voor bij- of scheldnamen de kinderen in het gezin hadden (en eventueel waarom). Vraag met welke broer of zus je vader/moeder het 'dikst' was. Waarom? Met wie speelde hij/zij in het gezin het vaakst, en met wie buiten het gezin? Vraag naar verjaardagen van de gezinsleden. Vraag naar favoriete spelletjes als kind, naar lievelingsverhalen, sprookjes, boeken. Vraag naar gezinsactiviteiten die hij/zij als kind fijn vond en laat ze gedetailleerd beschrijven.

Ga vervolgens over naar vragen over school. Hoeveel jaar naar school en naar welke scholen? Waren de verwachtingen in het gezin op dit punt ten opzichte van jongens en meisjes duidelijk verschillend? Vraag hoe dit door hem maar vooral haar ervaren is. Vraag naar bijzondere talenten of vaardigheden dan wel handicaps die hij/zij als kind had en hoe die van invloed zijn geweest. Vraag ook naar training of opleiding buiten school om (muziek, kunst, zondagsschool).

Vraag vervolgens naar werk/loopbaan. Wat waren de verwachtingen in het gezin ten aanzien van jongens en meisjes? Hoe kwam de keuze voor een bepaald beroep/werk tot stand? Wat was zijn/haar eerste baan, hoe was het daar? Wat waren volgende banen, wat voor problemen waren daar en met wie? Als hij/zij een baan opgaf, waarom dan? Heeft hij/zij uiteindelijk het gevoel gehad werk te hebben dat gewenst was? Wat voor teleurstellingen werden in de loopbaan opgelopen en hoe speelt dat nog door?

Vraag vervolgens naar vrijtijds- en familieactiviteiten. Wat waren vroeger bijzondere gezins-/familieactiviteiten (verjaardagen, hoogtijdagen, godsdienstige activiteiten)? Ging men als gezin op vakantie? Hoezeer bepaalde godsdienst/religie het gezinsleven en waarover werd in dat opzicht gepraat, kon gepraat worden? Had hij/zij vroeger bepaalde hobby's? Wat deed hij/zij liefst in termen van uitgaan/amusement? Kreeg hij/zij de kans te reizen en waarnaar toe?

Vraag vervolgens naar (partner)relaties en huwelijk. Hoe hebben je vader/je moeder elkaar ontmoet? Hoe was de verkeringstijd? Wat deed hen besluiten met elkaar te trouwen en hoe oud waren ze toen? (Ik hoorde onlangs van iemand dat hij bij het stellen van deze vraag de verbazende ontdekking deed dat zijn ouders pas 10 jaar geleden (stiekem) voor de wet getrouwd waren, kort voor zijn oudste zus in het huwelijk trad. Daarvoor hadden ze zonder boterbriefje geleefd, omdat zijn vader eerder getrouwd was geweest maar uit dat huwelijk was gestapt om met een werkneemster (moeder van mijn patiënt) te gaan samenleven. Zijn eerste vrouw had echter lange tijd niet in een scheiding willen toestemmen. Vraag ook of/hoe ze door de schoonfamilies werden geaccepteerd. Welke problemen zich op dat punt eventueel voordeden. En misschien nog wel voordoen.

Vraag ook of ze beiden kinderen wilden. Ook zoveel als ze er uiteindelijk kregen? Hadden ze meer/minder gewild? Hoe hebben ze het opvoeden van kinderen ervaren? Wat vonden ze het moeilijkste, het leukste? Hebben ze het gevoel bepaalde 'fouten' van hun eigen ouders met hun kinderen herhaald te hebben? Welke? Zijn ze nog bezorgd over hun kinderen? In welke opzichten? Hoe zouden ze de relatie met hun kinderen in de toekomst graag zien?

Vraag ze ook, als ze gescheiden zijn, of ze willen vertellen hoe dat naar hun mening gekomen is. Het kan goed zijn dat je ouders hier de nodige terughoudendheid hebben. Sommige redenen (bijvoorbeeld overspel) zullen ze mogelijk niet willen vertellen. Andere redenen – 'Ik vond je moeder (vader) gewoon niet meer aantrekkelijk' – zouden ze wel eens te pijnlijk voor jou kunnen vinden. Laat ze de keuze om zich wel of niet hier over te uiten, maar ga het niet bijvoorbaat uit de weg. Vraag ze regelmatig bij dit onderdeel of ze er (verder) over willen praten. Als het antwoord 'nee' is, ga dan niet op de 'waarom'-toer. Accepteer dat antwoord. Die houding vergroot de kans dat je ouder er een keer toch over zal praten, maar dan als hij/zij eraan toe is.

Vraag ook aan je vader naar ervaringen in militaire dienst als die er zijn geweest. Wanneer, hoelang, wat is blijven hangen, is hij in oorlogssituaties betrokken geweest? Heeft hij het idee dat militaire opleiding/ervaringen van invloed zijn geweest op de rest van zijn leven?
Vraag vervolgens naar betrokkenheid bij maatschappelijke, politieke en religieuze organisaties. Merkwaardig genoeg weten kinderen in dit opzicht vaak maar weinig van wat hun ouders deden en nog doen. Vraag of ze lid zijn van bepaalde organisaties. Waarom? Wat doen ze er? Hoe belangrijk is dat voor hen? Hebben ze bepaalde idealen/waarden die ze op deze manier proberen te verwezenlijken? Welke?

Vraag naar hoe ze hun vrije tijd het liefst doorbrengen. Welke muziek (zangers/bands/orkesten) ze nu het liefst horen. Waar hun kunstzinnige belangstelling naar uitgaat? Vraag ook welke mensen ze in de samenleving/politiek/godsdienst het meest bewonderen. Waarom? Zijn er politieke of maatschappelijke gebeurtenissen in hun leven geweest die op hen grote invloed hebben gehad/indruk hebben gemaakt?

Vraag ook naar hun gezondheid. Hebben ze in hun jeugd aan bepaalde ziektes geleden? Welke? Hoe heeft dat hun leven beïnvloed? Wat is de voornaamste doodsoorzaak in de familie over de afgelopen twee tot drie generaties geweest? Houdt hen dat bezig? Zijn er gezondheidsklachten/problemen waar hij/zij zich zorgen over maakt? Heeft hij/zij periodes van neerslachtigheid, angst of andere psychische klachten? Wat voor invloed heeft dat op zijn/haar leven. Zijn zulke klachten ook bij andere familieleden voorgekomen?

En vraag ten slotte naar bijzondere dingen/ervaringen zoals favoriete gezegdes/spreekwoorden in het gezin van herkomst. Naar favoriete verhalen of anekdotes. Naar familietradities. Vraag of er een 'zwart schaap' was in de familie. Of er een 'held' of 'heldin'

was. En vraag naar (familie)geheimen en tragedies en naar wat
voor invloed deze op het leven van je ouder(s) gehad hebben.
En vraag naar hun hoop en hun zorg voor de toekomst.

Als je in het gesprek met je ouders zover bent gekomen, vergeet
dan één ding niet, namelijk hen na afloop te bedanken voor hun
vertrouwen en voor de bijdrage die ze zo aan jouw inzicht in je
eigen leven en in jezelf hebben gegeven.

'Ik heb nooit begrepen,' schreef een student in zijn interviewverslag,
'waarom mijn vader ons nooit aanraakte en vaak zelfs heel vreemd
deed als wij dat wel bij hem deden. Maar toen hij vertelde hoe dat
was gekomen, kon ik het maar al te goed begrijpen. Hij was tijdens
de oorlog als 14-jarig jongetje betrapt bij een soort van homoseksu-
eel spelletje met een leeftijdgenootje. Ze werden alletwee naar het
politiebureau gesleept en binnen de kortste keren wist het halve
dorp wat er was gebeurd. Een tijdlang werd hen alles wat goor en
lelijk was naar het hoofd geslingerd. Sindsdien had hij nooit meer
een jongen, zelfs niet zijn eigen zoons, durven aanraken. Toen hij
dat vertelde, werd hij op een gegeven moment vreselijk emotioneel
en ik had ontzettend met hem te doen. Ik heb hem zelfs even aan-
geraakt hoewel ik het moeilijk vond, omdat hij er toch gespannen
van raakte.' De student voegde eraan toe dat het gesprek iets heel
belangrijks teweeg had gebracht tussen hem en zijn vader, al kon
hij niet precies zeggen wat dat dan was. Dat is de ervaring van de
meeste volwassen kinderen die de moeite doen en de tijd nemen
om zich door hun ouders te laten vertellen hoe het in hun leven is
gelopen.

Ten slotte nog dit. Ik ben soms bijna geneigd om iedere volwassene een interviewschema in handen te stoppen en te roepen:
'Ga naar huis!' Want in zekere zin is er niets zo verdrietig als je
ouders te begraven zonder te weten wie zij waren.

Het is een emotionele catastrofe als de mensen uit wie je bent
voortgekomen, altijd vreemden voor je zijn gebleven, dat wil

meestal zeggen voor een groot deel onbegrepen en daarom voor een groot deel niet vergeven.

10 Ouders en kinderen: waardevolle of waardeloze relatie?

Een school ergens in Rotterdam. Samen met een aantal collega's, die samen met mij de Taakgroep sociale infrastructuur van de gemeente Rotterdam vormen, praat ik al ruim twee uur met een groep vaders. Marokkaanse, Turkse en Nederlandse vaders. Ze hebben allemaal kinderen op de school. Na een moeizaam begin is het een levendig en intens, bij vlagen bijna zwaarmoedig, gesprek geworden. Dat wordt nergens duidelijker dan op het moment dat het antwoord komt op de 'hamvraag' die een van ons aan het einde stelt: hoe de vaders de toekomst van hun kinderen zien?

Er valt eerst een stilte. Die wordt verbroken als een Marokkaanse vader zegt: 'Somber.'

'Somber?' vraagt een van ons met een stem alsof hij hoopt dat het niet door de andere vaders bevestigd gaat worden.

'Ja, somber,' zeggen nu ook enkele andere vaders hardop.

Als er wordt doorgevraagd, blijkt geen van de vaders een positief beeld te hebben van de toekomst van hun kinderen. Hun 'interne werkmodel', zoals psychologen het geheel van verwachtingen noemen dat opvoeders van hun kinderen en zichzelf hebben, is negatief. Dat model blijkt overigens niet simpelweg het product van een overdreven pessimistische instelling, maar wortelt in concrete ervaringen.

Een Nederlandse vader vertelt over zijn 17-jarige zoon die ook op de school heeft gezeten. Vanaf zijn 14e wilde hij niet meer leren en maakte de school niet af. Hij doet nu al anderhalf jaar helemaal niets. De vader voegt eraan toe dat zijn vrouw en hij het hebben opgegeven de jongen op een positiever spoor te krijgen. Hij luistert toch niet meer naar zijn ouders.

Ook het leven van deze en de andere vaders zelf is voor een belangrijk deel geplaveid met faalervaringen. In de uitkering, in de

WAO, of in een baantje ergens onder aan de Nederlandse status-
ladder. Ze zijn, zeggen ze, ook niet in staat hun kinderen te helpen met school. Ze wonen in buurten die ze als onveilig en in
ieder geval ongeschikt voor hun kinderen beoordelen. Ze ervaren de communicatie met de instanties, zoals school, hulpverlening en de overheid als heel moeizaam. Ze voelen zich niet serieus genomen en ze vertrouwen hen ook niet. Het woord dat in
mijn hoofd opkomt als we na afloop van het gesprek opstaan en
onze spullen inpakken, is demoralisatie. Ik vraag me af hoe het
moet zijn om een gedemoraliseerde, ontmoedigde vader te zijn.
Een vader die niet gelooft dat zijn zoon of dochter het wel redden zal in dit leven. Ik vraag me ook af wat het voor een kind
betekent om een gedemoraliseerde opvoeder te hebben. Het zal
niet gemakkelijk zijn voor zo'n ouder respect of bewondering te
koesteren. En het lijkt me al helemaal moeilijk er richting of zelfs
maar steun voor je ontwikkeling aan te ontlenen.

Bovendien is een van de ingrediënten van demoralisatie vaak
boosheid. Stille boosheid op de eigen persoon over het te kort
schieten, over zelf onvoldoende kansen grijpen of scheppen. Gedeprimeerdheid of zelfs depressie zijn vaak symptomen van die
op de eigen persoon gerichte 'stille' boosheid. Maar demoralisatie gaat ook vaak samen met 'luide' boosheid. Boosheid op de
buitenwereld, die je voor je eigen gevoel machteloos maakt, onvoldoende kansen of steun biedt. Die je als 'anders', als *loser*, als
minder behandelt.

In gezinnen met gedemoraliseerde opvoeders moet er veel stille
en ook niet zo stille boosheid zijn. Wat gebeurt daarmee, vraag
ik me af. Leven ze die tegen zichzelf uit, door zelfbeschadigend
gedrag, door drugs- en andere verslavingen? Leven ze die ten opzichte van elkaar uit, door te schelden, te slaan of combinaties
daarvan? En daarom elkaar maar zoveel mogelijk uit de weg
gaan? Of ten opzichte van de maatschappij? In agressie, onwettig
en delinquent gedrag, het trappen tegen de normen en regels van
de 'superieure' buitenwereld?

Dat laatste wijst op een ander belangrijk kenmerk van demoralisatie. Zoals het woord zelf al suggereert, is het een proces van wegvallen van moraal, van waarden en daarbij behorende normen. Een gedemoraliseerde ouder is in zekere zin een 'waardeloze' ouder.

Later op de dag ben ik er getuige van dat die boosheid ook een creatieve, constructieve vorm kan krijgen. In een gesprek met een andere groep Turkse en Marokkaanse vaders blijkt dat die elkaar gevonden hebben in een poging hun kinderen die *dropout* dreigen te worden, op tijd voor de poort van het grote falen weg te slepen. Ze hebben een 'zelf'-organisatie opgericht om de risicokinderen uit hun eigen kring tijdig te signaleren, op te vangen en te begeleiden. Zodat ze op school blijven, niet aan de drugs gaan of zich op het criminele pad begeven en uitzicht hebben op een fatsoenlijke en respectabele positie in de samenleving. Hun 'interne werkmodel', hun verwachtingen van zichzelf en hun kinderen, is dat ze het kunnen redden als ze zich inspannen, met elkaar samenwerken en met instanties, zoals scholen, hulpverlening en de lokale overheid. Ook bij hen is er boosheid. Boosheid over de moeilijke toegang tot instanties, over het gebrek aan morele en financiële steun, over de vooroordelen van Nederlanders ten aanzien van Turken en Marokkanen, en dan vooral ten aanzien van de mannen en de jongens. Maar bij hen is er ook boosheid tegen hun 'collega-ouders' die hun kinderen hebben opgegeven.

Die boosheid hebben ze 'gesublimeerd', omgesmeed tot een kracht die hen motiveert te bewijzen dat zij en hun kinderen het wel kunnen, dat ze het evengoed kunnen als andere, 'Nederlandse'[1], opvoeders en kinderen. Deze vaders weigeren als het ware zich te laten 'demoraliseren'. Ze houden vast aan bepaalde waarden en proberen die voor zichzelf en hun kinderen zoveel mogelijk te realiseren. Ze laten zich als het ware voortbewegen, motiveren (van het Latijnse woord movere = bewegen), door

---

1. Het woord 'Nederlandse' staat hier tussen aanhalingstekens, omdat de betreffende vaders natuurlijk ook Nederlanders zijn.

waarden waar ze, ondanks de tegenwerking of obstakels, in blijven geloven.

Als ik 's avonds, na afloop van dit laatste gesprek, naar huis rijd, bedenk ik dat de twee sleutelwoorden van de dag, demoralisatie en motivatie, centrale begrippen in de relatie tussen ouders en kinderen zijn, ongeacht ras of cultuur, en dat ze van alle tijden zijn.

Het is trouwens van alle tijden om te vrezen dat het met de jeugd de verkeerde kant opgaat omdat jongeren zich toch nergens wat van aantrekken en dat jongeren zich 'immoreel' ontwikkelen.

Maar het is ook van alle tijden te geloven dat het met kinderen heus wel op zijn pootjes terecht zal komen. Als je ze maar weet te motiveren door zelf ergens voor te staan en voor te gaan. Wat opvoeding betreft is de mensheid altijd in twee kampen verdeeld geweest, de optimisten en de pessimisten.

Naar mijn oordeel heeft opvoeding drie doelen: kinderen te helpen een overwegend positief zelfbeeld te verwerven, een overwegend positieve houding jegens anderen te ontwikkelen en een positief beeld van hun toekomst in de samenleving te hebben.

Om het simpel te zeggen, een opvoeding is geslaagd als het kinderen de wereld in laat stappen met drie duurzame gedachten: 'Ik ben waardevol, anderen zijn waardevol, het leven is waardevol.' Vergelijk dat eens met: 'Ik ben waardeloos, anderen zijn waardeloze mensen, het leven is waardeloos.' Dat zijn, zoals we eerder gezien hebben, de psychologische hoofdingrediënten van depressie, zelfagressie en vijandigheid.

De kern van opvoeding, en daarmee van de relatie tussen ouders en kinderen, of ze nu klein of groot zijn, is dus het overbrengen en (leren) delen van gevoelens van waarde. Een waarde is 'een collectieve neiging om een bepaalde gang van zaken te verkiezen boven andere'. Een waarde is als het ware 'een gevoel met een richting'.[1] Schoonheid, bijvoorbeeld, is een waarde op een ge-

---

1. Zie Hofstede, G., *Allemaal andersdenkenden. Omgaan met cultuurverschillen*, Amsterdam, 1991 (Uitgeverij Contact).

voelsdimensie die loopt van schoon naar vuil. Als er in een gezin een gezinsbrede neiging bestaat om schoon te verkiezen boven vuil, dan is schoonheid een gezinswaarde. Daarmee is overigens nog niet vastgelegd wat in de praktijk van het alledaagse gezinsleven de norm is voor schoon of vuil. Eenvoudig gezegd, hoeveel stof er op de vensterbanken in de huiskamer mag liggen of hoe vaak er per week gestofzuigd moet worden, kan duidelijk verschillen tussen twee gezinnen die allebei schoonheid een belangrijke waarde noemen. Voor leden van een huishouding waarin iedere dag wordt gestofzuigd kan het zelfs onbegrijpelijk zijn dat leden van een ander gezin waarin dat 'slechts' tweemaal in de week gebeurt, toch zeggen schoonheid een belangrijke waarde te vinden.

Dat leidt tot drie conclusies. Een is dat mensen dezelfde waarde kunnen aanhangen, maar verschillende normen kunnen hanteren voor wanneer aan die waarde voldaan wordt. Twee is dat je uit het gedrag van mensen niet zonder meer kunt afleiden welke waarden ze aanhangen. En drie is – en dat is het meest belangrijk – dat mensen om elkaar te begrijpen, zowel elkaars waarden als elkaars normen moeten kennen.

Je zou geneigd zijn om hier nog een vierde conclusie aan toe te voegen, namelijk dat mensen om elkaar te waarderen, elkaars waarden en normen moeten delen. Hoe vanzelfsprekend die conclusie ook lijkt, ze klopt niet. Want het omgekeerde kan evengoed waar zijn, namelijk dat mensen geen waardering voor elkaar hebben, juist omdat ze weten dat de ander er dezelfde waarden en normen op nahoudt als zij. Zo kan het heel goed zijn dat iemand voor wie schoonheid geen waarde is, het juist helemaal niet waardeert als een ander er ook een vuile boel van maakt. Zo is ook bekend dat criminele vaders minstens zo streng en hardvochtig, en dikwijls zelfs strenger, optreden tegen crimineel gedrag van hun zonen dan niet-criminele vaders.

Cruciaal voor de 'waardering' die mensen, en dus ook ouders en kinderen, voor elkaar hebben is dus niet het feit dát ze bepaalde waarden en normen aanhangen, maar wélke dat zijn. Het is daarom ook een loze kreet als we roepen, wat met de regelmaat van de klok gebeurt, dat het tijd wordt voor een herstel van waarden en normen. Mensen hangen altijd waarden en normen aan, dat hoeft helemaal niet hersteld te worden. Waar het om gaat is wélke waarden en normen ze aanhangen.

Als we het over ouders en kinderen hebben, welke waarden zijn dan belangrijk voor een goede, waarderende, wederszijdse relatie? Omdat kinderen geboren worden in een omgeving waarin de waarden in belangrijke mate vóór hen en niet dóór hen bepaald worden, moeten we deze vraag eigenlijk anders formuleren. Welke waarden moeten ouders 'aanhangen' om de kans zo groot mogelijk te maken op een goede, waardevolle relatie met hun kinderen, ook wanneer die volwassen zijn? Daarmee ook de kans zo groot mogelijk makend op goede, 'waardevolle' relaties van hun kinderen met anderen?

Ik zal in het volgende proberen een antwoord op deze vraag te geven dat zo 'neutraal' mogelijk is, althans zo weinig mogelijk door religieuze of culturele voorkeur wordt bepaald. Overigens in het besef dat zoiets nooit volledig lukt.

Maar voordat ik dat doe, nog één punt. Als het tussen ouders en kinderen misgaat, als ze hun relatie over en weer 'waardeloos' vinden of als ze elkaar 'waardeloze' mensen vinden, dan moeten we die kwalificaties werkelijk letterlijk nemen. Kinderen vinden hun ouders 'waardeloze' mensen omdat ze onvoldoende bepaalde wezenlijke waarden in de omgang met hen tot uitdrukking brengen, of in het verleden hebben gebracht. En ze vinden hun ouders waardevolle mensen, hebben respect voor hen, als ze zien dat deze zich inspannen bepaalde essentiële waarden tot leidraad van hun leven en hun omgang met elkaar, hun kinderen en anderen te maken. Als ouders op hun beurt, hoewel ze dat meestal veel moeilijker zullen durven toegeven of uiten, geen respect voor hun kinderen hebben, dan komt dat niet doordat die kinderen het maatschappelijk misschien minder ver geschopt hebben dan zij hadden gehoopt. Maar het komt vrijwel altijd omdat ze voor de waarden en normen van hun kinderen weinig of geen 'waardering' kunnen opbrengen.

Eigenlijk is er niets waarmee ouders en kinderen elkaar zoveel pijn kunnen doen als hiermee: de wetenschap en de ervaring dat de mensen die uit jou zijn voortgekomen of de mensen waaruit jij bent voortgekomen, aan de meest essentiële levenswaarden geen boodschap hebben.

11 Vier essentiële waarden

Al een paar duizend jaar wordt door filosofen, geestelijken en gewone mensen over vier waarden of deugden gesproken die als 'kardinaal', dat wil zeggen als de 'voornaamste', worden beschouwd. Dat zijn rechtvaardigheid, verstandigheid, moed en gematigdheid. Veel mensen denken dat het vier christelijke waarden of deugden zijn, maar dat is niet waar. De Griekse filosofen Plato en Aristoteles hadden het er al over en zij hebben het ongetwijfeld weer van hun voorgangers of voorouders overgenomen. De vier kardinale deugden zijn vervolgens overgenomen door de filosofische school van de Stoïcijnen, die zo rondom het begin van onze jaartelling zijn bloeiperiode kende. Tussen de Stoïcijnse filosofie en het Boeddhisme, dat in die tijd ook al bestond, bestaan ook weer belangrijke overeenkomsten op dit punt. Hoe het ook zij, de vier kardinale deugden zijn niet van christelijke maar van heidense oorsprong. Dat is een belangrijke constatering, want het gaat blijkbaar om waarden die religie of cultuur overstijgen.

Toch valt er bij die vier kardinale deugden een ernstige kanttekening te maken. Die is dat het helemaal geen 'sociale' of 'relationele' deugden hoeven te zijn. Althans, drie van de vier hoeven helemaal niet bij te dragen aan een betere omgang of betere relaties tussen mensen. Iemand die als een kluizenaar, ver van de rest van de mensheid, leeft, kan moedig, gematigd en verstandig zijn, maar anderen hoeven daar niets van te merken. Ik geloof daarom meer in de 'relationele' versie van de vier deugden. In die versie zijn het de volgende vier: rechtvaardigheid, weldadigheid, menselijke waardigheid en vrijheid.[1] Naar mijn oordeel zijn het de vier pijlers waarop alle relaties tussen mensen,

1. Zie Fokkink, P., *Integriteit en verantwoordelijkheid in het Openbaar Bestuur* (Syllabus, Universiteit Twente, 2000).

te beginnen bij de ouder-kindrelatie, zoveel als menselijkerwijze mogelijk, zouden moeten rusten. Het zou een wereld schelen, een wereld van pijn, als de normen, de manieren van omgaan van mensen, jong en oud, met elkaar, zoveel mogelijk aan deze waarden worden ontleend en daaraan steeds ook weer worden getoetst en uitgelegd, verklaard.

In het volgende zal ik elk van de vier waarden afzonderlijk onder de loep nemen. Op de eerste plaats voor wat betreft hun betekenis voor de ouder-kindrelatie, maar in het voetspoor daarvan ook voor andere relaties. Tegen de achtergrond daarvan zal ik laten zien welke normen of omgangsregels wezenlijk zijn voor een goede ouder-kindrelatie en waarom. Later in dit boek zal ik hetzelfde voor partnerrelaties doen.

Rechtvaardigheid

'Als rechtvaardigheid verloren gaat, heeft het geen zin meer dat mensen op aarde leven.'

— IMMANUEL KANT[1]

Rechtvaardigheid is vermoedelijk de belangrijkste van de vier essentiële relatiewaarden. In de meest eenvoudige zin van het woord betekent rechtvaardigheid de 'vaardigheid om recht te doen'. Rechtvaardigheid wordt traditioneel vaak voorgesteld als een geblinddoekte jonge vrouw met in haar rechterhand een weegschaal en in haar linker een zwaard. Rechtvaardigheid is blind, kijkt niet naar afkomst, rijkdom, schoonheid, intelligentie, persoonlijke voorkeur, karakter, enzovoort. Als ouders het ene (volwassen) kind regelmatig voortrekken boven het andere, omdat ze daar meer op gesteld zijn of omdat het liever is of omdat het er leuker uitziet of omdat het een meisje is of een jongen, dan handelen ze weliswaar begrijpelijk maar onrecht-

---

1. Zie Kant, I., *Metaphysik der Sitten*, 1797.

vaardig, unfair. In feite even onrechtvaardig als een staat of een rechtssysteem dat bij eenzelfde vergrijp een zwarte onderdaan zwaarder straft dan een blanke.

Onrechtvaardigheid is ook in het spel als ouders in conflicten tussen kinderen of tussen henzelf en hun kinderen beslissingen nemen die al bijna bij voorbaat meer van de schuld bij de ene dan bij de andere partij leggen. Het bestraffen van een kind zonder 'voldoende' bewijs ('Jij zal het wel weer geweest zijn...') is ook een vorm van onrechtvaardigheid. Hetzelfde geldt voor het, zonder nader bewijs, leggen van de schuld voor een bepaald probleem of een moeizame relatie, bij een schoondochter of schoonzoon ('Als mijn kind niet zo onder druk van die... stond, dan zou...').

Overigens, het hebben van een zekere voorkeur of voorliefde is op zichzelf geen teken van onrechtvaardigheid. Het op grond daarvan 'in gelijke gevallen ongelijk behandelen' van kinderen is dat wel.

Een andere, daarmee samenhangende vorm van onrechtvaardigheid is het straffen van kinderen uit willekeur of zonder dat hun is duidelijk gemaakt of uitgelegd dat wanneer ze bepaalde dingen doen, dat bepaalde consequenties zal hebben. (In een fatsoenlijk rechtssysteem heet dit het *sine lege nulla poena*-beginsel: 'zonder voorafgaande wetsbepaling geen straf'.) Heel wat kinderen, vooral de babyboomers die opgroeiden in grote gezinnen, hebben moeten ervaren dat hun ouders zomaar van het ene op het andere moment met een straf kwamen aanzetten. Als het kind daartegen protesteerde of om de tot dan toe nagelaten uitleg vroeg, leverde dat alleen maar meer straf op.

Overigens, in veel partnerrelaties komt deze vorm van onrechtvaardigheid in een wat verdekter vorm bijna epidemisch voor. De ene partner eist van de andere uit zichzelf aan te voelen wat hij of zij wil of ervaart. En als dat niet wordt aangevoeld, is het helemaal mis. De reactie hierop, boos weglopen, zwijgen, huilen, is natuurlijk een vorm van straffen van de 'niet-aanvoelende' partner. Maar het is een straf *sine lege*, zonder voorafgaande uitleg. En daarmee een onrechtvaardige reactie. Het opmerkelijke is dat gefrustreerde partners die onrechtvaardige reactie vaak verdedigen met de stelling dat uitleg juist helemaal niet nodig zou moeten zijn: 'Als ik het hem eerst moet uitleggen of erom moet vragen, dan hoeft het voor mij niet meer, dan is de lol er al bij voorbaat af.' Maar dat is en blijft een vreemde verdediging. Want waarom zou je iemand straffen voor het feit dat hij niet doet waar jij niet om gevraagd hebt of wat jij niet uitgelegd hebt?

Ik wil overigens niet beweren dat straffen in ouder-kindrelaties of in partnerrelaties nooit mag of nooit op zijn plaats is. Maar straf moet rechtvaardig zijn, het moet gaan om iets dat uitgelegd en aangekondigd is. En het moet proportioneel zijn. Het meest rechtvaardig is mijns inziens daarom het principe van 'oog om oog'. Bij dit principe gaat het niet, zoals veel mensen denken, om iemand zoveel mogelijk betaald te zetten wat hij heeft gedaan. Het gaat hier om de zogeheten 'wet van de equivalentie': de straf moet gelijk zijn aan, en niet erger dan het letsel. Vandaar de beroemde verzen uit het bijbelboek Exodus: 'Oog om oog, tand om tand, blaar om blaar, wond om wond, striem om striem.'[1] Een kind slaan omdat het huilt, omdat het ongehoorzaam is geweest, omdat het iets heeft weggenomen, omdat het een grote mond heeft gegeven, schendt dit principe en is dus onrechtvaardig. Om dezelfde reden is ook geweld tussen partners altijd onrechtvaardig en dus ongerechtvaardigd.

Een andere veelvoorkomende onrechtvaardigheid is van je kind eisen dat die aan bepaalde eisen voldoet waaraan je zelf op dat moment niet voldoet. Een moeder die schreeuwend van haar kind eist dat het ophoudt te schreeuwen is daar een voorbeeld van. Zoals ook een vader dat is die zijn kind mept omdat het zijn handen ten opzichte van de buurjongen niet heeft thuisgehouden. Ook volwassenen eisen dikwijls van elkaar zelfbeheersing, trouw of attentheid waaraan ze zelf niet voldoen. Je boos maken over het feit dat je partner je ouders bekritiseert, terwijl jij zelf op

1. Zie Exodus 21:22-27.

jouw beurt ook regelmatig zijn of haar ouders bekritiseert, is onrechtvaardig. Psychologen zullen vaak zeggen dat het ook niet 'handig' is om van een ander te verlangen dat hij iets niet doet, terwijl je zelf dat 'iets' wel doet. Je geeft dan het verkeerde 'voor'beeld. Dat is waar. Maar waar het omgaat is niet of je een verkeerd voorbeeld bent, maar of je een waardevol, in dit geval rechtvaardig, voorbeeld bent of niet.

Onrechtvaardig is het ook om beloftes te doen en die, zonder uitleg of aankondiging, niet na te komen. Nogal wat ouders doen dat ten opzichte van hun kinderen. Vaak omdat ze niet goed genoeg hebben nagedacht over de uitvoerbaarheid in tijd of omstandigheden van de belofte. Omdat beloftes vaak worden gedaan om het kind tot gewenst gedrag te krijgen, is het niet nakomen ervan wanneer het kind het betreffende gedrag heeft vertoond, altijd onrechtvaardig. Het is ook altijd onrechtvaardig om een belofte te doen zonder de intentie te hebben die na te komen. Overigens, een heleboel mensen menen het vaak wel als ze op een bepaald moment een belofte doen. Wat er vervolgens dikwijls gebeurt, is dat ze voor zichzelf het besluit nemen die belofte niet (langer) na te komen, maar de ander, hun kind of partner, daarvan niet op de hoogte stellen.

Dat is een vorm van doen alsof die behalve onrechtvaardig dikwijls ook uiterst pijnlijk voor die ander is. Het meest ingrijpende, maar helaas niet uitzonderlijke voorbeeld daarvan is een partner confronteren met een scheidingsbesluit dat in stilte allang is voorbereid (bijvoorbeeld binnen een buitenechtelijke relatie). Het is onrechtvaardigheid in extremis. Want de wederzijdse belofte waar de relatie bij aanvang, bijvoorbeeld bij huwelijkssluiting, op was gebaseerd, is door de een allang verbroken terwijl de ander zijn of haar leven nog steeds naar die belofte inricht. Dat zulke grove onrechtvaardigheid behalve verdriet ook grote woede en zelfs wraak oproept, laat zich raden. Het is een van de voornaamste oorzaken van moord. Ik kan het ook confronterender zeggen: mensen zetten elkaar door onrechtvaardigheid dikwijls aan tot geweld.

Een andere vorm van beloftes niet nakomen, en dus van onrechtvaardigheid, is het niet terugbetalen van schulden of het
niet teruggeven van spullen die je in goed vertrouwen hebt ge-
leend. Ook het niet zorgvuldig gebruiken of onderhouden van
het geleende of toevertrouwde is het breken van (vaak impliciete)
beloftes en daarmee onrechtvaardig. Overigens, op dit punt zijn
het vaker kinderen, en zeker ook volwassen kinderen, die op de
onrechtvaardige toer gaan. -

Onrechtvaardig is het verder om verleende gunsten niet of veel te
weinig te beantwoorden. Zelfs als iemand die gunsten heeft ver-
leend zonder de vraag om op enig moment daarvoor iets terug te
krijgen. Kinderen, opnieuw ook volwassen kinderen, hebben
nogal eens de neiging veel meer te 'nemen' dan hun toekomt of
dan behoorlijk is, eenvoudig omdat ze weten dat hun ouders
toch geen 'nee' zeggen of een grens trekken. De ouders durven
dat dan niet, omdat ze bang zijn dat de relatie met hun kinderen
erdoor in de gevarenzone kan komen. Het is een vorm van stille
chantage.

Ook tussen partners is dit patroon geen zeldzaamheid. De ene
partner neemt vaak meer van de ander dan omgekeerd, eenvoudig omdat de laatste geen 'nee' durft te zeggen. Ofwel uit angst
voor ontstemming (een vorm van straf) ofwel uit angst dat daardoor de waarschijnlijkheid toeneemt dat de relatie beëindigd
wordt. Zulke patronen leiden vaak tot 'onrechtvaardige' verdeling van taken, zoals huishoud- en opvoedingstaken. En tot on-
eerlijke besteding van middelen zoals geld.

Het gaat hier om wat vaak wederkerigheid of *fairness* in relaties
wordt genoemd. Ook dat is een wezenlijk aspect van rechtvaardigheid.

De conclusie die we uit dit alles kunnen trekken is eigenlijk een
variatie op het citaat van Kant, waarmee ik begon: 'Als rechtvaardigheid verloren is gegaan, heeft het geen zin meer dat mensen
een relatie met elkaar hebben.'

Weldadigheid

*'Hoe beter een mens is, des te meer moeite heeft hij anderen van
slechtheid te verdenken'*
                                    — MARCUS TULLIUS CICERO[1]

Weldadigheid is de neiging of bereidheid om schade aan anderen te voorkomen, niet toe te brengen, te herstellen of zoveel mogelijk jegens anderen het goede te doen. Het is een waarde die nauw verbonden is met rechtvaardigheid, maar het is niet hetzelfde. Lang niet alle weldadigheid is een kwestie van rechtvaardigheid. Iemand die geld aan een goed doel schenkt, een buurman in nood helpt, een roestige spijker op het strand oppakt en in een afvalbak doet zodat een spelend kind zich er niet aan kan bezeren, of die weigert een roddel door te vertellen, beoefent weldadigheid. Helaas gebruiken we in de taal van alledag uitsluitend het tegenovergestelde van weldadigheid, namelijk 'mis'-dadigheid. En helaas gaat een groot deel van onze persoonlijke en publieke belangstelling uit naar dat laatste.

In de relatie tussen ouders en kinderen is weldadigheid zo essentieel en voor velen gelukkig ook zo vanzelfsprekend, dat het zelden wordt benoemd. Heel veel ouders willen het beste voor hun kinderen en proberen zoveel mogelijk te voorkomen dat het kind schade – lichamelijk, psychisch of sociaal – oploopt. Maar niet alle ouders doen het en heel veel ouders doen het, vaak onwetend of onbewust, niet altijd.

Wat de eerste betreft, er zijn ouders die hun kinderen willens en wetens beschadigen. Ze proberen steeds weer opnieuw te verhinderen dat het kind zelfvertrouwen en zelfstandigheid ontwikkelt. Ze prenten het voortdurend in dat het niet goed of 'niet goed genoeg' is, proberen te beletten dat het zich voor anderen verdienstelijk maakt en buiten het gezin relaties opbouwt. Zulke ouders plegen, wat psychologen wel noemen, 'zielemoord'. Lees maar eens wat hieronder staat.

1. Cicero. M.T., *Over vriendschap. Lealius* (Ca. 45 v. Chr.).

Psychokeuring voor ouders?
Is er verband tussen de manier waarop een kind door de ouders wordt opgevoed en de problemen die het als volwassene heeft? Geen onbelangrijke vraag. Maar wat is het antwoord? Het antwoord is ja. En het verband is sterk. Dat wil overigens niet zeggen dat alle kinderen die een beroerde opvoeding hebben gekregen, als volwassene met problemen kampen die hun leven ontregelen. Het wil wel zeggen dat een ongunstige opvoeding de kans daarop sterk verhoogt. Simpel gezegd, ouders kunnen hun kind beschadigen en die beschadiging kan zich een leven lang doen voelen. Het is een constatering die wij, als samenleving, niet graag horen. Want ze lijkt in strijd te zijn met de opvatting dat volwassenen zelf verantwoordelijk moeten worden gehouden voor hun problemen en eigenaardigheden. Toch is er geen sprake van strijdigheid. Volwassenen zijn verantwoordelijk voor hun eigen problemen. Dat willen zeggen, ze zullen zelf antwoorden moeten vinden op hoe daarmee om te gaan. Maar verantwoordelijkheid is iets anders als schuld of oorzaak. Veel volwassenen kampen met psychische problemen waarop ze zelf een antwoord moeten zien te vinden terwijl ze geen schuld dragen aan of oorzaak zijn van die problemen. Het is een van de intrinsieke onrechtvaardigheden waarmee het leven ons opzadelt. Je hebt de last te dragen van iets waar anderen, zoals je ouders, de voornaamste hand in hebben gehad. In de indrukwekkende studie van de Academia Europea getiteld *Psychosocial Disorders in Young People* (Psychosociale problemen van jonge mensen) wordt een overzicht gegeven van wat we weten over het verband tussen kenmerken van het gezin waarin iemand wordt opgevoed en problemen die hij of zij als jongere of jonge volwassene heeft. Daaruit blijkt onder meer het volgende. Jonge mensen uit gezinnen met veel conflicten en spanningen tussen ouders, of tussen ouders en kinderen, hebben een verhoogd risico op allerlei problemen. Dat is ook het geval als ouders niet in staat of bereid zijn voldoende aandacht te geven en toezicht te houden, als ze niet op een effectieve manier grenzen weten te stellen, als ze onvoldoende emotionele steun geven of als ze hun kind emotioneel verwaarlozen. Dat leidt tot problemen als het niet afmaken van school of opleiding, werkloosheid, negatief zelfbeeld en negatief

oordeel over eigen kunnen, slechte relaties met leeftijdsgenoten, criminaliteit, alcohol- en drugverslaving, eetstoornissen (anorexia en boulimia), depressie en suïcide. Volwassenen die zulke problemen hebben, kunnen dus wel degelijk 'een poot hebben om op te staan' als ze stellen dat die problemen mede het gevolg zijn van hoe hun ouders hen behandeld hebben. Wil dat zeggen dat de jonge vrouw, die ooit naar de rechter stapte om haar vader veroordeeld te krijgen als veroorzaker van haar psychische problemen vanwege zijn slechte behandeling van haar, gelijk had moeten krijgen? De rechtbank sprak de vader vrij wegens gebrek aan bewijs. Ze achtte niet voldoende bewezen dat de wijze waarop haar vader de jonge vrouw vroeger als kind behandeld had, haar problemen nu had veroorzaakt. Die uitspraak is zowel veelbetekenend als onbenullig. Hij is veelbetekenend omdat de rechtbank daarmee aangeeft niet uit te sluiten dat problemen op volwassen leeftijd het gevolg kunnen zijn van emotionele mishandeling van kinderen door hun ouders. Het moet alleen wel bewezen worden in het betreffende geval. En daarin zit de onbenulligheid van de uitspraak. Want hoe kun je bewijzen dat de manier waarop je ouders je van je nulde tot je tiende hebben behandeld, de oorzaak van je psychische problemen op je vijfentwintigste is? In de tussenliggende vijftien jaar ben je aan heel veel andere invloeden blootgesteld geweest: school, leeftijdsgenoten, collega's, ziektes, ongelukken en noem maar op. Vaak valt niet meer uit te zuiveren wat nu de invloed van je ouders of van andere factoren is geweest. Bovendien zijn er kinderen die op dezelfde manier of nog erger behandeld zijn door hun ouders en het als volwassene wel goed doen. En zelfs als je het bewijs zou kunnen leveren van het verband tussen toen en nu, wat dan nog? Moeten je ouders dan veroordeeld en gestraft worden? Dat laatste is natuurlijk alleen maar terecht als ze wisten wat ze aan het doen waren of zelfs de opzet hadden om je voor je leven te beschadigen.

Volgens de Amerikaanse psychiater Shengold is dat overigens geen zeldzaamheid. In 1987 deed hij een publicatie het licht zien onder de titel *Soulmurder* (Zielemoord). 'Soulmurder' is, aldus Shengold, bijvoorbeeld het volgende. Een jongen was altijd gespannen in het bijzijn van zijn vader. Deze had de gewoonte om hem regelmatig af te bekken, voor schut te zetten of uit te schelden. Zijn moeder was daar getuige van, maar zij nam hem niet in bescherming. Op school werd hij vaak gepest. Zijn ouders zeiden dat dat zijn eigen schuld was. Op een dag aan het strand wilde hij graag blijven kijken naar hoe het vloed zou worden. Hij had gelezen, dat dat om twaalf uur 's middags zou gebeuren. Zijn vader wilde eerder naar huis gaan om te eten. Maar in plaats van de jongen bij de hand te nemen en te zeggen: 'Nee, we moeten nu naar huis gaan', begon hij hem te verwarren: 'De vloed komt pas om half twee op; doordat de wind is veranderd komt hij later op.'

De jongen hield voet bij stuk: 'Nee, pappa, hij komt om twaalf uur. Kijk maar, het staat hier', en hij liet het getijdenschema zien.

Ten slotte werd de vader zo boos, dat hij de zoon aan zijn haren naar huis meesleepte. Terugkijkend op dit soort gebeurtenissen zei de jongen later als volwassene met ingehouden woede dat wat zijn ouders deden net zo iets was als zeggen: 'Als je lief bent, dan mag je blijven doorademen, dan zullen we je niet de grond instampen.'

Wat dit ouderlijk gedrag 'soulmurder' maakt, is dat de ouders het kind ten onrechte het idee geven dat het altijd zelf fout is. Ze vernederen het kind voortdurend. Het kind raakt daardoor in ernstige verwarring – wat doet het steeds verkeerd? Toch moeten zijn ouders het bij het rechte eind hebben. Want ouders houden van hun kinderen en kinderen houden van hun ouders. Zo eenvoudig is dat. Shengold definieert zielemoord als een min of meer bewuste poging van de kant van ouders om het vermogen tot liefhebben en plezier hebben in het leven bij hun kind te vernietigen en het kind te verhinderen een stevig gevoel van zelfvertrouwen op te bouwen. 'Soulmurder' is daarom een ernstige vorm van kindermishandeling, niet minder ernstig dan lichamelijke en seksuele mishandeling en komt dikwijls in combinatie daarmee voor. Wat er gebeurt met veel kinderen is zo verschrikkelijk, dat ze het niet kunnen verwerken en in een toestand van verdoving raken. Ze worden een soort van mechanisch gehoorzamende automaten. Hun behoefte aan een goede, lieve ouder om hun angst te verminderen is zo groot dat ze voor hun eigen geruststelling het waandenkbeeld vormen goede, zorgzame ouders te hebben. Ze maken zichzelf wijs dat hun ouder hen vernedert en straft voor hun eigen bestwil. Als ze menen iets verkeerd gedaan te hebben, kunnen ze er zelfs uitdrukkelijk om vragen gestraft te worden. Sommige kinderen koesteren, ook als volwassene, de illusie dat al de afwijzing en boosheid ooit in liefde zal veranderen. Dat het ooit tussen hen en hun ouders goed zal komen. Die illusie maakt hen emotioneel zeer afhankelijk van de ouder en doet hen dingen accepteren die in wezen emotionele terreurdaden zijn. Volgens Shengold zijn ouders die 'soulmurder' begaan ernstig psychisch gestoord. Maar ook veel ouders die hun kinderen niet opzettelijk emotioneel mishandelen, lijden, mogelijk als gevolg van hun eigen opvoeding, aan psychische stoornissen. Precies daar zit hem de kneep. Want de psychische gezondheid van ouders is de belangrijkste 'enkelvoudige' bepaler van de psychische gezondheid van kinderen en de daaruit voortkomende volwassenen. De moraal: zolang er voor ouders geen 'psychokeuring' bestaat, al was het maar op vrijwillige basis op het consultatiebureau, nemen we met de weldadigheid waar kinderen recht op hebben bij veel van onze kinderen onverantwoorde risico's.

Ouders kunnen hun kind ook willens en wetens relationeel misbruiken. Relationeel wil zeggen dat ze met hun kind een relatie aangaan die het kind-zijn belemmert. Nogal wat gescheiden ouders proberen bijvoorbeeld hun kind zoveel mogelijk aan hen te binden en afstand te laten houden van hun ex-partner. Ze proberen het kind ervan te overtuigen dat die ex zich als partner en als ouder schandelijk heeft gedragen en laden zo hun eigen emotionele problemen mede op de schouders van het kind. Of ze houden het kind fysiek zoveel mogelijk van die ex weg. Ze frusteren een omgangsregeling of voeren die gewoon niet uit. Dat betekent vrijwel altijd het kind misbruiken in een persoonlijke wraakoefening en daarmee het kind schaden, zowel op de kortere als langere termijn. Gescheiden ouders doen dat niet alleen met hun jonge kinderen, maar proberen het dikwijls ook nog met hun volwassen kinderen.
Stiefouders doen dikwijls iets soortgelijks. Ze eisen van hun part-

ner dat die kiest tussen hen en de kinderen, in die zin dat de kinderen op de tweede plaats moeten komen: 'Het moet wel duidelijk zijn dat je meer van mij houdt dan van je kinderen.' Dat betekent vrijwel altijd schade toebrengen aan de kinderen, zeker wanneer ze nog jong zijn. Maar het ontwricht ook bij volwassen kinderen vaak de relatie met de eigen (biologische) ouder.

Een andere manier waarop ouders, zij het doorgaans zonder opzet of onwetend, hun kinderen schade toebrengen is door voor problemen die zij persoonlijk of in hun relatie met elkaar hebben en die ze niet kunnen oplossen, geen hulp te zoeken. Van alle oorzaken van ontwikkelings- of gedragsproblemen bij (jonge) kinderen is er geen zo invloedrijk als psychische problemen bij een of beide ouders.[1] Depressies, angststoornissen en verslaving bij ouders, zowel vader als moeder, hebben een ingrijpend negatief effect op de ontwikkeling van kinderen, waarvan de invloed dikwijls tot ver in de volwassenheid reikt.

Ook chronische relatieproblemen tussen ouders hebben een zeer negatieve invloed. Vaak dragen de ouders, zonder zich daar duidelijk rekenschap van te geven, de pijn die ze aan elkaar oplopen over op hun kinderen. Chronische spanningen tussen ouders zorgen vaak voor gespannen, ongelukkige kinderen.

In al deze gevallen betekent weldadigheid het nemen van stappen om de problemen zoveel mogelijk te verminderen of op te lossen. Een belangrijke, 'weldadige' stap is vaak het zoeken van (professionele) hulp.

Wat voor ouder-kindrelaties geldt, geldt overigens op soortgelijke manier voor partnerrelaties. Partners beschadigen elkaar, gedragen zich 'mis'-dadig ten opzichte van elkaar, als ze weigeren voor ingrijpende problemen, zoals bijvoorbeeld verslaving of pathologische jaloezie, die ze zelf niet kunnen oplossen, hulp te zoeken.

Ik heb het al eerder gezegd en zeg hier nog eens, zij het met enige

---

1. Zie wat ik daar over gezegd heb naar aanleiding van het project 'Voorkomende ouders'.

aarzeling, want het is bepaald geen plezierige boodschap om te brengen. Sommige partners doen er beter aan te besluiten om geen ouder te worden. Ze zijn er gewoon niet geschikt voor. En als ze om een of andere reden, bijvoorbeeld de wens van de andere partner, besluiten om het toch wel te worden, dan zouden ze zichzelf eigenlijk moeten opleggen zich in hun ouderrol te laten 'coachen'. Dat is, zoals we dat in het Nederlands zo fraai zeggen, een weldaad voor hun kinderen.

Er is nog een andere belangrijke weldaad die ouders, met name ten aanzien van hun volwassen kinderen, kunnen beoefenen. Dat is door serieus naar de 'aanklachten' van een volwassen kind over zijn of haar opvoeding te luisteren en dat gedeelte daarvan erkennen waarvan zij zichzelf bewust zijn of, na enig nadenken, worden.

Want als er één ouder is die weldadigheid beoefent dan is het wel de ouder die, zijn of haar opvoeding overziende, tot de conclusie komt dat bepaalde dingen ten opzichte van een kind niet goed zijn gedaan, dat uit eigener beweging uitspreekt, probeert te herstellen of daaruit conclusies trekt.

Wat dat betreft moet ik nog af en toe aan de opmerking van mijn eigen moeder denken, die, ooit, na een heftige ruzie tussen mijn vader en mij, waarbij hij mij van iets beschuldigde dat niet waar was en me vervolgens zonder iets te zeggen een tientje in mijn handen stopte, tegen mij zei: 'Je moet mensen niet alleen beoordelen naar wat ze je misdaan hebben, maar ook naar hoe ze zich daar achteraf over voelen.'

Waardigheid

'Een parel blijft een parel, ook als de zwijnen hem niet lusten.'
— BAREND RIJDES[1]

---

1. Rijdes, B., *Bitterkoekjes*, 1968.

Waardigheid wil zeggen andere mensen waardig, als waardevolle wezens, behandelen. Ook deze deugd of waarde hangt samen met, en vormt mogelijk zelfs de grondslag voor rechtvaardigheid, maar is opnieuw niet hetzelfde. Een ouder die een kind 'afbekt' in het gezelschap van vreemden of een leerkracht die een kind ten overstaan van de hele klas voor schut zet, schendt deze waarde. Je partner openlijk bekritiseren waar anderen bij zijn is eveneens een schending ervan. Maar het schenden van menselijke waardigheid kan ook op banalere manieren. Bijvoorbeeld door dagenlang tegen je kind of partner geen woord te zeggen, te doen of die lucht is, omdat die iets gedaan of gezegd heeft dat jou in het verkeerde keelgat is geschoten. Of door zonder te groeten langs je buren te lopen, hoewel jullie nooit iets met elkaar gehad hebben, enkel en alleen omdat hun gezicht of cultuur je niet aanstaat. Of door als automobilist over een zebrapad te scheuren waar een voetganger al aan het oversteken is, zodat die als een haas terug op de stoep moet rennen.

Menselijke waardigheid is ook in het geding als we weigeren een ander lof toe te zwaaien voor iets dat deze echt goed heeft gedaan of als we de spot drijven met iemands verdriet, verlies of handicap. Ook racisme en discriminatie zijn aantastingen van de menselijke waardigheid. Vaak wordt waardigheid aangeduid met het woord respect, waarbij het dan vooral gaat om respect voor iemands 'eigenheid' of autonomie. Als we iemand als persoon belachelijk maken omdat hij of zij er een mening, smaak of geloof op nahoudt die niet de onze is, dan handelen we respectloos. De uitdrukking 'iemand in zijn waarde laten' drukt de essentie uit van waar het hier om gaat. Als ouders hun kind heftig bekritiseren om diens of dier partnerkeuze – 'Hoe kun je nou op zo'n jongen verliefd worden; ik had toch wel verwacht dat je met iets beters thuis zou komen' –, dan 'ontwaardigen' ze zowel hun kind als diens of dier partner. 'Ontwaardiging' leidt tot 'verontwaardiging' en dat markeert niet zelden het begin van een afbrokkelende relatie.

Overigens zijn kinderen vaak bepaald geen sterren in het betonen van waardigheid en respect in het leven van alledag jegens hun ouders of andere volwassenen. Veel kinderen zijn thuis gewoonweg onbeleefd. Ze groeten bijvoorbeeld dikwijls niet als ze aan de ontbijttafel aanschuiven en bedanken evenmin als ze 's avonds na het warm eten daar weer van opstaan. Ook zijn veel kinderen weinig scheutig met complimenten naar hun ouders toe of met het tonen van belangstelling voor hun leven en wederwaardigheden. Sterker nog, nogal wat kinderen, zowel in de puberleeftijd als in de volwassenheid, hebben er geen probleem mee om zich in gezelschap van hun ouders gewoonweg onbeschoft te gedragen, variërend van luid en duidelijk boeren en winden laten tot gewoon de rotzooi achter zich laten slingeren. Een kind dat thuiskomt na school, een bord en boterhammen pakt en een glas melk inschenkt en na gegeten en gedronken te hebben wegloopt zonder de rommel op te ruimen, gedraagt zich onwaardig. Met het achterlaten van gebruikt bord en beker zegt het stilzwijgend tegen anderen: 'Mij stoort het niet, maar als het jou stoort, dan zou ik het maar opruimen als ik jou was.' Of ze het nou zo bedoelen of niet, het zijn symptomen van gebrek aan respect en dus 'waardeloze' manieren van ouders behandelen.

Wat veel kinderen niet beseffen, en veel volwassenen dus helaas ook niet, is dat hoffelijkheid of beleefdheid een van de meest eenvoudige maar ook een van de meest belangrijke uitingen is van waardig met anderen omgaan. Het is bovendien een heel heilzame manier om spanningen tussen mensen, zowel mensen die elkaar goed kennen als tussen onbekenden, te verminderen of te voorkomen.

Groeten is een maatschappelijk belang

Samen met een vriendin van de familie loop ik door een buitenwijk van Apeldoorn, vlak aan de bosrand. Op een gegeven moment komen we op het looppad een man met een hond tegen. In het voorbijgaan zegt de man, terwijl hij ons aankijkt, met heldere stem: 'Goeiedag.' Van de weeromstuit zeggen ook wij beiden nu 'goeiedag.'
'Grappig hé,' zegt de vriendin terwijl we doorlopen, 'dat doen ze hier nog, elkaar groeten, ook als het onbekenden zijn.'
In het gesprek dat volgt, bekennen we dat we de man niet gegroet zouden hebben als hij dat niet eerst had gedaan – dat doen we niet tegen vreemden in de 'hoogontwikkelde' Randstad. We bekennen ook dat het eigenlijk een charmante gewoonte is. En we geven aan elkaar toe dat zo gegroet worden, en zelf teruggroeten overigens ook, je stemming heel even een huppeltje laat maken.
Een paar dagen later kom ik 's ochtends vroeg de wachtkamer van de tandarts binnen. Ik zeg 'goeiemorgen', krijg hetzelfde terug van de twee wachtenden voor mij en ga zitten naast een tafeltje met een stapel tijdschriften. Ik rommel wat in de stapel, vind niets van mijn gading en besluit in plaats van lezend maar rustig denkend op mijn buurt te wachten. Aan de andere kant van het tafeltje zit een man een krant te lezen. Op een gegeven is hij daarmee klaar en vouwt de krant dicht. Als hij hem op het tafeltje wil leggen, merkt hij mij op. De krant in mijn richting reikend, zegt hij dan: 'Wilt u?' Ik neem de krant dankbaar aan.
Even later komt een jongeman de wachtkamer binnen. Hij groet niet en kruipt als een verstekeling op een stoel in een hoek van de wachtkamer. Het effect van dat gedrag op de atmosfeer, althans zo ervaar ik het, is die van kortdurende onaangename spanning. Weer even later komt een wat oudere man binnen. Terwijl hij zijn handen warm wrijft, zegt hij met vrolijke stem: 'Goeiemorgen allemaal.' En voegt er dan, nog altijd handenwrijvend, aan toe: 'Koud, hé?' Er volgt een kort instemmend gemompel van een aantal van de aanwezigen. De spanning die met de binnenkomst van de jongeman was ontstaan, lost door die interactie voor mijn gevoel weer op. Ze lijkt plaats te maken voor een sfeer van principiële welwillendheid.

Gek hé, dat hoe mensen die elkaar niet kennen zich voelen in situaties waarin ze 'gedwongen' met elkaar te maken krijgen, afhangt van zulke subtiele processen als groeten of niet. Wat is het aan groeten dat de manier waarop we een situatie of anderen of onszelf ervaren er zo duidelijk door beïnvloed wordt? En is het alleen een kwestie van gevoel? Of heeft al dan niet groeten ook werkelijk effect op hoe mensen, ook als ze elkaar niet kennen, zich ten opzichte van elkaar gedragen? Bijvoorbeeld, zou de man in de wachtkamer mij de krant ook hebben aangeboden als ik bij binnenkomst niet had gegroet?

In de psychologie die zich met het bestuderen van de verschillen tussen culturen bezighoudt, wordt een gedrag als groeten een vorm van 'fatische' communicatie genoemd. Het woord 'fatisch' komt van het Oudgriekse woord voor spreken. Fatische communicatie is communicatie waarbij het er niet zozeer om gaat wát je zegt als wel dát je iets zegt. Het is communicatie die bedoeld is om als het ware de communicatiekanalen tussen mensen open te maken zodat daar vervolgens gemakkelijker inhoudelijk belangrijkere zaken door heen en weer gestuurd kunnen worden. Simpel gezegd, buurtgenoten die elkaar regelmatig groeten kunnen, als er zich een keer echt een moeilijke situatie in de buurt voor doet, meer op elkaar rekenen en durven dan ook gemakkelijker een beroep op elkaar te doen dan buurtgenoten die elkaar niet groeten.

De verklaring daarvoor is de volgende. Een van de constante opgaven waar wij, vanaf het begin tot het einde van ons leven voor staan, is ons in te voegen in allerlei sociale groepen. Groepen waarmee we langdurig te maken hebben, zoals het gezin en de familie waar we in geboren worden, verder de school, groepen van leeftijdsgenoten, collega's, vrijetijdsverenigingen en de buurten waar we wonen. Daarnaast ook groepen waar we kortstondig mee te maken hebben, zoals het gezelschap waarmee we op vakantie, cursus, conferentie of training gaan, de feesten of recepties waar we naar toe 'moeten', de mensen met wie we op zaal in een ziekenhuis liggen of in de wachtkamer zitten. Altijd weer is er die opgave van ons in- en uitvoegen in steeds weer andere groepen. Fatische communicatie zoals groeten is als het ware het signaal, de bel, waarmee we aankondigen ons voor korte of langere tijd als lid van deze sociale groep aan te melden en open te staan voor een bepaalde vorm van uitwisseling. We erkennen er als het ware de waarde van de ander mee, wat betekent dat we bereid zijn een zekere mate van nabijheid of omgang te aanvaarden of in ieder geval principieel niet afwijzen. Niet groeten staat zo bezien gelijk aan het signaal dat we de nabijheid van de ander niet aanvaarden of emotioneel afwijzen. Daarom roept het niet groeten van of door iemand met wie we kortere of langere tijd te maken hebben, heel vaak een bepaalde mate van onaangename spanning op. Ook als niet groeten simpelweg het gevolg is van het feit dat we de nabijheid van de ander niet hebben opgemerkt of de ander gewoon niet herkend hebben. Voor veel mensen is niet-herkend-worden gelijk aan niet-erkend-worden, dus is niet groeten ook in dat geval vaak een bron van onlustgevoelens.

Het verband tussen groeten en erkend worden brengt me op een andere belangrijke functie ervan. Groeten verhoogt ook de waarschijnlijkheid van gewenst gedrag tussen mensen in de toekomst. Als een automobilist voor een zebrapad stopt en de overstekende voetganger laat door een 'groetend' gebaar weten dat hij dat waardeert, dan neemt de waarschijnlijkheid dat de automobilist in de toekomst hetzelfde veilige gedrag vertoont toe. Bovendien draagt deze uitwisseling bij beiden bij aan een principiële welwillendheid. Maar stel, de overstekende voetganger negeert het veilige gedrag van de automobilist domweg of kijkt strak de andere kant uit – bijvoorbeeld vanuit het merkwaardige idee dat die man gewoon te stoppen heeft en dat er dus geen enkele reden is daar een blijk van erkentelijkheid voor te geven. Dan neemt de waarschijnlijkheid dat de 'gemiddelde' automobilist een volgende keer nog net even probeert door te rijden – hoe fout dat ook is – toe. Door groeten of soortgelijke uitingen van vriendelijkheid of erkentelijkheid voeden mensen elkaar dus op, onder meer tot welwillender en veiliger gedrag.

Een ander voorbeeld. Als iemand bij het binnengaan van een winkel de zware glazen winkeldeur voor degene die achter hem komt, even openhoudt in plaats van domweg achter zich dicht te laten vallen, dan is dat een gebaar van hoffelijkheid. Overigens ook van sociale verantwoordelijkheid en veiligheid want de ander kan zich gemakkelijk aan een terugzwaaiende deur bezeren. De waarschijnlijkheid van dit soort vriendelijk, verantwoordelijk en veilig gedrag neemt toe als de 'ontvanger' laat weten dat hij dat waardeert, door een gebaar of door zoiets te zeggen als 'Dank u'. Overigens neemt die waarschijnlijkheid dan niet alleen toe bij de 'voorganger' maar ook bij de ontvanger. Goed voorbeeld en vooral goed begroet voorbeeld voedt de sociale welwillendheid bij alle partijen.

Is de conclusie nu dat u voortaan de hele dag maar zo'n beetje moet lopen groeten? Nee natuurlijk. Maar het bevordert vriendelijkere, veiligere en verantwoordelijkere relaties zowel thuis als buitenshuis als u en de anderen de volgende regels wat vaker in acht probeert te nemen.

1. Groet bij het binnenkomen van ruimtes waar u kortere of langere tijd met anderen zult doorbrengen.

2. Groet bij het weggaan uit ruimtes waar u enige tijd met anderen hebt doorgebracht.

3. Groet de mensen van wie u weet dat ze bij u in de straat of buurt wonen.

4. Groet of geef een andere uiting van erkentelijkheid als een ander hoffelijk, veilig of verantwoordelijk gedrag ten opzichte van u vertoont.

En, ten slotte, omdat zoals in ieder leerproces ook hier de kracht zit in de herhaling:

5. Blijf bij uw eigen groet, ook als u soms geen groet ontmoet.

Hoe essentieel beleefdheid of hoffelijkheid is als uitdrukking van waardigheid en voorwaarde voor soepelheid in de omgang tussen mensen, is waarschijnlijk door niemand zo treffend uitgedrukt als door de Duitse filosoof Arthur Schopenhauer, notabene de filosoof van het pessimisme. Schopenhauer schreef: 'Beleefdheid is voor mensen wat warmte is voor was.'[1]

1. Schopenhauer, A., *Parerga en Paralipomena*, 1851 (Nederlandse vertaling: *Bespiegelingen over levenswijsheid*, Amsterdam, 1998, Uitgeverij Wereldbibliotheek).

Vrijheid

Vrijheid is de neiging om te bevorderen dat mensen, oud en jong, zoveel mogelijk hun eigen keuzes kunnen maken en maken. Belangrijke vrije keuzes zijn onder meer de vrijheid van partnerkeuze, de vrijheid van voortplantingskeuze, de vrijheid van geloof, de vrijheid van meningsuiting, de vrijheid van leefstijl. Er bestaat nogal eens de neiging te denken dat als iemand de vrijheid heeft om zelf zijn keuzes te maken, dat hij of zij zelf dan ook zelf helemaal voor de gevolgen ervan moet opdraaien. 'Wie zijn gat brandt, moet...' Toch is dat een problematische opvatting over de waarde van vrijheid. Iemand heeft bijvoorbeeld de vrijheid in het weekend met zijn club te gaan voetballen. Toch betekent dat niet dat als hij tijdens een wedstrijd zijn been breekt, we moeten zeggen: 'Jammer voor jou... Zie het zelf maar te genezen.' Keuzevrijheid betekent niet dat solidariteit verder niet aan de orde is. Het is in zekere zin zelfs omgekeerd. Wij kunnen elkaar keuzevrijheid geven en we kunnen onze keuzevrijheid nemen omdat we, als de keuze verkeerd uitpakt, toch op solidariteit mogen rekenen. Voor de ouder-kindrelatie betekent dat bijvoorbeeld dat als je kind een partner kiest tegen wie jij helemaal bent en hij of zij blijkt vervolgens inderdaad onder die keuze te lijden, je toch beschikbaar bent als praatpaal of hulp.

Wie deze waarde werkelijk serieus neemt, straft zijn kinderen dus niet voor de negatieve gevolgen van hun keuzes, maar blijft ook dan solidair.

Er is nog een ander veelvoorkomend misverstand met betrekking tot keuzevrijheid, namelijk dat er dan geen grenzen gesteld worden of mogen worden. Keuzevrijheid wil niet zeggen dat iedereen maar naar believen zijn gang moet kunnen gaan of dat er geen beperkingen aan het aantal keuzes mogen worden gesteld. Een ouder kan een kind een som geld geven dat het naar believen mag besteden en toch grenzen daaraan stellen. Bijvoorbeeld, het mag het niet aan drugs of aan een motorfiets uitgeven.

De grenzen die de ouder dan stelt aan de vrijheid van keuze van het kind hoeven de vrijheid als waarde niet te schenden. Ze zijn niet willekeurig of 'autoritair' als ze ingegeven worden door een van de andere genoemde waarden, zoals weldadigheid. De ouder wil door het stellen aan de keuzevrijheid bijvoorbeeld voorkomen dat het kind zichzelf of anderen mogelijk schade berokkent. Een ouder kan de vrijheid van een kind ook begrenzen uit het oogpunt van rechtvaardigheid. Bijvoorbeeld aan een oudere broer of zus, die eerder een soortgelijk bedrag ontving, is keuzebeperking bij de besteding ervan opgelegd en dus doet de ouder het nu ook.

Kortom, de waarden van weldadigheid en rechtvaardigheid kunnen de vrijheid begrenzen. Maar nog belangrijker is dat de ouder bij het stellen van die grenzen aan vrijheid de waardigheid van het kind respecteert. Dat wil onder meer zeggen dat de ouder het kind de redenen van die grenzen uitlegt en het feit dat het kind daartegen protesteert – dat wil zeggen als het een andere mening heeft – niet als ondankbaarheid of erger afwijst of afstraft.

Een belangrijk kenmerk van mensen die de waarde van vrijheid hooghouden, is dat ze van anderen accepteren, ook als die anderen hun kinderen zijn, dat die een eigen mening over een bepaalde situatie of gedrag hebben. Het betekent ook dat ze van anderen accepteren dat die hen op hun gedrag in huis, op straat of in een andere publieke ruimte aanspreken. Zoals ze ook verwachten dat anderen, en met name kinderen, dat van hen accepteren (wat niet hetzelfde is als het leuk vinden).

Overigens dat alles wel met de volgende kanttekening. Het recht op vrije meningsuiting betekent volgens velen dat kinderen en volwassenen over en weer alles mogen zeggen wat ze denken. Maar dat is echt onzin. Ook hier wordt de vrijheid (van meningsuiting) beperkt door de andere drie waarden. Als iemand zijn mening vrij uit, maar daarmee de menselijke waardigheid van een ander aantast, dan is hij letterlijk en figuurlijk toch 'waardeloos' bezig. Een vader die tegen zijn opgroeiende dochter zegt dat ze een dikke kont heeft en dat je daarmee niet aan de

man komt, uit vrij zijn mening, maar gedraagt zich toch waardeloos, want richt emotioneel schade aan. Een kind dat zijn
ouder(s) uitscheldt in het bijzijn van anderen, hoezeer het ook
overtuigd is van wat het zegt, is waardeloos bezig. Op dezelfde
manier geldt dat als we onze partner aanspreken of kritiek geven
op iets, of als we iemand op straat aanspreken op zijn gedrag, het
wezenlijk is of we dat op een respectvolle of waardige manier
doen of op een onwaardige, beledigende wijze.
Hetzelfde geldt voor het beschuldigen van iemand, of dat nu een
kind, ouder, partner of vage kennis is. Als we dat doen zonder
voldoende bewijs of 'alleen maar van horen' zeggen of uit de
krant, dan zijn we bezig op een onrechtvaardige manier onze vrijheid van meningsuiting te gebruiken, en dus misbruiken we die.
Kortom, we zijn onze vrijheid pas waard, als we die op een rechtvaardige, weldadige en waardige manier gebruiken.

Dat is vermoedelijk ook wat de Franse filosoof Albert Camus
bedoelde te zeggen toen hij, op een wel heel heftige manier,
schreef: 'Slaagt een mens er niet in gerechtigheid en vrijheid te
verzoenen, dan slaagt hij nergens in.'[1]

Vier essentiële waarden: slot

Jean Paul Sartre, die ooit de hogepriester van de Franse filosofie
van de twintigste eeuw is genoemd, schreef in 1944 een boek dat
de huiveringwekkende titel draagt *Huis clos* (Gesloten deuren).
Eén zin uit dat boek is wereldberoemd geworden, namelijk deze:
'De hel, dat zijn de anderen.' ('L'enfer, c'est les autres.') Mensen
zijn voor elkaar de belangrijkste bron van ongeluk, van pijn. Als
feit valt dat moeilijk te ontkennen. Maar als toekomst kun je dat
wel ontkennen, kun je dat weigeren. Weigeren in de zin van weigeren daaraan je medewerking te verlenen.

1. Camus, A., *Carnets*, Paris, 1962 (NRF/Gallimard).

Ik geloof dat wie die weigering werkelijk waar wil maken, geen andere weg openstaat dan zijn of haar gedrag voortdurend te toetsen aan de vier essentiële waarden, die we in het voorafgaande besproken hebben. Dat betekent dag in dag uit jezelf de volgende vraag stellen.

Waar sta ik ten opzichte van de mensen die mij lief zijn en van alle andere mensen daaromheen, van alle mensen dus, op de dimensies?		
Rechtvaardig	versus	Onrechtvaardig
Weldadig	versus	'Mis'-dadig
Waardig	versus	Onwaardig
Vrijheidgevend	versus	Vrijheidontnemend
	?	

Er zullen ongetwijfeld momenten, dagen, mogelijk weken zelfs, zijn, waarop je oordeel over jezelf pijn zal doen. Zoals ik al vaker in dit boek heb uitgelegd, pijn betekent vrijwel altijd dat er iets belangrijks op het spel staat. Zoek daarom die pijn op, maak er contact mee, en ga vanuit dat contact op zoek naar manieren om de pijn te verminderen, mogelijk zelfs te genezen.

Dat kan bijvoorbeeld betekenen dat je anderen, kinderen, ouders, partner en andere mensen die belangrijk voor je (kunnen) zijn, deelgenoot maakt van je oordelen over jezelf op de vier waarden. Dat vergt enige moed. Maar het is moed die emotioneel meestal beloond wordt.

Laat ik een voorbeeld geven om dat concreet te maken. Stel voor dat je op een dag een roddel over iemand hebt verteld. Iets negatiefs over die persoon, van wie je weet dat het hem of haar schade kan berokkenen, maar van wie je niet zeker weet of het klopt. Als je jezelf eerlijk beoordeelt op de vier waarden, dan zet je in ieder geval op de dimensie rechtvaardig/onrechtvaardig een kruis in de buurt van het laatste. Ook op de dimensie weldadig/'mis'dadig komt dan een kruis in de buurt van het laatste. Je bent immers bezig geweest die persoon schade te berokkenen of hebt in ieder geval het tegenovergestelde gedaan van voorkomen dat dat kan gebeuren. Waar het nu op aankomt is die oordelen om te zetten in duidelijke boodschappen aan jezelf, zoals: 'Ik ben onrechtvaardig ten opzichte van een ander geweest en heb hem misdadig behandeld want ik heb over hem iets negatiefs aan anderen verteld waarvan ik niet weet of het waar is, maar waarvan ik wel weet dat het hem schade kan berokkenen.' Dat is een belangrijke, zij het pijnlijke constatering omtrent jezelf. Maak contact met die pijn en zoek naar manieren, rechtvaardigere, weldadige en waardige manieren, om die te verminderen. Bijvoorbeeld door bij anderen op die roddel terug te komen en te zeggen dat je mogelijk wat al te gretig bent geweest. Of door je verontschuldigingen aan de beroddelde ander aan te bieden en te vragen of er iets is dat je kunt doen om het te herstellen. Dat laatste is voor de meeste mensen een heel erg moeilijke stap, omdat ze de boosheid van de ander vrezen. Maar je durven blootstellen aan de pijn van de boosheid die een ander terecht over je uitstort, is waarschijnlijk een van de belangrijkste, want een van de meest waardevolle stappen, die je in een relatie kunt nemen. Het bewijst dat je in laatste instantie pal voor je waarden staat, ook, of zelfs juist, als je in de fout bent gegaan.

Zoals de grondlegger van de Amerikaanse psychologie, William James, zegt in zijn prachtige boek over waarden en normen, getiteld *The Will to Believe:* 'De ultieme test van een waarde is het gedrag dat het voorschrijft of inspireert.'[1]

---

1. James, W., *The Will to Believe* (1896). In: *Pragmatism*, ed. Louis Menand (Vintage Books, New York, 1997).

12 Normen voor ouders

'Dit is, mijn inziens, de essentie van ouderschap: de vastbeslotenheid een kind nooit uit te stoten. Zoals de essentie van gemeenschap is een mens nooit uit te stoten. De grootste overwinning die een ouder kan boeken is een verloren kind terug te winnen. Zoals de grootste overwinning die een gemeenschap kan behalen is dat een mens die verloren was, in haar midden terugkeert.'

Er zijn een heleboel mensen, niet alleen ouders maar ook leerkrachten, partners, vrienden, buren, die menen dat er voor de omgang tussen hen en anderen geen duidelijke regels, geen duidelijke normen te geven zijn. Maar dat kan niet waar zijn als er wel duidelijke waarden voor goed met elkaar omgaan te geven zijn, zoals we in het voorafgaande gedaan hebben. Die waarden moeten vertaald worden in omgangsregels of afspraken en omgekeerd moeten omgangsregels of afspraken terug te herleiden zijn tot die waarden. Natuurlijk heeft iedere relatie daarnaast zijn eigen eigenaardigheden en daar is ook niets op tegen. Want die maken een relatie vaak bijzonder, spannend, stimulerend. Maar die 'eigen' eigenaardigheden moeten niet strijdig zijn met de basiswaarden. Ze moeten zogezegd passen binnen de vrijheidsgraden daarvan.

Van welke omgangsregels of normen kan gezegd worden dat die min of meer algemeen gelden binnen een cultuur en samenleving als de onze? De psychologen Argyle en Henderson noemen er in hun boek *De anatomie van relaties. En de regels en vaardigheden om er goed mee om te gaan*[1] een aantal op basis van onder-

1. Argyle, M., en M. Henderson, *The Anatomy of Relationships. And the Rules and Skills to Manage them Successfully*, Middlesex, 1985, 1990 (Penguin Books).
Zie ook: Argyle, M., en M. Henderson, *The rules of Friendship*,1984. In: Journal of Social and Personal Relationships, 1 (pag. 211-237).
En zie ook: Argyle, M., en M. Henderson, *The Rules of Relationships*, 1985. In: Duck, S.W., en D. Perlman (ed.), *Understanding Personal Relationships: An Interdisciplinary Approach*, Beverly Hills, CA (pag. 63-84).

zoek door henzelf en anderen. Opmerkelijk is wel dat in die titel en overigens ook in het boek zelf de schakel 'waarden/regels/ vaardigheden' ontbreekt.

De volgende lijst van regels voor ouders in de omgang met hun kinderen is grotendeels op het overzicht van Argyle en Henderson en van latere onderzoekers gebaseerd. De lijst is aangevuld op basis van wat we eerder in het hoofdstuk over de vier essentiële waarden hebben beschreven. Nogmaals voor alle duidelijkheid, we hebben het hier voornamelijk over de relatie tussen ouders en hun kinderen na de puberteit of in de volwassenheid.

Regels voor ouders in de omgang met hun kinderen

1. Respecteer de privacy (= vrijheid) van je kind. Snuffel bijvoorbeeld niet stiekem in zijn of haar spullen. Lees niet zonder toestemming in dagboeken, brieven of e-mail.
2. Geef indien nodig of gevraagd leiding en advies, maar wees vooral in gedrag een voorbeeld. Geef je grenzen aan, leg ze uit en 'leef ze voor'. Maar stel geen grenzen aan je kind die je niet aan jezelf stelt.
3. Bedrijf nooit seks met je kind. Wees nooit lichamelijk gewelddadig jegens je kind.
4. Stimuleer de ideeën van je kind en moedig hem of haar aan ideeën te ontwikkelen.
5. Respecteer de eigen mening van je kind. Geef kritiek altijd als jouw mening, nooit als dé mening.
6. Geef emotionele steun.
7. Toon openlijk genegenheid voor je kind.
8. Bewaar aan jou toevertrouwde geheimen.
9. Claim je kind niet voor jou alleen, niet openlijk en niet in het geheim.
10. Behandel je kind als een persoon die verantwoordelijkheid kan dragen.

11. Leef mee met de successen en meevallers van je kind.
12. Maak oogcontact met je kind als je met hem praat.
13. Noem je kind bij de (gewenste) voornaam.
14. Geef of stuur op verjaardagen en andere belangrijke data kaarten en cadeautjes.
15. Neem het voor je kind op in zijn of haar afwezigheid.
16. Praat met je kind over seks en dood.
17. Praat met je kind over politiek en godsdienst.
18. Toon respect voor je kind en gedraag je respectabel. Wees hoffelijk en verontschuldig je voor (onbedoelde) onhoffelijkheden.
19. Betaal schulden, beantwoord gunsten en complimenten.
20. Bekritiseer de keuze van partner/vriend(in) van je kind nooit.
21. Kom je beloften aan je kind na en als dat niet mogelijk is of als je erop terug wilt komen, leg het uit.
22. Maak je kind duidelijk dat je lichamelijk geweld of bedrog van hem of haar jegens anderen nooit accepteert en dat je daar altijd, voor zover het in je vermogen ligt, actie op zult ondernemen.

Het zal duidelijk zijn dat de meeste van deze regels terug te vertalen zijn naar de vier essentiële waarden. Ze zijn in feite op te vatten als normen voor deze waarden.

Een paar kanttekeningen erbij. Op de eerste plaats, beschouw deze regels als regels die jij als persoon zoveel mogelijk ten opzichte van je kind volgt. Ik zeg dat omdat nogal wat ouders de neiging hebben om een groter of kleiner gedeelte van die regels uit te besteden aan hun partner/medeouder. Die let er bijvoorbeeld op dat voor de verjaardag van jullie kind een cadeau wordt gekocht of een kaart wordt gestuurd. Het is verleidelijk om op die 'uitbesteed'-toer te gaan, maar het is niet erg waarachtig. Ouders die een voorbeeld willen zijn voor hun kind, ondermijnen dat voorbeeld als een van hen zich daaraan houdt maar de ander niet.

Op de tweede plaats, ga met je partner regelmatig na hoe goed jullie je aan deze regels houden. Maak er een belangrijk gesprekspunt van. Voer dat gesprek zoveel mogelijk in het licht van de achterliggende waarden. Stel elkaar bijvoorbeeld de vraag of de kritiek die jullie geuit hebben op de partner van je kind, wel rechtvaardig was. Als je geen 'mede'-ouder hebt en er alleen voorstaat, loop de regels dan regelmatig met jezelf door of met een goede vriend(in).

Op de derde plaats, durf toe te geven aan jezelf, aan je partner en eventueel je kind als het moeilijk voor je is om je aan bepaalde regels te houden omdat je gewoon niet precies weet hoe dat te doen. Omdat je de vaardigheid daarvoor mist. Of eigenlijk nog leren moet. Veel mensen in onze samenleving nemen veel te gemakkelijk aan dat als je weet wat 'je moet doen', je ook wel weet hoe dat te doen. Dat is gewoon niet waar. Sommige ouders hebben veel meer moeite zich in de gevoelens van hun kind in te leven dan andere en dus veel meer moeite om hun kind emotionele steun te geven. Hun empathie of inlevingsvermogen is onvoldoende ontwikkeld. Dat is geen reden voor (zelf)verwijt of kritiek. Wel voor erkenning (= waardigheid). Aan je kind dat iets moeilijk kan of vindt. Aan jezelf dat je nog het een en ander te leren hebt. Waarden en normen vragen om vaardigheden die niet iedereen zomaar in zijn of haar repertoire heeft.

En ten slotte op de vierde, en waarschijnlijk belangrijkste plaats, deze raad: hoe lastig je kind het je ook maakt om je aan de regels te houden, verbreek nooit het contact. Geloof het of geloof het niet, maar er is niets in het leven waar ouders uiteindelijk zoveel spijt van hebben als het feit dat ze het contact met hun kind verbroken hebben. Soms kan het heel moeilijk zijn om dat niet te doen. Met name als je kind je beschuldigd heeft van ernstige zaken die niet waar zijn. Of als het kind zelf iets anders ernstigs, in de zin van misdadigs, heeft begaan. Hoe diep ook je gekwetstheid, hoe groot ook je pijn, dat zijn de momenten waarop het er echt op aankomt. Natuurlijk mag je kritiek hebben, ook ernstige, aangenomen dat je die op een rechtvaardige en waardige manier geeft. Het kan zelfs heel erg wijs zijn om in zulke situaties je kritiek niet onder stoelen of banken te steken. Maar het voorgoed doorscheuren van de band met je kind is het voorgoed afscheuren van een stuk van jezelf. Er ontstaat een wond waarvoor geen genezing bestaat, zelfs geen verband. Er ontstaat een wond die altijd zal blijven etteren, altijd pijn zal doen. Die nooit heelt en die je emotionele en lichamelijke gezondheid blijvend zal ondermijnen.

Natuurlijk is het een vreselijke opdracht om onder ogen te moeten zien dat een wezen dat iets vreselijks heeft gedaan, uit jou is voortgekomen, door jou is opgevoed, dat je zelfs hebt liefgehad. Maar het is nog vreselijker om het bestaan van dat wezen daarom voorgoed te ontkennen, nooit meer te willen kennen. Daarmee laat je het kind volledig aan zijn kwade lot over, lever je het voorgoed aan het kwaad uit. In een prachtig essay getiteld 'Oordeelt niet' schrijft de priester-psycholoog Eugen Drewermann hier het volgende over[1]: Er zijn culturen, of ze zijn er in ieder geval geweest, die in onze ogen primitief zijn omdat zij het kannibalisme kennen, maar waarin jegens mensen die een misdaad begingen zeer veel humaner werd opgetreden dan wij nu doen. In plaats van, zoals bij ons, de overtreder of foutenmaker uit te stoten doet men daar de grootste moeite hem in de gemeenschap te handhaven. [...] In plaats van dat de gemeenschap het contact met hem afbreekt, laat men hem daarentegen merken dat hij zonder de gemeenschap met andere mensen niet eens kan overleven. Niet uitstoting maar intensievere betrokkenheid is hier de "straf".'

Dit is, mijn inziens, de essentie van ouderschap: de vastbeslotenheid een kind nooit uit te stoten. Zoals de essentie van gemeenschap is een mens nooit uit te stoten. De grootste overwinning die een ouder kan boeken is een verloren kind terug te winnen.

---

1. Drewermann, E., *De Bergrede. Beelden van vervulling. Toelichting op Mattheus 5, 6 en 7*, Zoetermeer, 1992, pag. 218-220 (Uitgeverij Meinema).

Zoals de grootste overwinning die een gemeenschap kan behalen is dat een mens die verloren was, in haar midden terugkeert.

13 Normen voor kinderen

Het risico bestaat dat je, als je als kind het vorige hoofdstuk over normen voor ouders gelezen hebt, denkt: 'Aha, dat zal ik die twee eens onder de neus wrijven; ik zal ze eens laten lezen op welke punten ze allemaal in de fout zijn gegaan. En nog!'
Fout. Je mag best je ouders op redelijke regels wijzen. Maar alleen als je zelf ook bereid bent zulke regels in acht te nemen. Het is onredelijk, onrechtvaardig, van een ander te verlangen, ook als die ander je ouder is, dat hij of zij zich houdt aan normen waaraan jij dat zelf niet doet.
Vandaar de volgende regels voor kinderen:

Regels voor kinderen in de omgang met hun ouders

1. Respecteer de privacy en vrijheid van je ouders. Snuffel bijvoorbeeld niet stiekem in hun spullen. Haal niets bij hen weg zonder dat ze daarvoor toestemming hebben gegeven.
2. Houd aan jou toevertrouwde geheimen en vertrouwelijkheden voor je.
3. Bedrijf geen seks met je ouders; wees nooit gewelddadig jegens hen en dreig ook nooit met geweld.
4. Laat je ouders delen in jouw successen, in elk geval door ze erover te vertellen.
5. Respecteer de rechten van je ouders, bijvoorbeeld wat betreft hun grenzen, hun wensen ten aanzien van lawaai, gebruik van telefoon en auto, enzovoort.
6. Wees hoffelijk tegenover je ouders, zowel in gezelschap als wanneer je alleen met hen bent.
7. Neem het voor je ouders op als ze er niet bij zijn.
8. Stuur kaarten of geef cadeautjes met verjaardagen en andere belangrijke data.

9. Maak oogcontact met je ouders als je met hen praat.
10. Praat met hen over seks en dood.
11. Praat met hen over godsdienst en politiek.
12. Neem vrienden of vriendinnen mee naar huis.
13. Vraag om persoonlijk advies en om raad.
14. Betaal schulden zoals afgesproken, beantwoord gunsten en complimenten.
15. Informeer je ouders, als je nog bij hen woont, over je agenda. En als je niet bij hen woont, informeer hen over langere periodes van afwezigheid (zoals vakantie, reizen, en dergelijke).
16. Respecteer de waarden en gewoonten van je ouders, zelfs als je hen ouderwets vindt.
17. Bekritiseer je ouders niet in het openbaar.
18. Vertrouw je ouders persoonlijke, intieme zaken toe.
19. Vertel je ouders (af en toe) van je persoonlijke gevoelens en problemen.
20. Vraag je ouders hoe zij bepaalde zaken zouden aanpakken en accepteer, zonder dat je het er per se mee eens moet zijn, hun benadering.
21. Kom je beloften aan je ouders na en als dat niet mogelijk is of als je erop terug wilt komen, leg het uit.
22. Maak je ouders duidelijk dat je lichamelijk geweld of bedrog van een van hen of van beiden jegens anderen nooit accepteert en dat je hen daar altijd, rechtvaardig en waardig maar toch, op aan zult spreken.

Een regel, en bepaald niet de onbelangrijkste, die geldt voor zowel ouder als kind, heb ik dan nog niet genoemd, namelijk:

Lever alleen kritiek op het gedrag van de ander, nooit op de persoon. En lever die kritiek altijd als jóuw oordeel van het moment, nooit als het 'Laatste oordeel'.

Dus zeg niet als ouders tegen je kind: 'Je hebt nooit ergens voor gedeugd.' En zeg niet als kind tegen je ouders: 'Jullie zijn altijd egocentrische mensen geweest.' Maar zeg: 'Als jij op die manier reageert, dan erger ik me vaak.' Of: 'Als jullie niet vragen hoe ik me daarbij voel, dan vraag ik me af of dat jullie wel interesseert.'

Uit onderzoek – onder andere onderzoek dat ik ooit samen met collega's gedaan heb – blijkt dat de meeste kinderen, ongeveer negen van de tien, zeggen van hun ouders te houden. Het omgekeerde is ook het geval: negen van de tien ouders houden van hun kinderen. Dat er toch vaak veel misgaat, met alle ellende en verdriet vandien, is dus niet zozeer het gevolg van 'misstand' als wel van 'misverstand'. Van het niet-begrijpen, niet-afstemmen en niet-uitleggen van de waarden en regels die je volgt in de omgang met elkaar. Van het niet delen maar oordelen, zoals Drewermann zo fraai zegt.

En dat is dikwijls weer het gevolg van een gegeven dat praktisch onbespreekbaar is tussen ouders en kinderen, maar dat in vrijwel al die relaties op de een of andere manier een rol speelt: jaloezie. Hoe gek het misschien ook klinkt, de meeste ouders zijn op een of andere manier jaloers op hun kinderen en schoonkinderen. En heel veel kinderen zijn op een of andere manier jaloers op hun ouders. Jaloezie is de brandstof van tal van conflicten en ontstemming tussen ouders, hun kinderen en hun aanhang. Waarom?

14 Jaloezie als spelbreker tussen ouders en kinderen

'De jaloezie van vrienden richt mij ten gronde, niet de haat van vijanden.'

— SCHILLER[1]

Jaloezie kent vele vormen. Aan sommige daarvan zijn we zo gewend, dat we ze vaak als terecht of zelfs 'gezond' beschouwen. Bijvoorbeeld wanneer een partner om wie we veel geven wat al te intiem met een ander omgaat. Maar er zijn ook vormen van jaloezie die we nooit, of alleen met de grootste moeite zouden toegeven, als we ons er al bewust van zijn. De voornaamste daarvan is de jaloezie die ouder wordende mensen kunnen koesteren jegens jongeren. En dus ouders jegens hun kinderen.

Het is vooral de jeugdige vitaliteit, het jonge, gave lichaam en het feit van nog een heel leven met allerlei mogelijkheden voor zich te hebben waardoor jongeren het voorwerp van jaloezie van ouderen worden. Die jaloezie kan soms zo heftig worden dat het gedrag van een oudere daardoor in sterke en kwaadaardige mate wordt bepaald. Er zijn tijden geweest dat mensen er trots op waren ouder en vooral oud te worden. Ouderdom, wijsheid en gezag waren vrijwel synoniem. Tegenwoordig is ouder worden absoluut niet meer 'in' en ik vrees dat het ook nooit meer 'in' zal raken ook. Wat 'in' is, is jong, vlot, glad en soepel zijn. Veel mensen die oud worden, schamen zich voor hun uiterlijk, willen zich zo niet meer laten zien aan de wereld. Ze slaan aan het verstoppen of verbouwen van dat uiterlijk. Denk maar eens aan de beroemde, maar vooral oud geworden filmster Brigitte Bardot, die zich nu vrijwel nooit meer aan de wereld laat zien.

1. 'Der Freunde Eifer ist's, der mich zu Grunde richtet, nicht der Hass der Feinde.' Johann Christoph Friedrich von Schiller, *Wallensteins Tod* (III, 18).

Denk ook nog eens terug aan die andere filmster, Romy Schneider, over wie ik het in het eerste hoofdstuk heb gehad. Zij wilde zich nooit meer aan de wereld laten zien en ging er daarom voorgoed uit weg.

Maar denk ook aan al die 'Bekende Nederlandse Vrouwen' die zich voortdurend laten vullen, liften, bijsnijden of 'uitzuigen'. Ook zij kunnen niet met hun spiegelbeeld leven.

Ouderen, en dus ook ouders, zijn in onze cultuur haast per definitie jaloers op jongeren, en dus ook op hun eigen kinderen. Tot op zekere hoogte hoeft die jaloezie niet eens zo ongezond te zijn, zolang het de oudere stimuleert om zoveel mogelijk soepel van lichaam en geest te blijven. Maar daar beperkt het zich helaas meestal niet toe.

De ouderlijke jaloezie verraadt zich gewoonlijk op twee manieren. De ene is de overdreven bewondering die veel ouders voor het uiterlijk van hun kinderen uiten, vooral in het bijzijn van anderen ('Wat is het een knappe meid geworden, vind je niet?'). Dat is vaak een overdekking, een overschreeuwing, van de jaloezie op de jeugd. Diezelfde jaloezie uit zich vaker in een overdreven kritische houding ten aanzien van het gedrag, de kleding, de plannen en de spullen van hun kinderen en aanhang. 'Mijn (schoon)moeder heeft altijd overal kritiek op', is een bijna epidemische klacht. De meeste kinderen voelen dat er achter die kritiek iets eigenaardigs moet schuilgaan, maar veel verder dan dat gevoel komt hun inzicht vaak niet. Wat er achter dat negativisme meestal schuilgaat is ouderlijke jaloezie. Jaloezie op anderen die nu invloed, en vaak meer invloed op hun kind hebben dan zij als ouders nog hebben. Jaloezie op de nieuwe ervaringen die hun kind op doet en waar zij als ouders geen deel aan hebben. Jaloezie op de toekomst en het plezier daarin dat hun kinderen uitstralen. En natuurlijk jaloezie op hun lichamen en de lichamen van degenen met wie ze omgaan of een relatie hebben.

Een indrukwekkend maar ook onthutsend voorbeeld daarvan was een bijna vijftigjarige man, gehuwd en met twee zoons van

zestien en achttien jaar, die zich enige tijd geleden voor psychologische hulp bij mij meldde. De directe aanleiding was een al
maanden voortslepende ruzie tussen hemzelf aan de ene kant
en zijn vrouw en oudste zoon aan de andere kant. Inzet van de
ruzie was het meisje met wie deze zoon sinds tien maanden een
(vaste) relatie had. De man was absoluut tegen de relatie gekant
en stond erop dat zijn zoon deze zou verbreken. Hij had allerlei
zwaar geschut in stelling gebracht, zoals weigeren het meisje
thuis te ontvangen, nooit over haar te spreken en zijn financiële
bijdrage aan de studie van zijn zoon in te houden. Wat hij tegen
het (overigens zeer knappe) meisje had, was dat ze regelmatig en
soms zelfs tamelijk bloot als fotomodel werkte en dat hij zijn
zoon voor zo'n 'del' te goed vond. De jongen was zo verliefd
dat hij ondanks alle weerstand van zijn vader de relatie aanhield.
Met de stilzwijgende goedkeuring van zijn moeder. Tijdens een
van de vele ruzies over het meisje had die moeder zich ten slotte
duidelijk uitgesproken en gezegd dat hun zoon het recht had zelf
te beslissen met wie hij omging. De man had dit als verraad van
zijn vrouw en als een keuze van haar voor de zoon en tégen hem
ervaren. Hij had daarop besloten het huisgezin te verlaten en was
op een kamer gaan wonen.

Hij kwam bij me, omdat hij in een volstrekte impasse zat. Naar
huis teruggaan en, voor zijn gevoel, het hoofd buigen voor
vrouw en zoon (en zijn vriendin) wilde hij niet. Maar voorgoed
scheiden en vrouw en zoon verliezen wilde hij evenmin.

Een van de pijnlijkste inzichten die deze doodongelukkige man
na veel slikken in onze gesprekken opdeed, was het feit dat hij hevig jaloers was op zijn zoon. 'In feite kan ik het heel moeilijk verteren dat hij zo jong is als hij is, een veelbelovende studiekop is, er
goed uitziet, een mooie jonge vriendin heeft, enfin, nog van alles
voor zich heeft, terwijl ik niet veel bijzonders meer in mijn leven
te verwachten heb. Als ik met hem op straat loop, is er geen
meisje dat naar mij kijkt, wel naar hem natuurlijk.'

Er waren zelfs momenten dat hij, in de spiegel kijkend naar zijn
eigen rimpels, zich het nog gave gezicht van zijn zoon voor de

geest riep en zich dan afgunstig voelde. Geleidelijk aan begon hij te beseffen dat hij zijn eigen frustraties over wat het leven hem geboden had – of liever: onthouden had – en de agressieve gevoelens die daarvan het gevolg waren op zijn zoon richtte, die daar part noch deel aan had.

De krachttoer die hij daarna uithaalde en waarvoor ik hem zeer bewonderde, was dat hij met dit inzicht gewapend met zijn zoon ging spreken en vervolgens ook met zijn vrouw. Lange tijd daarna, toen ik hem weer eens sprak, zei hij heel terecht: 'Ik benijd mijn zoon nog altijd, maar jaloers ben ik niet meer op hem.'

Er is weinig bekend over het effect van ouderlijke jaloezie op kinderen en evenmin is er veel bekend over de invloed die ouderlijke jaloezie heeft op gezinsrelaties. Maar mijns inziens is het een sterk onderschat verschijnsel. Een klassiek gegeven is de jaloezie die een vader koestert jegens de jongeman die zijn dochter meeneemt. En even klassiek is de jaloezie van moeders op de vrouwen die hun zoons inpalmen. De ellende die uit zulke jaloeziegevoelens voortkomt, heeft waarschijnlijk aanleiding gegeven tot de vaak grinnikend vertelde schoonmoedermoppen. (Vraag: wat is de definitie van gemengde gevoelens? Antwoord: als je schoonmoeder in je nieuwe auto het water in rijdt!)

Het is iets van alle tijden dat jeugdigheid als een begerenswaardig iets wordt gezien. Maar het is van deze tijd om ouderdom als iets minderwaardigs te zien. Dat maakt het in de dubbele betekenis van het woord pijnlijk om ouder te worden. En dat heeft weer een ernstige en volslagen genegeerde consequentie. Het is een van de voornaamste redenen van de chronische eenzaamheid van honderdduizenden ouderen en ouders. Want we zitten nu eenmaal zo in elkaar dat we uit de weg gaan wat we niet aantrekkelijk vinden.

Maar niet alleen ouders zijn jaloers op hun kinderen, kinderen zijn dat ook vaak op elkaar en op hun ouders, of op een van hen. Dat heeft alles te maken met de psychologische kern van jaloezie, namelijk de eis in het leven van de ander de eerste plaats te bezetten.

15 Ouders en kinderen: het gevecht om de eerste plaats

'Wie mag ik nu helpen?' vraagt de Spaanse slager in gebroken Duits vanachter zijn toonbank terwijl hij zijn handen aan zijn allang niet meer schone schort afveegt.

'Ik geloof dat ik aan de beurt ben!' roept een van een vijftal klanten, een vlezige vrouw in bikini met een onduidelijke omslagdoek eromheen.

'Das glaube ich doch nicht!' dendert een andere vrouwelijke klant er meteen overheen.

Als door een wesp gestoken draait de eerste vrouw zich om, kijkt met diepe verachting naar de ordeverstoorster en zegt: 'Wieso nicht...? Ich war hier doch bestimmt...!' Alsof ze zich te goed voelt om er nog meer woorden aan te verspillen, draait ze zich abrupt weer terug en geeft de slager haar bestelling door op een wijze die geen enkele tegenspraak duldt.

Maar die draalt nog en van de aarzeling maakt nummer twee gebruik door beginnend met een 'Moment mal!' de slager duidelijk te maken dat hij het niet in zijn bolle hoofd moet halen om die dikke *Frechheit* ('brutaliteit') als eerste te gaan helpen.

Het wordt acuut heet in de, vergeleken met de buitentemperatuur, betrekkelijk koele slagerij. Al helemaal wanneer een ander zich er ook mee gaat bemoeien met het bekende wijsje van 'volgens mij was die mevrouw inderdaad...'

Nummer één weet uiteindelijk het pleit in haar voordeel te beslechten, maar niet zonder dat het haar, zolang ze nog in de slagerij verkeert, komt te staan op een hele serie stekelige opmerkingen in de trant van: 'Dat moet je me geen tweede keer flikken, akelige dikzak.'

Als ze betaald heeft en de plastic zak met boodschappen van de slager aangereikt krijgt, draait ze zich nog even naar nummer twee om en met een klein knikje van haar hoofd en een kort slui-

ten van haar ogen geeft ze op tartende wijze haar triomfbood-
schap af, zo van: 'Hééél goed... Netjes op je beurt gewacht, en
nou mag jij, hoor.' Die poging tot vernedering komt haar op
een welgemeende afscheidswens te staan: 'Ik mag lijen dat jij en
die varkensfamilie van je in dat vlees stikken.'
Een vermakelijke scène, maar ook een buitengewoon veelzeggende. Wij spreken heel gemakkelijk over dit soort botsingen
als een soort van bijproduct van de omgang van mensen met elkaar. Maar de confrontatie absorbeert de betrokkenen zo sterk,
ze storten zich er zo met huid en haar in en ze kunnen er zover
in gaan – het had gemakkelijk tot mepperij in de slagerij kunnen
komen – dat het wel om iets wezenlijks moet gaan. Dat wezenlijke is het verlangen van de mens om niet op de tweede plaats te
komen, niet tweederangs te zijn. Oppervlakkig gezien lijkt het
conflict in de slagerij weliswaar gevolg van het feit dat er onduidelijkheid bestond over wie er het eerst was en was gemakkelijk
te voorkomen door bijvoorbeeld met klantennummers te werken. Maar psychologisch gezien is dat niet meer dan een praktische maatregel om een fundamentele menselijke neiging aan
banden te leggen namelijk: voor te willen dringen, als eerste
aandacht en zorg te krijgen, als eerste gehoord te willen worden. Die neiging is in zijn meest pure en onbeschaamde vorm
te zien bij kinderen, die hun ouders het leven zuur maken met
het voortdurende 'Waarom mag zij eerst?' en die elkaar op de
jaloeziekast proberen te krijgen met 'Ik mag lekker ééhéérst...
en jij niet!'
Een kind kan het zichzelf psychologisch niet veroorloven om
niet de eerste te zijn in de aandacht en liefde van de ouders, of
in ieder geval van de moeder, en al helemaal niet om ervan buitengesloten te worden. Vandaar dat kinderen zich vaak tussen
hun ouders, als die wat aan elkaar zitten te frunniken of te vrijen,
in dringen. De uitroep van diezelfde ouders op zulke momenten
in de trant van 'Kijk eens... die kleine is jaloers' bevat een veel
ernstigere kern van waarheid dan de plagerigheid ervan doet vermoeden. Want die jaloeziereactie geeft op ondubbelzinnige wijze

uiting aan een essentiële waarheid over de mens, door Ernest Becker in zijn boek *De ontkenning van de dood*[1] als volgt geformuleerd: hij moet zien, hij moet ervaren dat hij minstens evenzeer en bij voorkeur nog meer in tel is dan iets of iemand anders. De mythe van Oedipus, waarnaar Freud zijn beroemdste complex, het Oedipuscomplex, genoemd heeft, beschrijft de verschrikkelijke gevolgen wanneer deze waarheid niet wordt onderkend en begrepen, maar verdrongen. Oedipus doodde in een gevecht een man, die zonder dat hij dat wist (dus onbewust) zijn vader bleek te zijn. Vervolgens huwde hij een vrouw die, eveneens zonder dat hij dat wist, zijn moeder bleek te zijn.

De mythe geeft daarmee uitdrukking aan het onbewuste fundamentele verlangen van het kind om in de liefde van de ouder op de eerste plaats te komen en geen rivaal naast zich te dulden. Voor een gezonde ontwikkeling is de oplossing van het Oedipuscomplex noodzakelijk, want dat betekent het ontwikkelen van het vermogen om liefde, of liever liefdesbronnen, met anderen te delen, anderen gelijkelijk gelegenheid te geven zich daaraan te laten laven, in plaats van alles voor zichzelf op te eisen. Het vastlopen in dit complex of de 'oedipale fixatie' staat gelijk aan het onvermogen om iets of iemand naast je te dulden: alle liefde, alle aandacht of in ieder geval veruit het grootste deel ervan moet voor mij zijn, en voor niemand anders.

In het gedrag van tal van volwassenen zijn de neurotische sporen van het feit dat ze niet in staat zijn geweest dit complex op te lossen of op zijn minst te onderkennen, tot op hoge leeftijd aanwijsbaar. In een relatie met een partner dulden ze niet iets (werk of een ideaal van hun partner) en niet iemand naast zich, zelfs niet als die iemand een kind is. De jaloezie die volwassenen koesteren voor de liefde die hun partner voor hun beider kind heeft, leidt tot een gestoorde omgang met het kind, waarbij zelfs de veiligheid van het kind gevaar kan lopen. Maar ook in een relatie

---

1. Becker, E., *De ontkenning van de dood. De angst voor de dood als drijfveer van het menselijk handelen*, Baarn, 1995 (Uitgeverij Ambo).

met een kind kan een 'oedipaal gefixeerde' ouder grote moeite hebben de liefde van het kind met anderen te delen, zelfs als dat kind al volwassen is. In de volksmond heet het dan dat de ouder zijn of haar kind niet kan loslaten. Maar de psychologische werkelijkheid is, dat de ouder het niet kan verdragen op de liefdesladder van het kind op een tweede of lagere plaats te komen. De agressie of frustratie daarover wordt, hoewel het natuurlijk om een keuze van het kind zelf gaat, vaak niet direct op deze afgereageerd, maar op degene die nu de eerste plaats bezet. Vandaar dat het openlijk of 'achter de rug om' devalueren, bekritiseren of zelfs ondermijnen van de betekenis en rol van schoonzoon of -dochter en al helemaal van de rest van de aangetrouwde familie, een soort van nationaal tijdverdrijf is. Maar het komt ook niet zelden voor dat die frustratie wel op de (volwassen) zoon of dochter wordt afgereageerd. Dat neemt dan vaak de vorm aan van een chronisch verongelijkt-zijn dat zich uit in klachten als 'Jullie komen zo weinig' en in het onkritisch ophemelen van hoe de volwassen zonen of dochters van andere ouders zich gedragen.

Kortom, om onze problemen in relaties met anderen, en met name met onze ouders en kinderen, te begrijpen, hebben we deze vraag te beantwoorden: hoe bewust zijn we ons van de dingen die we doen om bij anderen de eerste plaats af te dwingen?

De meeste mensen zullen beginnen met te zeggen dat ze dat helemaal niet doen, een eerste plaats bij anderen afdwingen. Een manier om jezelf uit die droom te helpen, is belangrijke anderen daarover eens te bevragen. Vraag maar eens aan je kinderen of zij de indruk hebben dat jij vindt recht op hun aandacht te hebben en wel als eerste van iedereen. Vraag maar eens aan je ouders, en nog liever ieder van hen afzonderlijk, of zij vinden dat jij nog altijd doet alsof je onbeperkt aanspraak moet kunnen maken op hun aandacht of zorg. Of vraag het maar eens aan je partner. Het zou weleens kunnen zijn dat, als ze je eerlijk antwoord durven geven, je ontdekt dat anderen al heel wat 'relationele dwangarbeid' voor jou hebben moeten verrichten.

Het zal je overigens niet meevallen om daarmee van het ene op het andere moment te stoppen. Wat hier op het spel staat is een van de vier relationele waarden, de waarde van vrijheid. Dat is ook precies die waarde waar jaloezie niet aan wil. Jaloezie is verzet tegen de vrijheid van de ander om zelf te bepalen welke plaats jij in zijn of haar leven inneemt. Terwijl de enige plaats die je vrij bent om in te nemen, de plaats is die de ander je in vrijheid wilt geven.

Dat brengt me weer op een van die merkwaardige paradoxen van ons leven: hoe meer je de vrijheid van de ander respecteert, hoe groter de plaats die je in diens leven kunt innemen.

Deel III

Over vriendschap en partnerrelaties

'Vriendschap maakt voorspoed mooier, terwijl het tegenslag verlicht doordat verdriet en angst gedeeld kunnen worden.'
— MARCUS TULLIUS CICERO[1]

1. Cicero, M.T., *De Amicitia (VI)* (Vertaling van: Secundas res splendidiores facit amicitia, et adversas partiens communicansque leviores.)

Inleiding

> *Een meester vroeg aan zijn leerlingen waaraan ze konden zien dat de nacht voorbij was en de dag begonnen.*
> *Een leerling zei: 'Als je een dier in de verte ziet en kunt zeggen of het een hond of een schaap is.'*
> *'Nee,' zei de meester.*
> *Een andere leerling zei: 'Als je naar een boom in de verte kijkt en kunt zeggen of het een vijgen- of een perzikboom is.'*
> *'Ook niet,' zei de meester.*
> *'Maar,' vroegen de leerlingen, 'hoe kun je het dan zien?'*
> *De meester antwoordde: 'Als je naar het gezicht van een willekeurige man of vrouw kijkt, en ziet dat hij jouw broer, zij jouw zuster is. Als je dat niet ziet, dan, welke tijd het volgens de zon ook is, is het nog altijd nacht.*[1]

Van alle antidepressiva in deze wereld is er waarschijnlijk geen zo krachtig als vriendschap, als het feit dat er mensen zijn die ons bijzonder vinden en wij hen. Die zich met ons verwant voelen ook als ze geen verwanten van ons zijn. Ik zeg dat niet uit idealisme of hoop, hoewel dat ook een rol speelt. Feit is dat er een gigantische hoeveelheid onderzoek is dat laat zien dat vriendschaps- en liefdesrelaties voor de meesten van ons van levensbelang zijn, letterlijk en figuurlijk. Als we zulke relaties hebben zijn we beter bestand tegen ziekte, wanhoop en pijn, leven we langer en ontwikkelen we ons beter: lichamelijk, emotioneel en sociaal.

Een van de meest indrukwekkende voorbeelden van hoe latere vriendschaps- of partnerrelaties de schade kunnen repareren die kinderen vroeg in hun leven hebben opgelopen, vind ik nog al-

---

1. Zie Dosick, W., *Golden Rules: The Ten Ethical Values Parents need to Teach their Children*, San Francisco, 1995.

tijd het onderzoek dat de Britse kinderpsychiater Michael Rutter in de jaren tachtig uitvoerde onder volwassen vrouwen die in een kindertehuis waren opgevoed:

De Britse kinderpsychiater Rutter en zijn medewerker Quinton onderzochten negentig volwassen vrouwen die als kind lange tijd in een tehuis waren opgevoed. Hoewel deze vrouwen als groep gemiddeld veel meer psychische problemen hadden dan een groep vergelijkbare vrouwen, die geen tehuisopvoeding hadden 'genoten', bleken er onderling grote verschillen te bestaan. Ongeveer een derde van de vroegere tehuiskinderen bleek het als volwassene heel goed te doen.

Rutter ging na welke factoren daarvoor verantwoordelijk waren. Een daarvan bleek positieve ervaringen op de (middelbare) school te zijn, niet zozeer in de zin van goede cijfers, maar vooral in de zin van succes in sporten, goed in muziek maken, het verwerven van een geaccepteerde en verantwoordelijke positie in de school of de klas en het hebben van een goed contact met een mentor of leraar. Degenen die zulke ervaringen hadden gehad, deden het als volwassenen veel beter dan de anderen. De andere, en de meest belangrijke factor was het hebben van een goede en stabiele relatie met een onproblematische ('niet-gestoorde') man. Maar opmerkelijk was dat de kans op het hebben van een relatie met zo'n man groter was bij de vrouwen die de genoemde positieve schoolervaringen hadden gehad.[1]

Waarom zijn relaties zo belangrijk? Uit het beschikbare wetenschappelijke onderzoek vallen zeven redenen te destilleren.

Op de eerste plaats zijn vriendschaps- en liefdesrelaties belangrijk bij het verwerken van ontwrichtende levensgebeurtenissen. Bijvoorbeeld, iemand die partner of baan verliest maar die goed

---

1. Rutter M., en D. Quinton, *Long-term Follow-up of Women Institutionalized in Childhood: Factors Promoting Good Functioning in Adult Life*. British Journal of Developmental Psychology, nr. 18, 1984 (pag. 225-234).

opgevangen wordt door kinderen of vrienden, heeft én meer mogelijkheden het verdriet goed te verwerken, én meer hulp bij het oplossen van allerlei praktische problemen die het gevolg zijn van dat verlies.

Op de tweede plaats vormen relaties, zoals al gezegd, een belangrijk tegengif tegen depressie. Iemand met problemen die daarover op mogelijke maar ook onmogelijke tijden met anderen kan praten, loopt veel minder kans op piekeren en gevoelens van radeloosheid, hulpeloosheid en wanhoop. Dat zijn, zoals we eerder gezien hebben, de gevoelens die een belangrijke voedingsbodem voor depressie vormen. En depressie vormt weer een vruchtbare bodem voor de ontwikkeling van allerlei ziekten.

Op de derde plaats bieden relaties behalve een mogelijkheid voor 'praatcontact', ook de mogelijkheid voor een andere vorm van contact, en wel een die vanaf het allereerste moment van ons leven, zelfs al in de baarmoeder, wezenlijk is geweest voor een gezonde ontwikkeling: lichamelijk contact, aanraking en streling.

Op de vierde plaats vormen sociale relaties een belangrijke bron van informatie over hoe 'normaal' onze gevoelens en belevingen in vergelijking met die van anderen zijn, over hoe we daarmee kunnen omgaan en over hoe we bij anderen overkomen. Feedback van anderen is weer belangrijk voor een accuraat beeld van onszelf, voor effectiever en aanvaardbaarder gedrag, voor aanmoediging tot zulk gedrag en daarmee voor meer zelfvertrouwen. En dat is weer een belangrijk tegengif voor depressie.

Op de vijfde plaats hebben sociale relaties, vooral intieme sociale relaties als partnerrelaties maar ook samenwoonrelaties met anderen die geen (liefdes)partner zijn, een duidelijke invloed op het functioneren van ons lichaam en daarmee op onze psychische en lichamelijke gezondheid. Zo is onze hormoonhuishouding anders als we samenwonen met anderen dan als we alleen wonen.

Op de zesde plaats zijn er de nodige aanwijzingen dat een actief sociaal leven de productie van bepaalde stoffen in de hersenen bevordert. Zo is vastgesteld dat in het lichaam van mensen die elkaar helpen bepaalde stoffen geproduceerd kunnen worden die gevoelens van welbevinden opwekken. Dat effect heeft in de Amerikaanse psychologie de naam *helper's high* meegekregen. Op de zevende plaats, ten slotte, blijkt dat mensen met een vaste relatie minder gespannen zijn, beter voor zichzelf zorgen, een geregelder leven leiden en, niet zo verrassend maar daarom niet minder belangrijk, minder eenzaam zijn.

Maar juist vanwege al deze 'voordelen' is er ook vrijwel niets in ons leven waar we zo mee kunnen worstelen, dat ons zo onderuit kan halen, waar we zoveel ongezondheid, zorgen en pijn aan kunnen oplopen als gedonder in of verlies van onze vriendschaps- en liefdesrelaties. Wat dat betreft spreekt het volgende boekdelen:

'In 1975 verscheen in de Verenigde Staten het zogenaamde Hammond-rapport over de gevolgen van roken voor de gezondheid. Het was op basis van dit rapport dat de *Surgeon General*, de Amerikaanse minister van Volksgezondheid, het besluit nam dat op elk pakje sigaretten voortaan de bekende waarschuwing moest worden aangebracht. Kort na het verschijnen van het rapport wijdde een Amerikaanse geleerde, de hoogleraar in de biofysica Harold Morowitz, een kritisch artikel aan dit rapport. Een van zijn conclusies was dat een gescheiden niet-roker een tweemaal zo hoge sterfkans heeft in een bepaald jaar dan een getrouwde niet-roker. En een getrouwde roker loopt nauwelijks meer risico dan een gescheiden niet-roker!'[1]

Als vriendschaps- en liefdesrelaties zo belangrijk zijn, wat zijn dan eigenlijk de essentiële ingrediënten van zulke relaties, hoe onderhoud je ze, en ook hoe ontwricht je ze of niet? Daarover zullen we het in het volgende hoofdstuk hebben.

---

1. Morowitz, H., *Hiding in the Hammond Report.* In: Hospital Practice, August 1975 (pag. 39).

1 'What is love?'

De psychologische literatuur op het gebied van liefde en liefhebben laat zien, dat er een enorme verscheidenheid is aan opvattingen en theorieën over liefde. Ik zal proberen om daar enige orde in aan te brengen met behulp van twee echte 'liefdesdeskundigen', te weten de psycholoog Robert Sternberg met zijn zogenaamde driehoekstheorie van de liefde, die eigenlijk ook een theorie over vriendschap is, en de psychiater Erich Fromm, schrijver van de klassieker *Liefhebben, een kunst, een kunde*. Ik begin met Sternbergs liefdes- en vriendschapstheorie en kom dan vanzelf ook op Fromm.[1]

De driehoekstheorie van liefde en vriendschap

Ik heb al eerder in dit boek het standpunt verdedigd dat emotionele kennis emotionele macht is en dat er eigenlijk geen zinvoller macht bestaat dan de macht over onze emoties. Als emotionele kennis en dus emotionele macht ergens van pas komt, dan is het naar mijn mening wel in liefdes- en vriendschapsrelaties. Als we begrijpen wat vriendschap is, als we begrijpen wat liefde is en als we begrijpen wat er voor beide komt kijken, wat er voor beide van ons gevraagd wordt, dan, en eigenlijk pas dan, weten we wat ons te doen staat als we dit willen van en met anderen: liefde en vriendschap.

Volgens Robert Sternberg, de 'bedenker' van de driehoeks(triangulatie-)theorie van liefdesrelaties, zou veel verdriet en pijn in relaties voorkomen kunnen worden als elk van de partners zou

1. Zie onder andere Fromm, E., *Liefhebben: een kunst, een kunde*, Meppel, 1965 (Uitgeverij Boom) en Sternberg, R.J., en M.L. Barnes (ed.) *The Psychology of Love*, 1968, Yale university Press.

begrijpen wat de ander bedoelt met houden van en wat de overeenkomsten en verschillen in hun opvattingen zijn. Volgens
Sternberg kunnen we liefde het best begrijpen door ons een driehoek voor te stellen waarvan de drie hoeken ieder een aspect van
liefde voorstellen.

De ene hoek noemt hij 'commitment' of 'betrokkenheid'. Het
bestaat uit twee aspecten, een korte- en een lange-termijnaspect.
Het korte-termijnaspect is het besluit van iemand te houden.
Het klinkt misschien gek om te spreken van het besluit om van
iemand te houden, maar zo werkt het in de praktijk wel. Kinderen bijvoorbeeld besluiten om met elkaar vriendjes te worden of
'vadertje en moedertje'. Volwassenen besluiten ook om voor
iemand (helemaal) te gaan. Dat doen ze natuurlijk niet zonder
dat ze ook wat voor die persoon voelen, maar het omgekeerde
is net zo waar. Je kunt wat voor iemand voelen, maar om wat
met hem of haar te beginnen, moet je ook nog eens het besluit
nemen om dat te doen. Dat geldt voor liefdesrelaties en dat geldt
ook voor vriendschappen. Twee mannen kunnen besluiten om
elkaars vrienden te worden. Twee broers kunnen dat bijvoorbeeld doen, of vader en zoon, of twee collega's.

Het lange-termijnaspect van commitment is het besluit de relatie ook in stand te houden. Het laatste vloeit niet automatisch uit
het eerste, het besluit om met elkaar iets te beginnen, voort.
Want hoe vaak komt het niet voor dat twee mensen besluiten
iets met elkaar te hebben, maar dat of de een of de ander, of beiden, helemaal niet de intentie hebben om dat wat begonnen is,
in stand te houden.

De tweede hoek van de driehoek noemt Sternberg 'intimiteit'.
Intimiteit is het geheel van gevoelens en gedragingen dat de relatie zijn 'innigheid' verleent. Het gaat dan met name om aspecten
als: (a) het geven van emotionele steun aan de ander; (b) het hebben van vertrouwelijke communicatie met de ander; (c) het van
grote waarde beschouwen dat de ander aanwezig is in jouw leven; (d) de wens bij te dragen tot het welzijn van de ander; (e)
het hebben van respect voor de ander; (f) het bevorderen van

en investeren in de persoonlijke ontwikkeling van de ander.[1]
De derde hoek van de driehoek duidt Sternberg aan met het
woord 'passie', 'hartstocht'. Het is het je lichamelijk aangetrokken
voelen tot de ander, prijs stellen op aanraking en koestering, het
verlangen hebben je aan de ander lichamelijk over te geven en de
wens dat de ander dat ook doet.
Met behulp van deze driehoek onderscheidt Sternberg, door alle
mogelijke combinaties van de hoeken, acht typen van relaties:

1. commitment + intimiteit + hartstocht ('volledige liefde')
2. commitment + intimiteit ('kameraadschappelijke liefde')
3. commitment + hartstocht ('dwaze liefde')
4. intimiteit + hartstocht ('romantische liefde')
5. commitment ('lege liefde')
6. intimiteit ('vriendschappelijke liefde')
7. hartstocht ('bezetenheid')
8. ——————— (de niet-liefdesrelatie)

Uit onderzoek van Sternberg en zijn collega's blijkt dat de meeste mensen type 1 als de meest ideale liefdesrelatie zien. Dat is een
relatie waarin beide partners vastbesloten zijn van elkaar te houden, het voornemen hebben hun liefdesrelatie in stand te houden, over en weer emotionele intimiteit met elkaar hebben en
een sterke lichamelijke aantrekkingskracht tot elkaar ervaren.
Dat wil overigens bepaald niet zeggen dat alle andere combinaties per se als ongewenst of inferieur moeten worden beschouwd.
In veel 'oudere' partnerrelaties blijkt bijvoorbeeld de hartstocht-
component te zijn verminderd maar intimiteit te zijn gegroeid
en de commitment sterk te zijn. Dat betekent dat er een hechte
'kameraadschappelijke relatie' is ontstaan, die voor beiden zeker
niet hoeft onder te doen voor het type 1-relatie dat ze mogelijk

---

1. Sternberg en Grajek identificeerden tien aspecten of kenmerken van intimiteit, waaronder de in de tekst genoemde. Zie Sternberg, R.J., en S. Grajek, *The nature of love*. In:
Journal of Personality and Social Psychology, 47, 1984 (pag. 313-329).

eerder met elkaar hadden. Ook bijzondere vriendschappen, die geen partnerrelatie zijn (geweest) in de hartstochtelijke zin van het woord, zijn vaak type 2-relaties. Hetzelfde geldt voor goede, bijzondere ouder-kindrelaties.

Ouderlijke liefde in de driehoek

We kunnen hetgeen we eerder over ouderlijke liefde gezegd hebben ook heel goed uitdrukken in termen van Sternbergs driehoekstheorie. In die theorie zijn de essentiële bestanddelen van ouderlijke liefde commitment en intimiteit en is daarmee wat ouders onderscheidt van andere opvoeders:

1. het besluit om hun kinderen lief te hebben;
2. de verbintenis om die liefde levenslang te onderhouden en de relatie met hun kinderen nooit te verbreken;
3. de houding dat de aanwezigheid van kinderen in hun leven iets van grote waarde is, en:
4. de vastbeslotenheid om hulp te zoeken wanneer ze ervaren niet (langer) in staat te zijn tot liefdevolle betrokkenheid op en intimiteit met hun kinderen.

Er zijn ook mensen voor wie de meest ideale relatie type 4 is, de romantische liefde. Geen verplichtingen aan elkaar in praktische zin, ook geen beloften dat de relatie morgen nog zal bestaan, maar uitsluitend opgaan in de belevingen van intimiteit en hartstocht van het moment. Volgens de psycholoog Robert Johnson is dit type liefde zelfs de meest geïdealiseerde in onze cultuur. Hij noemt haar 'de mythe van de Westerse cultuur'. Het is de liefde zoals die beschreven is in het epos van Tristan en Isolde en in de 'geschiedenis' van Romeo en Julia. Omdat er geen commitment bestaat of mogelijk is, zijn de verliefden zich voortdurend bewust van de eindigheid van hun liefdesrelatie. Aan de ene kant roept dat droefheid op, aan de andere een soort van kamikaze-achtige houding van zich met huid en haar, emotioneel en lichamelijk, aan de ander over te leveren zolang dat nog mogelijk is. Ook sommige vakantieliefdes zijn van dit type.

Romantische liefde: de religie van het derde millennium

Het is een van de grote paradoxen van onze cultuur dat de sprookjesachtige, romantische liefde ons hoogste liefdesideaal is, een enorme drijvende kracht achter talloze gedragingen en culturele uitingen, en dat dit ideaal vrijwel nooit duurzaam door twee mensen wordt verwezenlijkt. De film, de literatuur, de muziek, de schilderkunst, de 'vrouwen'- en roddelbladen, de bruidsmode, om maar een paar cultuuruitingen te noemen, ze zijn allemaal doordrenkt van het thema van de romantische liefde. Voor de meesten van ons is het niet alleen de hoogste maar ook de 'enige echte' vorm van liefde. Wat is romantische liefde? Nogal wat mensen, vooral mannen, hebben ambivalente gevoelens bij 'romantisch', zoals in 'romantisch tafelen'. Voor hen betekent dat iets 'klefs', iets dat te veel met gevoelens en smartlapperij, en te weinig met feiten en cijfers van doen heeft. Het zijn ook meestal vrouwen die de wens uiten dat hun partner wat romantischer zou zijn. Toch geldt ook voor de meeste mannen dat romantiek een sterke aantrekkingskracht heeft, zelfs als ze zich daarbij onbeholpen voelen. Waarom roepen romantiek en romantische liefde zulke sterke reacties op? Het antwoord zit in zekere zin al opgesloten in de associaties die het woord romantische liefde oproept. Het is beslist niet hetzelfde als seksuele liefde. Maar het is ook niet hetzelfde als 'houden van'. Bij romantische liefde gaat het in wezen om een toestand van voortdurend verliefd zijn. Psychologische kenmerken van verliefdheid zijn een constant verlangen naar contact met de ander, de wens zich volledig aan de ander over te geven, een gevoel van volmaaktheid en van de hele wereld aan te kunnen als de verliefdheid beantwoord wordt. Belangrijk kenmerk van verliefdheid is ook het idee dat 'het je overkomt', dat het sterker is dan jezelf. Het is een toestand van geen controle te ervaren over je gevoelens, gedachten en gedrag. Dit ideaal van een volledig opgaan in en volledige overgave aan een ander verleent de romantische liefde zijn magnetische aantrekkingskracht. De ander wordt geïdealiseerd, als alleen maar goed, lief, mooi, moreel zuiver gezien. Hij of zij zal je nooit ge- of misbruiken. Daarom kun je je ook zonder terughoudendheid aan hem of haar overgeven. Interessant is dat de romantische liefde als ideaal al is ontstaan in het begin van het vorige

millennium, en wel omstreeks de 12ᵉ eeuw in de tijd van de trouba-
dours. Het werd ook wel hoofse liefde genoemd. Die liefde kende
een aantal wetten. De verliefden stonden voortdurend voor elkaar
in vuur en vlam, verlangden naar intiem-lichamelijk contact met elkaar maar hadden dat niet. Hun liefde was en bleef, met hoeveel
pijn en moeite dan ook, geestelijk. De verliefden mochten niet
met elkaar trouwen. Meestal was de vrouw met een ander getrouwd,
de man (de ridder) was doorgaans ongetrouwd. In de ogen van de
man was de vrouw het zinnebeeld van het ideaal-vrouwelijke. Hij
raakte haar nooit aan, maar door haar geïnspireerd volbracht hij
moeilijke en niet zelden gevaarlijke opdrachten in de strijd tegen
het kwaad en ontwikkelde zich zodoende tot een goed, ethisch
mens. Een mens die zijn mogelijkheden tot volle ontwikkeling
bracht. Kern van het ideaal van de romantische liefde is daarom
dat de man zich op psychisch niveau met het vrouwelijke verbindt,
de vrouwelijke kanten in zichzelf ontwikkelt, en daardoor een ge-
voelsvoller, evenwichtiger, en beter mens wordt. Voor de vrouw
geldt iets soortgelijks. Wat wij thans in de romantische liefde zoeken
draagt nog altijd de sporen van dit ideaal. Wij zoeken nooit alleen
maar een menselijke relatie of menselijke liefde. We zoeken ook naar
iets waardoor we boven onszelf uit kunnen stijgen, ons via de geliefde als het ware verbinden met iets universeels liefdevols. Kijk
maar hoe de romantisch verliefde kijkt. Zijn of haar ogen kijken niet
alleen maar naar de geliefde maar ze staren ook in de verte, alsof op
zoek naar iets dat boven de concrete persoon uitstijgt. Millennia
lang hebben mensen die ervaring in de religie proberen te zoeken
en vaak gevonden ook. Voor de meesten van ons nu geldt dat we
niet meer religieus in die zin zijn. Wij geloven alleen nog in het tastbare, fysieke, het technische, het seksuele. De liefdesrelatie met een
ander, een tastbaar mens moet ons nu die verbinding met een alles-
omvattend liefdesgevoel geven dat ons boven onszelf doet uitstijgen,
ons verandert, beter, heel maakt. Maar dat vereist als het ware een
toestand van voortdurend verliefd zijn. Die kunnen we zelden in
de relatie met steeds dezelfde persoon vinden. Dus worden steeds
meer mensen steeds vaker op steeds weer andere mensen verliefd.
De romantische liefde is zodoende nu de meest gepraktiseerde religie

geworden. Ik denk dat het ook dat is wat ons, weliswaar onbewust, ondanks de epidemie van scheidingen nog altijd zo fascineert als we naar een huwelijksvoltrekking kijken. Vooral als die in een kerk, plaats van religie, plaatsvindt. In zekere zin kijken we met de hoop, met de verwachting dat de verbinding van de man met de vrouw, van het mannelijke met het vrouwelijke, beiden boven zichzelf uit doet stijgen. Het is de hoop dat twee mensen zich zo door elkaar laten inspireren dat ze betere, volledigere mensen worden. Vandaar ook de uitdrukking 'mijn betere helft'. Dat is althans de innerlijke werkelijkheid, de mythe. De uiterlijke werkelijkheid is dat onze liefde voor de een vaak onze afwijzing van de ander is. De romantische liefde, ons soort liefde, ons soort religie kent als alle voorafgaande religies haar eigen wreedheden en slachtoffers. Het wordt tijd dat we leren om niet alleen ons hele leven te houden van maar ook verliefd te blijven op een enkele ander. Zolang we daarvoor nog geen curriculum ontwikkeld hebben, blijft ons soort religie vaak toch een vorm van egocentrisme en ons soort liefde niet zo lief.

Er zijn ook relaties waarin mensen alleen hartstocht willen of hebben met een ander. Vaak, maar overigens niet altijd, zijn dat zogenoemde 'buitenechtelijke' relaties. Twee mensen die met iemand anders een relatie hebben van type 2, 4, 5 of 6 hebben dan tegelijkertijd met elkaar uitsluitend een stiekeme, hartstochtelijke relatie, vaak met een sterke inslag van 'bezetenheid' (het Engelse woord hiervoor is *infatuation*). Zulke relaties beginnen vaak op de manier van 'liefde op het eerste gezicht'. Men kent de ander helemaal niet, weet niets van hem of haar, maar is toch van het een op andere moment hartstikke verliefd en weet dat dit absoluut de ware moet zijn. En dat terwijl er geen emotionele intimiteit is of is geweest en ervan commitment ook geen sprake is. Niet van de kant van degene op wie de hartstocht zich richt en evenmin van de hartstochtelijk verliefde. Het is daarom ook niet waar dat je dan verliefd bent op de *persoon* van de ander, want die ken je (nog) helemaal niet. In feite is de verliefdheid het gevolg van het feit dat je allerlei ideaalbeelden op de ander projecteert. Daardoor neemt de verliefdheid niet zelden het karakter van bezetenheid aan, die gevaarlijke trekjes kan gaan vertonen. Dit type van liefde is daarom ook dikwijls, anders dan bij de romantische liefde, niet wederzijds. Een tragisch voorbeeld van dit type liefde heeft Goethe beschreven in zijn roman *Die Leiden des jungen Werthers*, waarin de hoofdpersoon, Werther, ten slotte ten gronde gaat aan zijn 'bezetene liefde' voor een jonge vrouw, Lotte.

Vriendschappelijke liefde, het zesde type, betekent het hebben van warm, gevoelsvol contact met een ander, zonder dat er sprake is van hartstocht en zonder dat er commitment wordt gevraagd of verlangd. Het is de relatie, waarin het goed is, heel goed zelfs, als 'we elkaar ontmoeten', maar het is ook oké als dat langere tijd niet zo is. De contact- of uitwisselingsmomenten zijn op zichzelf waardevol.

'Lege' liefde, het vijfde type, betekent dat er alleen 'commitment' bestaat, het besluit van een ander te houden, en in ieder geval zo lang mogelijk bij hem of haar te blijven, zonder dat er sprake is van emotionele intimiteit en van hartstocht. Het is niet zelden de laatste fase van een relatie, waarin hartstocht en emotionele intimiteit achtereenvolgens zijn afgebladderd en ten slotte geheel verdwenen. In nogal wat ouder wordende relaties is het de laatste relatierit voor de dood. Het is moeilijk zo niet onmogelijk, zoals veel relatietherapeuten hebben ervaren, om zulke relaties nog nieuw leven in te blazen. Overigens kan het ook de eerste relatiefase zijn. Bij 'gearrangeerde' huwelijken, huwelijken waarbij de ouders de partner uitkiezen, is er aanvankelijk alleen maar sprake van commitment. De opgave voor partners is dan om te pogen, terwijl men al tot elkaar is veroordeeld, om hartstocht en intimiteit te ontwikkelen.

De niet-liefdesrelatie, het achtste type, ten slotte, is in feite weinig anders dan een zakelijke of 'functionele' relatie. Een man en een vrouw die met elkaar als collega's samenwerken maar noch behoefte hebben aan persoonlijke ontboezemingen over en weer, noch lichamelijk iets voor elkaar voelen of met elkaar van plan zijn, hebben zo'n relatie. Voor alle duidelijkheid, het kan uitermate belangrijk zijn dat mensen die zakelijk veel met elkaar te maken hebben, zulke 'nonlove'-relaties met elkaar kunnen hebben en houden. Op dit punt worden overigens nogal wat scheve schaatsen gereden. Bijvoorbeeld een baas moet een nieuwe secretaresse hebben en tijdens de sollicitatiegesprekken met verschillende kandidates kijkt hij minstens zozeer naar wat zij via hun lichamelijke aantrekkelijkheid bij hem oproepen als naar hun functionele kwaliteiten. Dat leidt er nogal eens toe dat degene die wordt uitgekozen, dat ook wordt met het oog op mogelijke andere relaties dan de 'niet-liefdes'relatie. Dat is op de wat langere termijn bekeken vaak vragen om moeilijkheden. Op de korte termijn is het, of in ieder geval lijkt het, spannend.

Sternbergs theorie is daarom zo zinnig omdat ze helpt problemen in relaties te begrijpen en, voor zover mogelijk, op te lossen. Laat ik dat als volgt proberen uit te leggen. Als twee mensen een relatie met elkaar hebben, zich heel goed bewust zijn van wat voor type relatie dat is en daarvoor gaan, dan is er eigenlijk nooit een probleem. Problemen ontstaan als het type 'driehoek' dat de een wil, een andere is dan het type dat de ander wil. Als de een bijvoorbeeld zowel commitment, intimiteit als hartstocht ('volledige liefde') wil, maar de ander heeft geen behoefte aan dat laatste, dus geen behoefte aan lichamelijk contact, dan is er wel een probleem, of kan er gemakkelijk een probleem ontstaan. Problemen zijn er ook als de een denkt of verwacht een relatie te hebben van een bepaald type, terwijl de ander dat type niet in de aanbieding heeft, maar wel doet alsof dat zo is. Partners kunnen bijvoorbeeld met elkaar overeenstemmen in het feit dat ze over en weer sterke hartstochtelijke gevoelens koesteren en heel intiem met elkaar zijn. Maar terwijl er bij de ene partner daarnaast ook commitment is, het uitdrukkelijke besluit om de relatie zo lang mogelijk in stand te houden, kan het zijn dat de ander dat helemaal niet heeft besloten, maar het niet zegt. Het is zelfs mogelijk dat de ene partner allang besloten heeft om de relatie op

een bepaald tijdstip te beëindigen, terwijl de ander nog altijd gelooft in wederzijdse commitment aan de relatie.

Sternberg drukt dit gegeven heel treffend uit in de formulering
dat er in één relatie dikwijls twee relaties schuil gaan: zijn relatie
met haar en haar relatie met hem. En zijn relatie met haar is een
andere dan haar relatie met hem. Maar of de een of de ander is
zich daar niet van bewust. Het kan ook zijn dat ze beiden zich er
niet van bewust zijn.

Als partners verschillen in hun voorstelling van het type relatie
dat ze met elkaar hebben, zijn pijn en ontreddering vroeg of laat
onontkoombaar. Laten we maar eens op onderzoek uitgaan.

2 Alsof-relaties

'Ik denk,' zegt ze zachtjes terwijl ze haar ogen van mij afwendt, 'dat ik al jaren geleden voor mezelf die beslissing heb genomen. Als de kinderen de deur uitgaan, dan ga ik ook.'

In de stilte die valt, lijkt het alsof ik de gedachten in haar hoofd kan horen rondtrippelen. Gedachten aan jaren van samenleefroutine, van emotionele oppervlakkigheid, van onvervuld verlangen naar... Naar wat eigenlijk?

'Weet hij ervan, van jouw besluit?' vraag ik ten slotte. Haar antwoord is even duidelijk als treurig: 'Nee, dat weet hij niet. En dat vertel ik hem ook pas als het zover is.'

Als ze weg is en ik de tape van het gesprek in mijn hoofd terugspeel, komt ook het merkwaardige gevoelsmengsel van frustratie, bitterheid, treurnis en vooral weemoed uit ons gesprek weer terug. Haar verhaal is niet nieuw voor me. Ik heb het inmiddels vaak genoeg uit de monden van vrouwen en mannen gehoord om eraan gewend te moeten zijn.

Maar zo eenvoudig ligt het niet. Niet voor mij, en al helemaal niet voor henzelf natuurlijk. Hoe meer je erover nadenkt, hoe absurder het verhaal is, emotioneel gezien. Twee mensen runnen met elkaar een relatie en een gezin alsof dit is waarop ze hun levenskoers hebben uitgezet. Maar terwijl de een deze alsof-situatie helemaal niet als een 'alsof', maar als de (gewenste) werkelijkheid ziet, is de ander zich dag in dag uit bewust van het schijnkarakter, van de leugenachtigheid ervan. Het wezen van de leugen is immers dat je zegt of doet waar je niet in gelooft. Of omgekeerd, dat je niet zegt of niet doet waar je wel in gelooft. Je zou denken dat je het als partner toch in de gaten zou moeten hebben als je met iemand samenleeft die eigenlijk weg wil, die zich voorgenomen heeft weg te gaan. Maar voor veel partners gaat dat niet op. Wat ze niet willen geloven, dat zien ze vaak ook niet. Het is bovendien ook niet zo gemakkelijk om het te zien, als je met iemand dag in dag uit samenleeft. Zoals de man die zei: 'Ik leef niet met haar omdát ik van haar hou, maar alsóf ik van haar hou.'

Ik herinner me dat ik aan diezelfde man ooit vroeg: 'Als jouw vrouw aan jou vraagt of je van haar houdt, wat zeg je dan?' Waarop hij antwoordde: 'Dan zeg ik ja.' Toen ik hem vroeg waarom hij dat deed, zei hij: 'Nou, dan voelt zij zich beter, en ik ook. Enkel door te zeggen dat ik van haar hou, hou ik ook een beetje van haar, op dat moment althans.'

Door te doen alsof je iets voelt, kun je tot op zekere hoogte dat iets tot werkelijkheid maken. Fictie wordt werkelijkheid, waan en werkelijkheid vallen op een bepaald moment precies over elkaar heen.

Er zijn mensen, zoals de Duitse geleerde Hans Vaihinger, die in 1911 een boek publiceerde met de titel *De filosofie van het alsof*, die geloven dat alle menselijke waarden en gevoelens in zekere zin een 'alsof' zijn. Bijvoorbeeld: veel mensen leven 'alsof' er een God bestaat en veel anderen 'alsof' die niet bestaat. Veel mensen leven ook alsof er voor hen een 'ware' bestaat en anderen alsof dat onzin is. Voor de eerste groep bestaat 'de ware' vervolgens zeker (het probleem kan alleen zijn hem of haar te vinden) en voor de tweede groep zeker niet (het heeft dus ook geen zin verder te zoeken).

Van de Amerikaanse psycholoog Alan Watts stamt, geloof ik, de uitspraak dat het leven een spel is waarvan de eerste spelregel luidt: 'Dit is geen spel, dit is dodelijke ernst.' Veel mensen spelen het spel van hun relatie met als bloedernstige, allereerste spelregel: wat ik nu verlies (en wat hij eventueel wint) doordat ik in deze relatie met hem blijf totdat de kinderen op eigen benen kunnen staan, dat win ik straks wel terug (eventueel bij een ander) als ik de deur uit zal zijn.

Dat zou nog waar zijn ook, als het leven een zogenaamd nulsomspel was, zoals Paul Watzlawick dat in zijn *Anleitung zum Unglücklich Sein* beschreef. Een nulsomspel is een spel waarbij het verlies van de ene speler de winst van de andere is; of waarbij je later weer terugwint wat je als speler eerder verloor. De som van verlies en winst is dus nul. Uitspraken als 'Dat haal ik later nog wel eens in' zijn typerend voor iemand die het leven volgens het principe van het nulsomspel benadert. Het probleem is alleen, aldus Watzlawick, dat het leven een niet-nulsomspel is. In zo'n spel heffen verlies en winst elkaar niet op. Dat betekent dat de som van winst en verlies boven of onder de nul kan liggen. In zo'n spel kunnen alle spelers verliezen of winnen, of kun je als (enige) speler meestal aan de verliezende of aan de winnende hand zijn. Omdat het leven een niet-nulsomspel is, is het ook zo dat wat je vandaag aan gevoel van rust, liefde of geluk verliest, nooit door gevoelens van morgen teruggewonnen kan worden. Omgekeerd geldt dat je de gevoelens van geluk of liefde van vandaag, morgen niet kunt verliezen. In een alsof-relatie is elk uur, elke week, elk jaar dat de relatie duurt in emotioneel opzicht een onherstelbare verliespost. Natuurlijk kun je die emotionele verliespost proberen te compenseren met andere winsten, zoals die van materieel comfort, vertrouwdheid, of niet als gescheiden man of vrouw door het leven hoeven gaan. Maar dat zijn geen emotionele inkomsten en daarom heffen ze het verlies niet op.

En er is meer dan dat. Als je vele jaren op de wijze van 'alsof' geleefd hebt, dan raak je op den duur zo gewend aan je emotionele verlies, dat op het moment dat je je emotionele slag kunt slaan, je het vaak toch niet doet. Je weet misschien niet eens hoe je dat moet doen. Je bent mogelijk bang dat je er uiteindelijk opnieuw naast zult grijpen. Of je vindt jezelf inmiddels te oud om nog een nieuwe kans te hebben.

Nogal wat mannen en vrouwen in alsof-relaties die ik gesproken heb, zijn uiteindelijk blijven zitten waar ze zaten. Ze zijn het spel blijven doorspelen. Een enkele keer als de grote spelbreker, de dood, bij hun partner toesloeg, ondergingen ze als persoon een volledige metamorfose, alsof ze geëmancipeerd raakten, bevrijd werden. Maar de dood is natuurlijk niet de enige spelbreker, de enige mogelijkheid om van de wurgende regels van het doodernstige ongeluksspel verlost te worden. De enige andere regel (zo schrijft Paul Watzlawick in zijn hiervoor genoemde boek) die het 'alsof' doorbreken kan, is geen regel van het spel zelf: het is wat we 'openheid' of 'fairness' of 'rechtvaardigheid' of 'waardigheid' of 'durf' ten opzichte van de ander noemen, wat in feite allemaal op hetzelfde neerkomt. De meeste mensen die in een 'alsof'-relatie zitten, weten op een bepaalde manier heel goed dat het een 'waardeloze' relatie is. Een relatie waarin essentiële waarden als rechtvaardigheid en waardigheid dagelijks worden geschonden. Je kunt desondanks besluiten in zo'n relatie te blijven zitten. Maar de 'waardeloosheid' die je erin stopt, krijg je ook terug. Ze tast vroeg of laat ook je zelfwaarde, je zelfrespect aan. Wat we tegen de bergen roepen, dat geven de bergen aan ons terug.

Dat weten we allemaal van binnen wel, maar het zijn alleen de minst ongelukkigen onder ons die het werkelijk geloven. Met een variatie op Dostojewski's beroemde uitspraak in zijn boek *Demonen* zou je kunnen zeggen: 'Alles is goed... alles. De mens is ongelukkig omdat hij uitsluitend doet wat hij niet durft. Alleen daarom. Dat is alles. Zo hopeloos eenvoudig is de oplossing.'

Dat laatste is niet gekscherend bedoeld. Het gaat inderdaad om een eenvoudige keuze, namelijk die tussen een compromis- of een consensusrelatie. Het is een eenvoudige keuze omdat die altijd gemaakt moet worden. Er is geen ontsnappen aan. Heel veel mensen zijn zich er niet van bewust dat ze voor het ene of de andere in hun relatie gekozen hebben, maar dat maakt het niet minder een keuze. Heel veel mensen zijn zich er evenmin van bewust dat veel van de pijn, van de problemen die ze in hun relatie ervaren, op die keuze terug te voeren is. Want ook al is de keuze eenvoudig, de consequenties daarvan zijn het niet.

3 Compromisrelaties

'Ik ben 84 jaar en ik leef al 63 jaar in een "alsof"-relatie. Het heeft me altijd aan voldoende moed ontbroken om de zaak open te breken. Maar ik heb ook altijd getwijfeld of ik niet te veel van een relatie verwachtte. Misschien is een fatsoenlijk compromis wel het maximale dat je bereiken kunt.'

'Toch,' zo gaat de brief waaruit dit citaat afkomstig is verder, 'vertrouw ik mezelf niet helemaal als ik dat zeg. Misschien probeer ik door zo te denken wel om mezelf voor de gek te houden. Uit angst. Angst om emotionele risico's te nemen. Wat zou dat op mijn leeftijd trouwens nog voor zin hebben?'

De brief was een de vele reacties die ik ooit kreeg op een artikel dat ik gepubliceerd had over alsof-relaties. Die brieven lezend heb ik mezelf regelmatig moeten voorhouden dat ik waarschijnlijk een 'negatieve' steekproef voor me had, anders had ik het vertrouwen in relatiehoudend Nederland mogelijk acuut opgezegd en Sartre ('De hel, dat zijn de anderen') gelijk gegeven. Mannen en vrouwen die al tientallen jaren een vaste relatie hebben en dan toch dingen schrijven als: 'Ik heb vanaf het begin van ons huwelijk het gevoel gehad dat er veel meer liefde mogelijk moest zijn dan er tussen ons was. Dat gevoel is in de loop van de tijd alleen maar sterker geworden. Je leert ermee leven. Zelfs je 30-jarig huwelijksfeest kan een vrolijke boel worden zolang je maar voldoende andere mensen om je heen hebt. Hadden we het met zijn tweeën moeten vieren, dan was het absoluut geen feest geworden.'

Een brief trof me in het bijzonder. Daarin schreef een vrouw, academisch opgeleid en directeur van een florerend bedrijf: 'Ik denk vaak, wat zeur ik nou eigenlijk? Hij zuipt niet, hij slaat me niet, is een goede vader, hij draagt me op handen. Het probleem is alleen: ik kan niet zeggen dat ik van hem hou want dat voel ik niet. Ik vraag me wel eens af: zou God, als hij bestond, het een zonde vinden als je met iemand leeft van wie je niet houdt maar wel doet alsof? Je houdt een ander voor de gek en dat is al erg genoeg. Maar je houdt ook jezelf voor de gek. Want ik wil mezelf als een eerlijk en open mens kunnen zien. In mijn werk probeer ik dat in elk geval te zijn. Maar iedere dag dat ik niet spreek in de belangrijkste relatie die ik in feite heb, voel ik dat mijn oprechtheid minder en minder wordt. Hoe langer je zwijgt, hoe moeilijker het wordt om ooit te spreken. Hoe moet ik me verdedigen als, wanneer ik het ooit uitspreek, hij me verwijt dat ik hem al die jaren dus opzettelijk bedrogen heb? Dat ik hem de meest wezenlijke informatie onthouden heb waar je als mens recht op hebt, namelijk te weten of degene met wie je leeft (echt) van je houdt of niet?'

Maar wat me nog meer trof dan deze passage uit de brief, was het gedeelte dat daarop volgde. Daarin geeft ze, vlijmscherp naar zichzelf toe, aan hoezeer ze zich bewust is van de waarden die ze door haar gedrag op het spel heeft gezet. Of nog harder gezegd, voortdurend schendt.

'Als een dokter me na een onderzoek niet zou vertellen hoe ernstig ziek ik ben, zou ik werkelijk woedend zijn. Want hij onthoudt me dan iets wezenlijk over mezelf waar ik recht op heb om het te weten, hoe moeilijk ik het misschien ook zou vinden om te horen. En hier ben ik en ik doe bij degene die me, ondanks alles, toch het meest nabij staat precies datgene aan wat ik absoluut niet zou willen dat een ander mij aan zou doen. En toch, toch durf ik niet. Ik weet dat als ik spreek alles kapot gaat, mijn huwelijk, mijn gezin. Dat alles in elkaar dondert, dat er geen weg terug meer is. Mijn enige, schrale, troost is dat er waarschijnlijk honderdduizenden anderen zijn die op dezelfde manier in hun relaties bezig zijn. Maar net als bij belastingfraude is dat natuurlijk eigenlijk geen van excuus.'

Haar slotvraag aan mij luidde kort en goed: 'Hoe kom ik hier in godsnaam uit?' Mijn antwoord daarop is dat die vraag te vroeg komt. De vraag die eerst beantwoord moet worden is: 'Hoe zit je er verdorie in?'

Heel veel mensen zijn, net als deze vrouw, vaak al van het begin af aan terechtgekomen in een zogenaamde compromisrelatie.[1] De basis van zo'n relatie is een soort van schikking tussen partners waarbij ze beiden bepaalde van hun eisen en verlangens ('hoeken van de driehoek') hebben laten vallen in ruil voor het voortbestaan van de relatie. De schikking is vaak onbewust tot stand gekomen. Er is niet openlijk over gesproken, laat staan onderhandeld. In de loop van de relatie zijn de partners zich min of meer intuïtief gaan instellen op een manier van omgaan die het minste gelazer lijkt te geven. Over bepaalde dingen wordt niet (meer) gesproken, bepaalde gevoelens, gedachten, wensen of behoeften worden in de relatie niet openlijk aan de orde gesteld. Zoals een andere briefschrijver dit punt verwoordde: 'Ik ben na enige tijd opgehouden het over dat soort dingen met haar te hebben, want iedere keer raakte ze volledig boven haar theewater en dan was het soms dagen mis tussen ons'.

Niet zelden wordt zelfs een heel gezin in de schikking betrokken, zoals uit het vervolg van dezelfde brief bleek: 'Ik zeg ook vaak achter haar rug om tegen de kinderen "Ssstt, begin daar nou niet tegen mama over want dan weet je gewoon dat ze daar...".'

In zo'n compromisrelatie is emotionele communicatie het eerste slachtoffer, in de meest letterlijke zin van het woord. Veel ervaringen en gedachten, ook heel belangrijke, zijn geen 'gemeengoed'. De partners worden in feite intieme vreemden voor elkaar en hun persoonlijke ontwikkeling wordt door de relatie eerder geremd dan bevorderd. Vaak worden ze over en weer medeplichtig aan het in stand houden van bepaalde lastige of dictatoriale eigenaardigheden van de ander.

Want de ontwikkeling van onze eigen persoonlijkheid en die van onze partner(s) is sterk afhankelijk van de informatie, de feedback, die we elkaar geven over hoe ons gedrag wederzijds wordt

---

1. De begrippen compromis- en consensusrelatie en de wijze waarop ze hier gebruikt worden, heb ik ontleend aan het werk van Ramey, J., *Intimate Friendships*, 1976 (Uitgeverij Prentice Hall).

ervaren. Dat maakt ons (soms pijnlijk en dus belangrijk) bewust van onszelf, en levert daardoor ook de prikkels tot eventuele veranderingen in ons gedrag.

Krijgen we die feedback niet of geven we zelf die feedback niet aan onze partner, dan zijn we bezig om bepaalde ongunstige trekken of gedragspatronen bij elkaar in stand te houden of zelfs te verergeren. Als je onbesproken laat waaronder je lijdt of benauwd van wordt, dan maak je zelfs de keuze om het eventueel erger te laten worden. Uit een andere brief: 'Eigenlijk al vanaf het begin van onze relatie heb ik afgeleerd om op feestjes langer dan een paar minuten met een andere man te gaan praten, want anders was het gegarandeerd gelazer als we weer naar huis gingen. Hij kan daar niet tegen.'

Het is bij zulke onuitgesproken schikkingen meestal zo dat de ene partner op het gebied van persoonlijke ontwikkeling en autonomie meer inlevert dan de ander: 'Hij hield er absoluut niet van als ik 's avonds boven mijn studieboeken hing, dus ben ik er op een bepaald moment maar mee gestopt en heb gewoon ergens een baantje aangenomen.' De ene partner neemt hier de taak op zich om de ander tegen gevoelens van frustratie of onbehagen te beschermen, ook als dat ten koste gaat van eigen idealen of ontwikkeling. Daarmee ontstaat een ander onbehagen, namelijk het gevoel dat 'onze relatie beter is voor jou dan voor mij' (in Sternbergs theorie: twee verschillende driehoeken in een relatie). Dat gevoel is meestal het eerste signaal dat de relatie dreigt vast te lopen.

Als door een relatie de persoonlijke ontwikkeling van een van de partners stagneert, of dat nu op emotioneel, sociaal of erotisch-seksueel gebied is, dan stagneert ook de relatie zelf. Je kunt daarin berusten, je kunt het buiten de deur gaan zoeken, je kunt de relatie beëindigen of, meestal het moeilijkst van alles, je kunt de relatie 'aanhangig' maken. Voor veel vastgelopen compromis-relaties in deze tijd geldt in mijn ervaring dat ze alleen maar te redden zijn als ze worden omgebouwd tot consensusrelaties. Dat ombouwen is een moeizaam en pijnlijk communicatiepro-

ces waarbij je vaak het risico moet lopen op korte termijn de relatie te verliezen om haar op lange termijn te behouden.
Een consensusrelatie heeft de volgende kenmerken.
Er is sprake van een voortdurende relatiedialoog, waarbij alles op de agenda mag. Het feit dat de ene partner iets niet leuk vindt om te horen of om over te praten, is nooit voldoende reden om de andere partner te beletten dat 'iets' op de gespreksagenda te zetten. Het feit dat een van de partners het erover wil hebben, is juist voldoende reden voor een bepaald onderwerp om op de relatieagenda te komen.

Het 'voortdurende' karakter van de relatiedialoog betekent dat partners vaak en veel met elkaar praten en, minstens zo belangrijk, dat ze bepaalde tijden of momenten speciaal daarvoor reserveren. Het betekent ook een wederzijds bewustzijn van het feit dat uitwisselen en bespreken, kortom elkaar bewust maken van meningen en gevoelens, minstens zo belangrijk is voor de relatie als het zoeken of suggereren van oplossingen voor (praktische of emotionele) problemen. Of anders gezegd, een consensusrelatie is minstens zozeer ervaringsgericht als oplossingsgericht.

De relatie heeft drie doelen: het bevorderen van de ontwikkeling van de relatie zelf, het bevorderen van de (persoonlijke) ontwikkeling van de ene partner en het bevorderen van de persoonlijke ontwikkeling van de andere partner. In alle drie doelstellingen wordt door ieder van de partners zwaar geïnvesteerd.

De regels die in een relatie gelden (verdeling huishoudelijk werk, omvang baan buitenshuis, relaties met anderen, financiën, enzovoort) zijn in overleg vastgesteld en niet 'ingeslopen'. Hetzelfde geldt voor regels voor het veranderen van regels. Geen van beide partners behoudt zich het privilege voor om gezamenlijk overeengekomen regels eenzijdig te veranderen.

Liefde wordt in de relatie opgevat als de emotionele winst uit investering in ten minste twee hoeken van de driehoek (commitment + intimiteit) en mogelijk zelfs drie (commitment + intimiteit + hartstocht). Dat laatste, hartstocht, hoeft helemaal niet gelijk te staan aan seksualiteit in de beperkte zin van het woord.

Sensualiteit (het regelmatig geven van aandacht aan lichamelijke aanraking of koestering) en de investering in het eigen uiterlijk (gewicht, gezondheid, fitheid) om voor elkaar aantrekkelijk te blijven, zijn hier minstens zo belangrijk.

Ten slotte dit. Hoewel er in elke relatie op zijn tijd sprake is van bepaalde machtsspelletjes, staat in de consensusrelatie het delen van macht en niet het hebben ervan centraal. Sterker nog, een van de meest belangrijke regels in de consensusrelatie is dat de ene partner hoe dan ook niet van de ander zal accepteren dat die via macht bepaald gedrag of bepaalde gunsten afdwingt.

Dat die regel het verschil tussen hemel en hel in een relatie kan uitmaken, wordt treffend geïllustreerd in het volgende eeuwen-oude verhaal.

Een grote, zwaar gespierde samoerai ('ridder' in het klassieke Japan) bezocht op een dag een kleine, tengere monnik. 'Monnik,' zei hij, met een stem die gewend was gehoorzaamd te worden, 'onderricht me over hemel en hel.' De monnik keek de machtige krijger een tijdlang zwijgend aan en zei toen met een stem vol minachting: 'Ik jou vertellen over hemel en hel. Ik ben me daar gek om me door zo'n botterik, zo'n wreedaard, zo'n aanfluiting voor de mensheid te laten bevelen mijn energie aan hem te ver-spillen. Scheer je weg, man!'

De samoerai werd woedend, rukte zijn zwaard uit de schede en hief het op om de monnik het hoofd af te slaan.

'Dat,' zei de monnik zachtjes, 'dat is hel.'

De samoerai aarzelde. De houding van deze kleine man die be-reid was alles te geven, desnoods zijn leven, om hem duidelijk te maken wat hel was, bracht de krijger van zijn stuk. Langzaam liet hij zijn zwaard weer zakken en schoof het terug in de schede.

'En dat,' zei de monnik zachtjes, 'dat is hemel.'[1]

1. Zie Dass, R., en P. Gorman, *How Can I help You?*, New York, 1985 (Uitgeverij Knopf).

4 Relatie versus gezin?

In zekere zin heb ik in het vorige hoofdstuk min of meer stiekem een probleem onder tafel geschoven. Bij het beschrijven van de voorwaarden voor een consensusrelatie heb ik net gedaan alsof dat iets is dat alleen maar twee mensen aangaat, de twee partners. Maar dat is natuurlijk heel vaak niet zo. In veel partnerrelaties zijn er kinderen en de relatieagenda is dan meestal wel wat ingewikkelder. Het is zelfs niet uitgesloten dat je soms voor de situatie komt te staan om te kiezen tussen je partner en je kind en dan wordt het bereiken van consensus wel een heel lastige opgave.

Stel je voor dat je op een dag voor de volgende keuze komt te staan. Je partner en je kind zijn beiden als gevolg van een ongeval, min of meer bewusteloos, in het water terechtgekomen. Jij bent in staat één, maar ook niet meer dan één, van hen te redden. Wie zou je redden?

Deze 'onmogelijke' vraag was een van een aantal lastige vragen die James Ramey voor zijn onderzoek naar de psychologie van intieme relaties (*Intimate Friendships*, 1976) aan paren van mannen en vrouwen voorlegde. Veel mensen weigerden in eerste, en vaak ook in tweede en latere, instantie om een keuze te maken. Als die uiteindelijk toch werd gemaakt, kozen vrouwen vaker dan mannen voor het kind, ook al riepen ze daarbij dat 'ze maar wat kozen en het helemaal niet met de vraag eens waren'. Gelukkig stelt het leven ons uiterst zelden voor dit soort fysiek onherroepelijke keuzes tussen twee dierbaren. Maar in psychologisch of emotioneel opzicht moet er heel vaak gekozen worden, of wordt er in ieder geval heel vaak gekozen tussen partner en kind(eren). De wijze waarop of de richting waarin die keuze gemaakt wordt, spreekt vaak boekdelen over het type relatie dat partners met elkaar hebben.

In traditionele man-vrouwrelaties, dat wil zeggen relaties waarin de levenssferen en de rollen van man en vrouw zich duidelijk van elkaar onderscheiden en gescheiden zijn, is het doorgaans zo dat de vrouw de kinderen tot haar echte 'emotionele' gemeenschap maakt – en niet haar partner. Zijn rol is in zekere zin voornamelijk die van de persoon, die het gezin 'verwekt', financiert en, al dan niet geregeld, 'bezoekt'. Hij heeft een andere relatie met de kinderen als zijn vrouw heeft, en hij heeft ook een andere relatie met de relatie als zij heeft.

In een 'herhaling' van Ramey's onderzoek door de sociologe Pepper Schwarz, in 1994 gepubliceerd onder de titel *Love between Equals: How Peer Marriage really works* (Liefde tussen gelijken: Hoe het consensushuwelijk werkelijk werkt) werd op basis van een reeks interviews met traditionele en 'modernere' stellen geconcludeerd dat een van de meest typerende kenmerken van de traditionele huwelijksrelatie nog altijd is: het grote verschil tussen man en vrouw in deelname aan de opvoeding van kinderen, aan het ouderschap.

Dat verschil kan het gevolg zijn van een aantal factoren. Een factor kan zijn dat de vrouw de man niet in even grote mate als zijzelf als ouder, als beïnvloeder en begeleider van de kinderen wenst te laten functioneren. Een andere factor kan zijn dat de man uitsluitend die ouderschapsactiviteiten eruit pikt die hij in zijn 'werk'-agenda kan inpassen en voor de rest, en dat is meestal het overgrote deel, de opvoeding aan haar overlaat.

Zo'n heel verschillende rolverdeling – zij doet de kinderen, hij het inkomen – wordt gemakkelijk een, al dan niet ondergronds, broeinest voor machtsstrijd en gevoelens van min of meer chronische boosheid tussen partners. Zo wordt er in veel traditionele relaties, vaak stilzwijgend, van uitgegaan dat de man, omdat hij het (meeste) geld binnenbrengt, ook automatisch een veto over de uitgaven heeft. Dat betekent dat hij, zowel in haar ogen als in die van de kinderen, doorgaans de hoogste autoriteit in het gezin is, want hoe we het ook wenden of keren, het is nu eenmaal zo dat in onze samenleving, en in de meeste samenlevingen trouwens, degene die aan de geldkraan draait de hoogste baas is. ('Wie betaalt, bepaalt.') In een partnerrelatie heeft dat psychologisch een zeer ingrijpend gevolg: als geld de status of de beslissingsbevoegdheid van iemand in een relatie bepaalt, dan betekent dat onvermijdelijk ondermijning van gelijkwaardigheid en ook, als gevolg daarvan, van vriendschap tussen partners. Het is een van de redenen waarom in traditionele partnerrelaties, de relaties die vele dertigers, veertigers en vijftigers van vandaag bij hun ouders gezien hebben, zo weinig echte vriendschap tussen man en vrouw wordt aangetroffen. Dat wordt meestal op een ontluisterende manier duidelijk als zo'n traditionele relatie op de klippen loopt en in een scheiding uitmondt.

Vooral zij heeft dan vaak voorgoed haar buik vol van het leven met een man en besluit om voortaan altijd een voordeur tussen haar en zo'n wezen te houden. De traditionele relatie in deze zin loopt overigens als maatschappelijk verschijnsel ook langzamerhand op de klippen. De jongere vrouwen van tegenwoordig zijn vaak minstens zo goed opgeleid als hun partners, ze zijn vaak in staat om helemaal of voor een belangrijk deel zelf in hun eigen onderhoud en dat van hun kinderen te voorzien, en hebben naast plannen en verlangens met betrekking tot kinderen ook plannen en verlangens met betrekking tot hun eigen persoonlijke en beroepsmatige ontwikkeling.

Dat betekent onvermijdelijk dat een partnerrelatie wat hen betreft voor veel meer ruimte moet bieden dan alleen voor het stichten van een gezin en het hebben van kinderen. De relatie moet hen in staat stellen zich zowel als ouder, als persoon en beroepsmatig te ontwikkelen. Dat kan alleen maar als de tijd en de energie die daarvoor nodig is en de verantwoordelijkheden en taken die daarvoor vervuld moeten worden, tussen hen en hun partner op een gelijkwaardiger manier verdeeld worden.

Zo'n verdeling vooronderstelt goed met elkaar kunnen communiceren, onderhandelen, afspraken maken en botsingen of conflicten tussen elkaars persoonlijke en sociale belangen en verlangens op een vriendschappelijke en vertrouwensvolle manier kunnen oplossen. *Zoveel bereiken in een relatie lukt alleen maar als het een relatie is tussen twee mensen die werkelijk elkaars beste vrienden zijn en zich realiseren dat ze dat ook moeten blijven. En elkaars beste vrienden blijven lukt alleen maar als ze hun relatie de hoogste prioriteit geven. Prioriteit over hun werk en over alle andere relaties, inclusief die met hun kinderen.*

Kinderen zijn een deel van hun relatie, maar hun relatie is niet een deel van de kinderen. Er is dus een belangrijk deel van hun relatie dat zich buiten de kinderen om voltrekt. Hun wederzijdse vriendschap vormt het meest bevredigende, belangrijkste aspect van hun leven. Dat feit in de gaten houden, blijven benadrukken, is zowel belangrijk voor de ontwikkeling en kracht van de relatie alsook voor de ontwikkeling van kinderen. Want het is zonder enige twijfel zo dat kinderen het best af zijn met een sterke en gelukkige relatie tussen hun ouders.

We hebben aan het einde van het vorige hoofdstuk al gezien wat belangrijke kenmerken van en voorwaarden voor zo'n relatie zijn.

Uit Pepper Schwarz' studie blijkt dat er nog een tweetal andere belangrijke voorwaarden is. Op de eerste plaats dat partners niet langer denken in termen van 'typisch mannen- en typisch vrouwentaken' of 'dat moet je van een man, of dat moet je van een vrouw niet vragen of verlangen'. In principe zijn alle taken of verantwoordelijkheden in de relatie zowel 'mannen- als vrouwentaken'. Er is een hoge mate van flexibiliteit met betrekking tot wie wat doet. Op de tweede plaats vindt elk van de partners het van groot belang dat niet alleen zij zelf maar ook hun partner een goede, hechte relatie met de kinderen heeft en waar dat dreigt vast te lopen, bijspringt om de onderlinge verschillen in relatie met de kinderen zo klein mogelijk te houden.

Kinderen zijn een gedeelde liefde en een gedeelde verantwoordelijkheid. En het verlies van een kind, door de dood of door andere oorzaken, is een gedeeld verlies.

Tot slot, in tegenstelling tot wat mijn gewoonte is, heb ik tot nu toe geen aandacht besteed aan het woord 'consensus'-relatie zelf. Daarvoor is nu het moment. Het woord 'consensus' heeft drie betekenissen, en alle drie zijn ze in verband met relaties 'van betekenis'. Die drie betekenissen zijn: 'overeenstemming van gevoelens', 'gelijkheid van opvatting' en 'toestemming'. In dit en het vorige hoofdstuk zijn we ze alledrie tegengekomen als kenmerken van de consensusrelatie. Partners 'voelen' hun relatie op overeenkomstige manier ('samenvallende driehoeken'), hun opvattingen omtrent de belangrijkste doelen van de relatie zijn gelijk en zij doen geen dingen die van (grote) invloed zijn op de relatie zonder toestemming of instemming van de ander.

Dat wil helemaal niet zeggen dat er geen sprake is van zelfstandig of onafhankelijk beslissen of handelen van de partners. Het wil wel zeggen dat daar overeenstemming over of afstemming van bestaat.

Robert Sternberg heeft precies op dit punt een belangrijke toevoeging aan zijn 'driehoekstheorie' van de liefde gemaakt. Volgens Sternberg is een relatie meer een consensusrelatie naarmate de innerlijke scenario's of draaiboeken die elk van de partners van de relatie heeft, meer met elkaar overeenstemmen. Dat is meer dan alleen het overeenkomen van de 'innerlijke driehoek'. Het is ook het overeenkomen van het verhaal dat daarbij hoort.

Liefde is een verhaal

Dinsdagavond, een uur of negen, op een terras ergens aan de Zuid-Franse kust. Met mijn vrouw en nog twee stellen zit ik aan een van de tafels van het afscheidsdiner van een symposium waaraan we deelgenomen hebben. De vrouw van het jongste stel vertelt iets over hoe lang ze haar vriend al kent en ook nog iets in de trant van dat ze hem in het begin helemaal niet zag zitten. Dat is het moment dat ik mijn kans schoon zie om er alsnog een psychologisch prikkelende avond van te maken. Ik vraag haar of ze wil vertellen hoe ze dan precies aan elkaar zijn gekomen. Ze lacht op een manier die uitdrukt dat ze dat best wil vertellen, maar werpt ondertussen weifelende blikken op haar vriend en zegt dan tegen hem: 'Ik weet niet of jij dat goed vindt en bovendien heb jij daar heel andere herinneringen aan dan ik.'

Nog voor hij kan antwoorden, spring ik ertussen en zeg: 'Nou, dan vertel jij toch eerst je verhaal en dan vertelt hij daarna zijn versie...'

Er volgt een enigszins besmuikt gelach, waarop zij uitdagend reageert met: 'Maar dan moeten jullie ook om beurten jullie verhaal vertellen!' Dat vergt enig aftastend overleg tussen de andere twee stellen. Maar de afspraak wordt gemaakt.

In de volgende twee uur gaan er zes verhalen over tafel die steeds met intense interesse door de toehoorders worden gevolgd. Verbazingwekkend, denk ik al luisterend, hoe drie stellen die elkaar tevoren helemaal niet kenden, van het ene op het andere moment zich zowel openen voor elkaar als voor zichzelf. Want het zijn maar voor een deel kant-en-klaar liggende verhalen die verteld worden. Regelmatig wordt er even nagedacht, ene uitspraak gecorrigeerd of zelfs een verband gelegd dat eerder blijkbaar niet werd gezien. Nog verbazingwekkender vind ik wat er gebeurt als de partners zich gebeurtenissen op dezelfde manier herinneren en dezelfde betekenis geven. Dan kijken ze met wijd open ogen naar elkaar, wisselen glimlachen uit, en lijken emotioneel even aan elkaar te klikken. Precies het omgekeerde gebeurt als ze op belangrijke punten elkaar tegensprekende beschrijvingen geven.

Zo vertelde een van de mannen dat de eerste kus al bij de eerste ontmoeting had plaatsgevonden toen hij had gevraagd 'Mag ik je een kus geven?' Maar zijn vrouws versie luidde: 'Nee, hij zei die eerste avond op een gegeven moment heel brutaal "Geef mij eens een kus!" Van verbouwereerdheid heb ik dat nog gedaan ook.' Je kon zo van zijn gezicht aflezen dat hij haar die onthulling niet in dank afnam. Alsof het een verkeerd beeld van hem bij de anderen zou kunnen neerzetten. Van de weeromstuit schoof hij even met zijn stoel een eindje bij haar vandaan.

Dit soort waarnemingen roepen een interessante vraag op. Namelijk, wat zeggen de overeenkomsten of verschillen in verhalen van partners over de (ontstaans-)geschiedenis van hun relatie over de kwaliteit en toekomst daarvan? Robert Sternberg heeft daaraan een deel van zijn werk gewijd. In 1998 schreef hij er een boek over onder de veelbetekenende titel *Love is a story* (Liefde is een verhaal). Sternbergs theorie is van een verrassende eenvoud. Een groot gedeelte van de wereldliteratuur en de lectuur van de bouquetreeks, van toneelstukken, van films en tv-documentaires bestaat uit liefdesverhalen. Zoals dat van Romeo en Julia, van Tristan en Isolde, van Sissi de keizerin, van Diana en Charles, van Camilla en Charles en van Alexander en Máxima. De reden daarvan is dat de liefde tussen twee mensen altijd een verhaallijn heeft, zich afspeelt volgens een bepaald scenario, een draaiboek. Mensen die een liefdesrelatie met elkaar hebben, zijn zich vaak helemaal niet bewust van het draaiboek dat daaronder ligt. Dat komt omdat het draaiboek van hun relatie is samengesteld uit twee andere draaiboeken, namelijk de opvattingen en verwachtingen die zij ieder voor zich als kind over de liefde hebben ontwikkeld. Wij zien onze ouders, wij zien televisie en film, wij lezen boeken en tijdschriften en we vormen daaruit onze voorstellingen van wat we van een liefdesrelatie willen en wat daarin mogelijk is of niet. Met die innerlijke scenario's gaan we als jongere of volwassene relaties met anderen aan. Sternberg vond in zijn onderzoek bij paren dat er zo'n vijfentwintig liefdesscenario's zijn. Ik noem er een aantal met steeds een daarvoor kenmerkende opvatting.

Het 'reis'-scenario: 'Ik geloof dat aan een relatie beginnen zoiets is als beginnen aan een reis waarin je allerlei nieuwe en spannende dingen tegenkomt.'

Het 'onderhouds'-scenario: 'Ik geloof dat elke relatie waaraan niet voortdurend wordt gewerkt, het niet redt.'

Het 'prinsessen'-scenario: 'Ik geloof dat er ergens op de wereld één persoon is die volmaakt bij mij past.'

Het 'opofferings'-scenario: 'Ik geloof dat jezelf wegcijferen voor de ander het wezenlijke kenmerk van een echte liefdesrelatie is.'

Het 'redders'-scenario: 'Ik geniet van relaties waarin de ander mij nodig heeft om over bepaalde problemen heen te komen.'

Het 'humor'-scenario: 'Ik vind dat als je een relatie te serieus neemt de lol er snel afgaat.'

Het 'verzamelaars'-scenario: 'Ik hou ervan verschillende partners gelijktijdig te hebben; elke partner vervult een bepaalde behoefte.'

Het 'officiers'-scenario: 'Ik geloof dat het belangrijk is dat één persoon in een relatie verantwoordelijk is voor de belangrijke beslissingen die er te nemen zijn.'

Het 'oorlogs'-scenario: 'Ik vind het belangrijk dat je in een relatie regelmatig conflicten met elkaar aangaat en uitvecht.'

En ten slotte, want ook dat bestaat, het 'pornografie'-scenario: 'Het is voor mij belangrijk om de seksuele wensen en grillen van mijn partner te bevredigen, ook als anderen dat ranzig vinden.'

Uit verschillende onderzoeken van Sternberg blijkt dat hoe meer de scenario's van partners aan elkaar gelijk zijn, hoe gelukkiger ze samen zijn. Dat verklaart bijvoorbeeld het merkwaardige verschijnsel dat twee partners die voor de buitenwereld altijd met elkaar aan het ruziën of bekvechten zijn ('oorlogs'-scenario) toch heel erg aan elkaar gehecht en gelukkig met elkaar kunnen zijn. Het verklaart ook waarom sommige mensen steeds weer in relaties vastlopen. Ze kiezen voor partners met wie ze hun eigen scenario kunnen realiseren, maar in een combinatie waardoor ze na verloop van tijd steeds meer van elkaar gaan verschillen. Een klassiek voorbeeld daarvan is de combinatie van het 'officiers'-scenario en het 'opofferings'-scenario. Een voorbeeld is ook de combinatie 'humor'- en 'prinsessen'-scenario.

Hoe kunnen mensen zich bewust worden van wat het voor hen typerende liefdesscenario is? Sternberg geeft daarvoor een aantal nuttige en in mijn ervaring ook heel confronterende adviezen. Stel je op de eerste plaats de vraag, zegt hij, hoe en van wie je als kind hebt geleerd om lief te hebben. Ga vervolgens na wat voor liefdeservaringen je hebt gehad. Stel je daarbij ook de vraag welke mensen jij aantrekkelijk vond en wat hun eigenschappen waren die je het meest aantrekkelijk vond. Ga verder na welke eigenschappen of kenmerken van anderen maakten dat je geen interesse in hen had of al gauw verloor. Ook het beantwoorden van de vraag wat voor mensen, met wat voor eigenschappen, zich tot jou aangetrokken voel(d)en, is belangrijk. En ten slotte, stel jezelf de vraag welke idealen of fantasieën met betrekking tot liefdesrelaties je hart nog altijd op hol doen slaan. Sternberg zegt dat hij niet gelooft dat relatieproblemen effectief op te lossen zijn door partners simpelweg te leren hun gedrag en gewoonten te veranderen. Crises in relaties komen naar zijn mening bijna altijd voort uit de onverenigbaarheid van de scenario's. In zijn woorden: een stel van wie de scenario's niet bij elkaar passen, is zoiets als twee acteurs op hetzelfde podium maar in een ander toneelstuk. Uiterlijk kunnen ze heel goed bij elkaar lijken te passen. Je kunt ze misschien zelfs leren dezelfde gebaren te maken. Maar het gevoel dat er iets niet klopt, blijft. Want ze worden namelijk niet door dezelfde innerlijke overtuiging geregisseerd. Kortom, als liefde een verhaal is en je voor een happy end in hetzelfde verhaal moet rondstappen, dan is er maar één remedie. De draaiboeken vergelijken.

5 Partnerrelatieregels

Laat ik, op dit punt aangekomen, eens proberen om alles wat we in de voorafgaande hoofdstukken over partnerrelaties hebben besproken, samen te vatten in de belangrijkste partnerrelatieregels. Met de aantekening dat ik me daarbij vooral richt op regels die bijdragen tot het opbouwen en onderhouden van consensusrelaties. Dat brengt al bij voorbaat een bepaald probleem in het spel. Immers, je kunt met dit boek in de hand dan niet zomaar je partner te lijf gaan en zeggen: 'Luister eens, je houdt je niet aan die of die regel.' Eerst moet je samen consensus, overeenstemming bereiken over die regels, alvorens je elkaar erop aan kunt spreken. Zie daarom de volgende opsomming ook vooral als een agenda op zichzelf, een lijst van gespreksonderwerpen, voor je relatie. Misschien lijkt het op het eerste gezicht niet zo, maar de ervaring heeft geleerd dat het in veel relaties een heel interessante agenda is gebleken om af te werken.

De volgende regels zijn behalve aan de vorige hoofdstukken en mijn eigen ervaringen als psychotherapeut ook ontleend aan het werk van diverse onderzoeken met paren, met name van psychologen uit Oxford[1] en uit Seattle[2].

Partnerrelatieregels:

– Zorg dat de hoeveelheid tijd (gemiddeld per week) die je in je relatie aan overleg en gesprek besteedt voor jezelf en voor je partner in redelijke verhouding staat tot de hoeveelheid tijd die jullie aan je werk en aan anderen buiten de relatie geven.

1. Argyle, M. and M. Henderson.
2. Gottman, J., *The Seven Principles for Making Marriage Work*, New York, 2000 (Crown).

- Zorg ervoor samen met je partner bepaalde gemeenschappelijke interesses te ontwikkelen, of dat nu godsdienst is, vrijwilligerswerk, politiek, sport of wat dan ook, zolang het maar iets is dat niets met huishouden, familie of dagelijkse sores te maken heeft.
- Reserveer regelmatig tijd en energie voor sensuele, erotische of seksuele omgang met elkaar (zorg er dus voor dat dit niet steeds de sluitpost op de agenda is).
- Spreek regelmatig met elkaar over het verhaal van jullie relatie en 'zoek de verschillen op'.
- Spreek over persoonlijke problemen en gevoelens met je partner (onder andere over lichamelijke klachten die je hebt en waar je je zorgen over maakt).
- Geef elkaar emotionele steun.
- Praat met je partner over seks, dood, godsdienst/religie en politiek.
- Vraag je partner om raad.
- Als je angstig of overstuur bent, laat het dan aan je partner zien.
- Raak je partner bewust aan.
- Kijk je partner aan tijdens een gesprek.
- Praat over (je eigen) financiële aangelegenheden.
- Informeer je partner over je agenda van activiteiten.
- Bewaar elkaars geheimen en vertrouwelijkheden.
- Geef elkaar regelmatig kritiek, maar geef daarbij altijd ook aan op welke manier je partner aan die kritiek tegemoet kan komen ('Ik baal er vaak van als je... Maar het zou al helpen als je...')
- Voer bij ruzies niet de vader of de moeder van je partner op 'die het ook nooit kon laten om...'
- Bekritiseer elkaar niet in het openbaar.
- Spreek je partner met de voornaam aan (dus niet met 'moeder' of 'vader').
- Maak grappen en grollen (inclusief plagerijtjes) met je partner.

- Wees tolerant (en beleefd) tegenover elkaars vrienden.
- Respecteer het recht op privacy (= vrijheid) van je partner.
- Wees trouw, hou je aan beloften en leg het uit als je dat niet kan of niet (meer) wil.
- Schep een huiselijke sfeer.
- Denk aan verjaar-/trouwdag en koop cadeautjes op zulke dagen (of doe iets anders waaruit blijkt dat die een speciale betekenis hebben). Denk ook aan andere bijzondere dagen (zoals de dag waarop ouder of broer/zus van je partner is overleden) en laat je partner weten dat je daaraan hebt gedacht.
- Laat je partner delen in je successen, de dingen die goed gegaan zijn.
- Laat je partner delen in mislukkingen, de dingen die niet goed zijn gegaan of niet goed dreigen te gaan.
- Vraag je partner om praktische hulp (bij karweitjes enzovoort).
- Betaal je schulden aan je partner terug, zorg ervoor gunsten en complimenten te retourneren.
- Verdedig je partner in zijn/haar afwezigheid.
- Toon je genegenheid voor je partner ook waar anderen bij zijn.
- Besteed tijd aan het gezond en geoefend houden van je lichaam, onder meer omdat je voor je partner uiterlijk aantrekkelijk wil blijven, maar vooral ook omdat je zolang en gezond mogelijk met elkaar wil leven.
- Dwing je partner nooit om te kiezen tussen jouw en jullie (of zijn of haar) kinderen.
- Maak je partner duidelijk dat je rechtvaardigheid, weldadigheid, waardigheid en vrijheid als de basiswaarden van jullie relatie beschouwt en onderhoudt.
- Wees bereid te accepteren en uit te spreken dat bepaalde problemen in jullie relatie niet oplosbaar zijn.

En ten slotte: neem nu eens alleen en dan weer samen met je partner de relatie op deze regels door. Alleen al het regelmatig denken aan en praten over de regels helpt ze op de rails te houden. Zoals zoveel andere menselijke activiteiten, bijvoorbeeld de politiek of de sport, is ook een relatie een spel. En net als voor ieder ander spel geldt ook voor een relatie dat het alleen maar leuk en voor herhaling vatbaar is als de spelers zich tenminste een beetje aan de regels houden.

Ik kan me overigens voorstellen dat je na het lezen van al de partnerrelatieregels denkt: 'Zo, dat is me nogal wat.' En het is waar, het is een hele lijst. Maar laat ik een vergelijking maken om duidelijk te maken dat het belangrijk is dat het een hele lijst is. Als je je auto naar de garage brengt voor een controlebeurt, dan hoop je dat ze daar alle punten waar het wat betreft veiligheid en comfort, nauwkeurig doorlopen. En als ze dat doen dan hebben ze vele tientallen punten na te lopen. Vraag: Wat vind je een belangrijker 'tuig' in je leven, je relatie of je rijtuig? Als je echt gemeende antwoord 'mijn relatie' is, dan zou het antwoord op de volgende vraag ook duidelijk moeten zijn: Aan welke van die twee, je relatie of je rijtuig, wil je het meeste onderhoud besteden?

Laat ik nog even bij de vergelijking van een relatie met een auto blijven stilstaan. Als je je auto niet goed onderhoudt, dan kan hij toch nog een hele tijd goed functioneren. Tot op een dag de omstandigheden lastiger worden, bijvoorbeeld plotseling invallende winter, en de auto opeens begint te haperen of helemaal niet meer start. Meestal heb je daarop absoluut niet gerekend, want hij deed het tot dan toe altijd goed, liet je nooit in de steek. Zo gaat het ook vaak met een relatie. Je kunt die lange tijd verwaarlozen zonder dat je daar veel van merkt of zonder dat het gevolgen lijkt te hebben. Tot op een dag er iets begint te rammelen, of erger nog, het gewoon niet meer doet.

Misschien is dat nu al in je relatie gaande. Laten we, als je wilt, daar het gesprek maar eens over aangaan. Dat is zelden leuk, vaak pijnlijk, maar derhalve erg belangrijk.

6 Relatie: onderhoud en behoud

Hoe groot is de kans, denk je, dat de partnerrelatie die je nu hebt op de klippen loopt? En hoe groot is de kans dat als dat dreigt te gebeuren de relatie, eventueel met hulp van anderen, vrienden, een psycholoog, weer vlot getrokken kan worden? Ik ben er vrij zeker van dat je er de voorkeur aan geeft om dit soort vragen niet dagelijks te stellen. Toch zijn er nogal wat redenen te bedenken waarom het verstandig is om er althans enkele malen per jaar, bijvoorbeeld rondom of op je trouw-/samenleefdag, samen voor te gaan zitten. Voor relaties geldt wat voor heel veel andere processen geldt. Als ze zich niet ontwikkelen, staan ze stil en als ze stilstaan lopen ze gemakkelijker vast, op de klippen dus. Psychologen hebben zich beziggehouden met de vraag of je kunt voorspellen welke relaties over een langere periode, vijf jaar of meer, breken en welke niet. Ze hebben daarbij onder andere gekeken naar wat partners in stabiele, gelukkige relaties wel en niet ten opzichte van en met elkaar doen en dat vergeleken met de patronen in instabiele, ongelukkige relaties. Dat zijn met name de 'dingen' die we in het vorige hoofdstuk als partnerrelatieregels hebben geformuleerd. Vervolgens zijn ze nagegaan wat er gebeurt als partners in instabiele, ongelukkige relaties meer aandacht aan die regels besteden. Het blijkt dat de kwaliteit en de overlevingskans van die relaties dan toeneemt. Althans bij een aanzienlijk deel daarvan.

Maar niet alle relaties worden erdoor gered of er beter van. Zo is in een aantal relaties sprake van een partnerkeuzeprobleem vanaf het allereerste moment. Dat betekent – als ik het keihard zeg – dat de partners qua persoonlijkheid zo verschillend zijn dat het nooit veel zal worden. Er zijn mannen en vrouwen die structureel ontrouw zijn en zullen blijven, terwijl hun partner niet anders kan dan een exclusieve relatie onderhouden. Als de relatie toch wordt voorgezet, is er in ieder geval iemand vaak erg ongelukkig. Tenzij die persoon ervoor kiest om het idee van een exclusieve relatie met de ander op te geven en, in die relatie blijvend, zich daarbij neerlegt of besluit zelf met een derde een exclusieve erotische relatie te beginnen op LAT-basis. Maar dat laatste is en blijft in de meeste gevallen een LAP-middel. Als het enigszins kan, is beëindiging van de relatie meestal de minste van alle kwalen. Tenzij de chronisch ontrouwe partner zich wil laten behandelen, hoewel ook dat niet altijd succesvol is.

Er zijn ook partners, meestal mannen, die structureel niet in staat zijn om empathisch te reageren. Ze kunnen zich niet of nauwelijks in de gevoelens van de ander inleven, hebben daar ook geen belangstelling voor en zullen dat in de toekomst gewoonlijk ook niet hebben. Emotionele intimiteit, een van de hoekstenen van een liefdevolle partnerrelatie, is met zo een partner vrijwel uitgesloten. Als de andere partner daar toch naar verlangt, blijft dat in de relatie meestal voorgoed een onvervuld verlangen en is het opnieuw van tweeën één. Ofwel dat verlangen wordt staande de relatie met een derde persoon vervuld ofwel de relatie breekt. Overigens valt er aan gebrek aan empathie in de helft van de gevallen met behulp van psychologische behandeling middels empathietraining nog heel wat te doen.

Als er tenminste bij de betreffende partner niet ook nog sprake is van chronische ontrouw, want dan hebben we meestal te maken met wat vroeger een psychopathische en tegenwoordig vaak een dyssociale persoonlijkheid wordt genoemd.[1] En zulke persoon-

---

1. De dyssociale persoonlijkheid (zie Diekstra, R.F.W., *Persoonlijk onderhoud*, Utrecht, 1994) heeft ten minste drie van de volgende eigenschappen:
   - Grote onverschilligheid ten aanzien van de gevoelens van anderen.
   - Vertoont steeds weer opnieuw sociaal onverantwoord gedrag en laat zich weinig of niets gelegen liggen aan sociale normen, regels en verplichtingen.
   - Is niet in staat om zich schuldig te voelen en om van negatieve ervaringen, met name straf, te leren.
   - Is sterk geneigd om anderen de schuld te geven, of om uitvluchten/smoezen te verzinnen voor het doen van dingen die tot botsingen met anderen of de samenleving (politie/justitie) hebben geleid.

lijkheden zijn haast per definitie ongeschikt voor een duurzame partnerrelatie.

Als er geen sprake is van een partnerkeuzeprobleem, dan lopen relaties meestal om een van de volgende twee redenen op de klippen. Over de eerste reden hebben we het al gehad, dat is verwaarlozing. De tweede reden – en die komt vaker bij mannen voor maar is ook bij vrouwen niet heel zeldzaam – is de behoefte aan vernieuwing. Een van beide partners wil gewoon wat anders, wat nieuws en meestal ook wat jongers. De relatiepijp is als het ware leeg.

Die twee redenen, verwaarlozing en vernieuwing, hangen overigens vaak samen. De behoefte aan vernieuwing speelt eerder op in een relatie waarin belangrijke aspecten of regels worden verwaarloosd. Verwaarlozen wil zeggen dat die regels eerder wel in acht werden genomen maar met het verstrijken van de jaren is daar de klad in gekomen of dat ze nooit of te weinig deel hebben uitgemaakt van de relatie.

Ver'waar'lozen wil ook zeggen dat de vier essentiële relatiewaarden waar we het eerder over hebben gehad – rechtvaardigheid, weldadigheid, waardigheid en vrijheid – te weinig in acht zijn genomen, niet goed onderhouden zijn. Tussen dat onderhoud en de bereidheid of het vermogen tot empathie bestaat een belangrijk verband.

Empathie

Doe eens het volgende. Kijk eens, terwijl uw partner ergens druk mee bezig is en niets in de gaten heeft, aandachtig naar hem of haar. En stel uzelf dan de volgende vraag: hoe goed voel ik gewoonlijk aan wat er in dat hoofd, in dat lichaam, wat er in hem of haar omgaat? Waarschijnlijk kunt u op deze vraag geen duidelijk antwoord geven. Waarom niet? Het antwoord vindt u algauw door uzelf als volgende vraag te stellen: hoe vaak vraag ik aan hem of haar: 'Wat gaat er nu in je om?' Ik ben geen gedachtelezer, maar de kans is groot dat u moet antwoorden: 'Zelden of nooit.'

Vreemd eigenlijk. Je leeft dag in dag uit met iemand, god weet hoeveel jaren al, en op een van de meest elementaire vragen – de vraag naar wat er gewoonlijk in je partner omgaat en hoe hij of zij zich voelt naar aanleiding van wat jij wel of niet doet – weet je niet eens duidelijk antwoord te geven. Als dat al tussen levenspartners geldt, geldt het helemaal tussen ouders en kinderen, broers en zussen en tussen andere familieleden. Als u samen met uw partner en kinderen bij uw (schoon)ouders zit en uw (schoon)broers of zussen zijn er ook met hun aanhang, hebt u dan enig idee wat er tijdens de zitting in hen omgaat? Of ze het leuk vinden of dat het corvee voor hen betekent? En hebt u een duidelijk idee van hoe ze u ervaren? Vinden ze het echt leuk om u te zien of bent u voor hen een familiestuk waar je af en toe niet omheen kan? Hebt u enig idee wat er in uw (schoon)ouders omgaat? Vinden zij de bijeenkomst echt leuk? Of is het voor hen meer iets waar je als grootouders nou eenmaal niet onderuit kunt, want het is zo leuk voor de kleinkinderen? Kortom, wat weet u eigenlijk van hoe de mensen uit uw directe omgeving, de mensen die u zogenaamd uw leven lang al 'kent', het leven, zichzelf en u ervaren?

Tegenover mij in mijn therapiekamer zit een stel. Zij vertelt dat ze bepaalde dingen niet tegen hem zegt omdat ze bang is dat hij dan boos wordt of zich schuldig gaat voelen en dan in een depressieve bui terechtkomt. Hij zegt dat hij baalt van het feit dat zij vaak niet duidelijk zegt wat ze wil. Ik zeg dat zij zich blijkbaar onveilig voelt in de relatie met hem. Zij denkt na en zegt dan: 'Ja, dat is zo, ik voel me onveilig.' Hij reageert daarop met: 'Maar waarom dan, ik doe je toch niks!' Ik grijp in en vraag hen even stil te staan bij wat er nu tussen hen gebeurt. Ik leg uit dat zij uitspreekt zich in de relatie onveilig te voelen en dat hij uitspreekt haar gevoel niet te begrijpen omdat hij er geen reden voor ziet. Maar ze heeft het, en dus is er een reden, of zijn er meerdere redenen, waarom ze dat gevoel heeft. De vraag is dus, zo hou ik hem voor, of hij die redenen wil leren kennen, bijvoorbeeld om te begrijpen waarom van haar uit gezien de relatie onveilig is. Hij zegt dat hij dat wil. Ik zeg dan tegen hem: 'Oké, ga je gang.'

Hij kijkt mij niet-begrijpend aan en vraagt: 'Hoezo, ga je gang?'

'Nou,' zeg ik, 'jij zei dat je haar redenen waarom ze zich onveilig voelt in de relatie met jou wil leren kennen, dus...?'
Hij kijkt me nog steeds zoekend aan en zegt: 'Hoezo dus...? Moet ik het haar vragen dan...?'
'Dat moet je niet,' repliceer ik. 'De vraag is of je dat wilt, het aan haar vragen.'
Hij zucht eens diep, heel diep, maar komt dan toch met de vraag. Als zij een tijdje later uitgesproken is, begint hij zich meteen te verdedigen: 'Maar weet je... dat hoef je helemaal niet, dat zie je verkeerd.'
Ik onderbreek hem en vraag hem of hij haar begrepen heeft. Hij reageert met 'Natuurlijk'. Ik zeg dan: 'Oké, wil je dan, voordat je je verdedigt, eerst in je eigen woorden samenvatten wat ze net gezegd heeft en haar dan vragen of dat ongeveer is wat ze bedoeld heeft te zeggen.'
Het kost hem veel moeite om goed weer te geven wat ze gezegd heeft en zij moet hem daarbij helpen. Als hij zover is en zij bevestigt 'Ja, zo is het ongeveer, dat speelt er bij mij', verzinkt hij in nadenken. Dan zegt hij: 'Ik heb me eigenlijk nooit gerealiseerd dat die dingen (bepaalde uitbarstingen van hem, zijn depressieve buien en een of twee keer weglopen) zo'n grote indruk op je gemaakt hebben en dat ze nog steeds zo erg bij je spelen.'

Wat voor de relatie tussen deze twee mensen geldt, geldt voor de relatie tussen heel veel mensen: partners, ouders en kinderen, familieleden. Allemaal dragen we een denkbeeldige rugzak, waarin pakketjes met negatieve gevoelens en gedachten over elkaar en pijnlijke, ontredderende ervaringen met elkaar zijn gestopt. Afhankelijk van het aantal en het gewicht van die pakketjes is ons gevoel ten aanzien van elkaar bij ontmoetingen meer of minder 'gedrukt'.
Meestal kunnen we die druk wel een tijdje uithouden. Door die te negeren, ons zelf af te leiden of de tanden op elkaar te zetten. Maar zitten we heel lang en heel vaak met elkaar opgescheept, dan gaan we die druk duidelijk voelen, gaat die irriteren en neemt de kans op ontstemming en onaangenaamheden toe. We hebben dan allemaal min of meer hetzelfde dilemma: moet je dan maar een keer je

rugzak omkeren, leegschudden en de confrontatie aangaan? Of heeft het geen zin dat te doen en maak je de relatie er alleen maar moeilijker op? Dat kan, in ieder geval op de korte termijn. En vaak moet het ook. Moeten 'dingen' eerst slechter gaan voor het beter wordt. Er zijn verschillende manieren om je rugzak leeg te schudden en vaak blijkt het zinnig om daarbij in stappen te denken. Een belangrijke eerste stap blijkt vaak – succes is overigens niet altijd gegarandeerd – de volgende. Schrijf een 'pak'-brief aan de ander. Niet per se om te geven of te versturen, dat kan altijd nog. Maar op de eerste plaats om voor jezelf helder te krijgen wat er allemaal in je rugzak zit. Laat die brief uit drie hoofdstukken bestaan. In het eerste schrijf je alles wat je aan die ander hebt opgelopen in het verleden en wat je nog oploopt in het heden en wat niet goed voelt. Leg uit wat er niet goed aan voelt en dat je dat aan die ander terugstuurt. In het tweede hoofdstuk schrijf je op wat je allemaal van die ander gekregen hebt en nog krijgt en wat goed voelt. Wat je graag wilt behouden. In het derde hoofdstuk schrijf je, tegen de achtergrond van de eerste twee, welke plaats je aan die ander voortaan in je leven wilt geven, en ook welke grenzen je trekt en hoe je die zult bewaken. Eindig met die ander te vragen die grenzen te respecteren en uit te nodigen om zijn of haar hoofdstukken ten aanzien van jou naast de jouwe te leggen. Meestal kost het enige kladjes voor je brief precies zegt wat je voelt, vindt en wilt. Als je ten slotte een versie hebt die dat wel doet, doe de inhoud daarvan dan op de een of andere manier aan die ander toekomen: in een gesprek, per post of e-mail. Of eerst per post of e-mail en dan in een gesprek. Geloof het of niet, maar je geeft de ander daarmee het waardevolste geschenk dat je kunt geven: authenticiteit.

Authenticiteit is: ophouden met te doen 'alsof' en de ander duidelijk maken dat de relatie voor jou zo belangrijk is dat je er zo weinig mogelijk misverstanden in wil laten bestaan. Wie een partner oprecht, authentiek 'feedback' geeft, het woord zegt het eigenlijk al, voedt meestal de relatie.

Maar de eerlijkheid gebiedt te zeggen dat in een relatie die wel goed is onderhouden, soms toch een van de partners op de ver-nieuwings- of verjongingskuur gaat. Dat hoeft overigens niet al-tijd een ramp te zijn, of het einde van de relatie te betekenen, maar het vergt wel de nodige wijsheid om daarmee om te gaan.

Overspelwijsheid

De naam van Robert Sternberg is al vaak gevallen in dit boek en valt nu weer. Want behalve met de liefde heeft deze geniale psycho-loog zich ook beziggehouden met wijsheid, met name met de vraag wat dat precies is en vooral hoe je wijsheid in relaties kunt praktise-ren. En als dat ergens van pas komt, dan is het wel op het moment dat overspel zich aandient. In het boek *Wisdom: Its Nature, Origin and Development*, dat Sternberg in 1990 samen met een aantal an-dere psychologen schreef, komt een heel erg interessante bijdrage voor van twee vrouwen, Karen Kitchener en Helene Brenner. Volgens hen heeft wijsheid een viertal kenmerken. Op de eerste plaats betekent wijsheid erkennen dat er in ieder volwassen leven onvermijdelijk moeilijke en pijnlijke problemen zijn, die geen kant-en-klare oplossingen hebben. Voorbeeld: moet je nu wel of niet doorgaan met een partner die zegt dat hij of zij nog altijd van je houdt maar die wel mooi zonder dat je het wist een tijd-lang een verhouding met iemand anders had en waar je toevallig achter moest komen? Wijsheid betekent erkennen dat zo'n situa-tie zich ook in jouw leven kan voordoen. Onwijsheid betekent voortdurend uitroepen: zoiets komt in onze familie niet voor. Wijsheid betekent realiseren dat er voor zo'n probleem geen standaardantwoord bestaat. Onwijsheid betekent een standaard-antwoord geven: als zoiets is gebeurd, kun je hem of haar nooit meer vertrouwen, dus meteen op straat zetten maar.

Op de tweede plaats vergt wijsheid volgens Kitchener en Bren-ner kennis, of de bereidheid die te verzamelen, en vaardigheid op belangrijke levensgebieden. Om bij het overspelvoorbeeld te blijven. Wijsheid betekent dat je wilt weten hoe andere stellen die met zo'n situatie geconfronteerd worden, het er doorgaans van afbrengen. Je wilt weten wat maakt dat in het ene geval de relatie het wel en in het andere geval de relatie het niet overleeft. Maar wijsheid betekent ook de vaardigheden in huis hebben om geschonden vertrouwen te verwerken en mee te werken aan herstel daarvan. Of in ieder geval het verlangen hebben zulke vaardigheden te leren.

Onwijsheid betekent: 'Het kan me niet schelen of andere stellen daaroverheen zijn gekomen of niet of hoe ze dat gedaan hebben, dat hoef ik niet te weten, daar wil ik niet over lezen en daarvoor ga ik zeker niet naar een therapeut. Voor mij kan zoiets niet en nooit, punt uit.'

Het derde kenmerk van wijsheid is inzien dat menselijke kennis, dus ook jouw kennis, beperkt is. Om de woorden van Sternberg te gebruiken: wijze mensen weten wat ze weten, weten wat ze niet weten, weten wat ze kunnen weten gegeven de beperkingen van de beschikbare inzichten en kennis, en weten wat ze niet kunnen weten gegeven hun eigen beperkingen. Om opnieuw bij overspel te blijven. Wijsheid betekent inzien dat je kennis van wat de kansen zijn van een relatie waarin ontrouw heeft plaatsgevonden, beperkt is. Natuurlijk zul je stellen kennen bij wie het ook nadat ze het nog een tijd geprobeerd hebben, toch weer mis is gegaan omdat de 'overspelige partner' het opnieuw niet laten kon. Maar je beseft dat je niet weet wat er nog allemaal verder in die relatie speelde en dus ook niet weet of die relatie wel met de jouwe vergelijkbaar is. Bovendien zullen er ook stellen zijn bij wie het vervolgens wel goed of misschien zelfs nog beter is gegaan. Maar ook daarvan besef je dat je niet precies weet in hoeverre die met jouw situatie te vergelijken zijn. En je beseft dat je nooit zult weten wat er in jouw situatie mogelijk is, als je het niet probeert.

Onwijsheid betekent dat je het standpunt inneemt dat niemand je iets hoeft wijs te maken, dat jij precies weet wat er wel of niet met deze partner nog mogelijk is. Het betekent ook dat jij heus wel weet of jouw relatie vergelijkbaar is met die van een ander of niet. Het betekent daarnaast dat je partner je niets hoeft te vertellen. Want jij weet precies waarom hij of zij 'het' gedaan heeft. Het vierde en laatste kenmerk van wijsheid dat Kitchener en Brenner noemen is beschikken over het vermogen om gezonde oordelen te vormen en beslissingen te nemen over levensproblemen met een open oog voor de onzekerheden die er zijn. In het geval van overspel betekent dat: ik besef dat als ik toch met deze relatie door ga, ik voorlopig geen andere garantie heb dan het woord van mijn partner dat hij of zij wil proberen om in de toekomst trouw te blijven maar nu niet de zekerheid kan geven dat het nooit meer zal gebeuren. Dat is een risico dat ik bewust neem. Onwijsheid betekent het standpunt dat als ik nu niet de absolute zekerheid van jou krijg dat je het nooit meer zult doen, ik niet verder ga. En als jij zegt dat je die niet kan geven, dan heb je je zinnen inmiddels vast al weer op iemand anders gezet.

Kortom, echte wijsheid in relaties vergt realisme, moed, de gave om niet onnodig grof te zijn en het vraagt om een open oog voor de onvoorspelbaarheden in het gedrag van de ander. Ik voorspel, overigens zonder enige garantie af te geven, dat degenen die deze wijsheid op kunnen brengen, een aanzienlijk hogere 'trouw'-kans hebben.

7 De kunst van het laten gaan

Uit het voorafgaande zou je gemakkelijk de indruk kunnen krijgen dat de wijsheid in geval van overspel vooral van de 'bedrogen' partner moet komen. Degene die het slachtoffer is, wordt, zo lijkt het dan, ook nog eens opgezadeld met de opgave om het probleem op te lossen. Dat is natuurlijk niet wat ik bedoel en dat zou, behalve dat het onterecht is, ook niet erg veel helpen. Net als liefde moet ook wijsheid in een relatie van twee kanten komen. Een belangrijke bron van onwijsheid en dus van ellende en pijn in veel relaties is dat een van de partners niet kan kiezen. Of liever, dat hij of zij de pijn of de frustratie die altijd met kiezen gepaard gaat, zoveel en zolang mogelijk wil vermijden. De simpele waarheid is dat vóór een relatie met de ene mens kiezen vrijwel altijd betekent dat tégen de relatie met een ander wordt gekozen. Voor de meeste mensen geldt dat ze al staande kunnen kiezen welke van hun twee benen ze intrekken. Maar als ze het ene hebben ingetrokken, dan kunnen ze niet nog eens ook het andere intrekken, althans niet zonder te vallen. Kiezen betekent zowel nemen als laten gaan. Het eerste, nemen, is niet zo'n kunst. Het tweede, laten gaan, des te meer.

'Een van de meest frustrerende ervaringen in dit leven is dat kiezen hoe dan ook verliezen inhoudt. Als we de keuze voor de ene liefdesrelatie maken, betekent dat vrijwel altijd dat we alle andere mogelijke liefdesrelaties moeten laten gaan.'

Een van mijn beste vrienden, ruim vijftien jaar getrouwd, raakte op een dag tot over zijn oren verliefd op een andere vrouw. Natuurlijk een vrouw die aanzienlijker jonger was dan zijn echtgenote. En natuurlijk een vrouw die min of meer beschikbaar was, want haar eigen huwelijk stond al enige tijd op het punt op de rotsen te lopen.

Het scenario van het vervolg is een oude bekende. Er ontwikkelde zich een stiekeme relatie, waarin werk en dienstreizen de dekmantel voor ontmoetingen vormden, waarvoor weer de nodige leugens moesten worden geconstrueerd om niet tegen de lamp te lopen. Maar onvermijdelijk gebeurde dat toch, dit keer vanwege een liefdesbrief die tevoorschijn kwam uit de binnenzak van een kostuum dat naar de stomerij moest. De rapen waren meteen flink gaar. Omdat zijn vrouw zich op slag realiseerde dat haar beeld van hun relatie van het afgelopen half jaar absoluut niet het zijne was geweest en al evenmin een reëel beeld was, wilde ze alle details van zijn buitenechtelijkheid weten. Het 'Dus ook dáárover heb je gelogen!' viel keer op keer in hun verdrietig-boze confrontaties, telkens wanneer ze er weer eens in geslaagd was om ondanks zijn onwilligheid een brokstuk geheime informatie uit hem te trekken. Geroerd door haar gebrokenheid, schuldig over haar ontreddering en bang voor wat het de kinderen zou doen als die erin betrokken zouden worden, deed hij begrijpelijkerwijze af en toe zijn best haar op te vangen en te troosten. Maar, nog begrijpelijker, was hij wel de laatste van wie zij begrip en begeleiding wilde voor wat juist hij bij haar had aangericht. Dat zou net zoiets zijn, om het in haar eigen woorden te zeggen, als slachtofferhulp krijgen van je verkrachter. Een week of twee nadat 'het uitgekomen was' zoals we dat zeggen alsof het gaat om een bloem in de lente, ontmoette ik hem ergens op een congres. Het eerste wat hij deed nadat we elkaar begroet hadden en ons los hadden gemaakt van de rest van het aanwezige gezelschap, was mij in een hoek sleuren en met horten en stoten de ellende van thuis op tafel uitstorten. De volgende paar dagen spraken we over weinig anders dan over zijn patroon van emotioneel heen en weer pendelen tussen twee vrouwen. Daarbij kwam herhaaldelijk een aantal punten aan de orde die je vrijwel als klassieke thema's kunt beschouwen in de verhalen van mannen, en vrouwen, die zich in dit soort nesten gewerkt hebben.

Het eerste is het thema van de schuld: wiens schuld is het eigenlijk? Hij zei het aanvankelijk zo: 'Het is heus niet alleen mijn schuld dat dit gebeurd is. Het ging de laatste tijd, het laatste jaar of zo, al niet zo goed tussen ons. We leefden steeds meer ieder ons eigen leven.' Het is betrekkelijk gebruikelijk voor mensen die beschuldigd worden van en zich schuldig voelen over de emotionele ellende die zich in hun leven en dat van hun naasten voordoet, om te zoeken naar zondebokken op wier rug ze een gedeelte van die last kunnen overhevelen. En in geval van buitenechtelijkheid is de enige voor de hand liggende kandidaat voor het 'mede'-zondebokschap de eigen huwelijkspartner. Maar heel vaak, en ook in het geval van mijn vriend, is het hanteren van die strategie van spreiding of diffusie van verantwoordelijkheid een onfrisse truc die in feite neerkomt op *blaming the victim*, op beschuldiging van het slachtoffer.

Als het in een relatie niet zo goed gaat, dan zijn er op die situatie een reeks van reacties, van antwoorden mogelijk. Zoals het in de relatie zelf aan de orde stellen van die onvrede en het zoeken naar wegen om daar iets aan te doen. Bijvoorbeeld, als het op eigen kracht niet lukt, het zoeken van hulp bij derden, een goede vriend of vriendin, een therapeut, en dergelijke. Mijn vriend had deze reacties, deze antwoorden, die in feite betekenen de blik intensief naar binnen, op de eigen relatie richten, niet gekozen. In plaats daarvan had hij de blik naar buiten gericht. Hij had steeds meer tijd in 'buiten'-relatieactiviteiten gestoken, zoals werk en omgang met collega's en vrienden, en ten slotte in een relatie met een andere vrouw. Dat was zijn antwoord op de insukkelende huwelijksrelatie en daarmee, zowel letterlijk als figuurlijk, ook zijn verantwoordelijkheid. Ik ried hem sterk aan die verantwoordelijkheid dan ook echt te nemen en op te houden met zijn vrouw medeverantwoordelijk te maken voor zijn keuzes. Al was het alleen maar om te voorkomen dat zij hem terecht voor de voeten zou werpen: 'Dus daar krijg ik ook al de schuld van, dat meneer met een ander de koffer induikt.'

Het tweede thema was dat van de reden van de keuze voor deze vriendin. Om het opnieuw in zijn eigen woorden te zeggen: 'Je weet natuurlijk dat ik in mijn leven, voordat ik trouwde, heel wat vrouwen heb gehad. Maar zo iemand als zij is, zo bijzonder, dat heb ik nog nooit meegemaakt en ik denk ook niet dat ik ooit nog zo iemand zal tegenkomen.' Op mijn vraag of hij nog van zijn eigen vrouw hield, antwoordde hij: 'Ja, toch wel, maar dat is anders, het is niet op de manier waarop ik van haar [naam van vriendin] hou. Dat klikt op een manier, dat is echt... zo bijzonder... zo heel anders.'

Zoals zoveel mannen had hij zichzelf als een ledenpop gespannen tussen twee vrouwen. Een met wie hij een oude relatie had, met tal van goede herinneringen en kinderen maar ook met de banaliteit en irritaties van het gewone alledaagse leven. En een met wie hij een volstrekt nieuwe relatie had, met uitsluitend onalledaagse ervaringen en ongehinderd door oude patronen en praktische verantwoordelijkheden. En zoals zoveel mannen, en vrouwen, wilde hij eigenlijk beide, maar dan zonder de gespannenheid die het aan iedere arm gerukt worden met zich meebrengt.

Zijn antwoord op mijn vraag of hij bereid was om aan de relatie met zijn vrouw te werken, was in dit opzicht typerend: 'Ja, maar als ik dat doe, dan moet ik natuurlijk haar (vriendin) opgeven. En wat als het uiteindelijk met mijn vrouw toch niet echt veel beter wordt? Of als ik die ander toch nooit echt vergeten kan? Ik denk dat als ik haar nu laat lopen, ik daar mijn hele leven spijt van zal hebben. En dan? Ik denk vaak, had ik haar maar twintig jaar eerder ontmoet!'

Met die laatste opmerking raakte hij aan de psychologische kern van dit soort emotionele conflictsituaties. In de film *The Prince of Tides* naar het gelijknamige boek van Pat Conroy wordt de situatie beschreven van een man (gespeeld door Nick Nolte), al vele jaren getrouwd en kinderen, die verliefd wordt op een vrouwelijke psychiater (Barbara Streisand) met wie hij een aantal gesprekken heeft. Op haar beurt wordt de psychiater verliefd op hem. Op het moment dat hij gedwongen wordt een keuze te maken, kiest hij voor zijn vrouw en kinderen en legt die keuze aan

de psychiater als volgt uit: 'I love you more, but I love her longer.'
('Ik hou meer van jou, maar van haar hou ik langer.') De film eindigt met te laten zien dat hij tevreden is met zijn keuze, hoewel
hij er ook onder lijdt. Want iedere dag denkt hij ten minste één
keer aan de liefde die hij heeft laten gaan en krimpt zijn hart even.

Een van de meest frustrerende ervaringen in dit leven is dat kiezen hoe dan ook verliezen inhoudt. Als we de keuze maken voor
de ene liefdesrelatie, betekent dat vrijwel altijd dat we de andere
mogelijke liefdesrelaties moeten laten gaan. Een van de dwang-
matigheden van onze tijd is dat we het als niet 'natuurlijk', als
niet eerlijk zelfs beschouwen dat we speciale gelegenheden, bijzondere ervaringen, moeten laten gaan. We willen overal bij zijn,
ook al is het maar één keer. We zijn ervaringsstapelaars, gevoels-
consumenten geworden, die voortdurend allerlei opties open willen houden. Te zeggen 'mijn keuze voor haar, betekent dat ik jou
laat gaan' vergt meer dan we vaak op willen/kunnen brengen.
En toch, de enige manier om ons in de ene partnerrelatie te laten
gaan, is de andere los te laten. Of om het in de woorden van *Het
boek van de Tao* (de *Tao Teh King*) te zeggen: 'De wereld wordt
veroverd door degenen die haar laten gaan.'

Overigens, mijn vriend heeft inderdaad in zijn keuze het *Prince of
Tides*-scenario gevolgd. Hij heeft zijn minnares opgegeven en is bij
zijn vrouw gebleven. Maar voor haar, zijn vrouw, is het sindsdien
toch de vraag of hij eigenlijk wel bij haar is, emotioneel gezien. Zij
twijfelt. En niet zonder reden en dat weten ze allebei. Maar het is
niet echt bespreekbaar. Het is te pijnlijk. Dus is het een pijn geworden, pijn waar ze beiden voortdurend van weg proberen te lopen.
Hij zegt dat het waarschijnlijk maar beter zo is, hoewel het niet goed
is.
Ik weet inmiddels dat die pijn, de *Prince of Tides*-pijn zal ik het
maar noemen, in veel relaties voorkomt.

8 Als liefde pijn doet

Is degene met wie u nu samenleeft de grote liefde van uw leven? Deze vraag heb ik in de loop van de tijd vaak aan mensen gesteld en ik heb er vaak 'nee' op horen antwoorden. Op de logisch volgende vraag: 'Denkt u nog regelmatig aan die verloren grote liefde' heb ik vaak 'ja' horen antwoorden. Stel eens voor dat u aan het einde van uw leven moet concluderen dat u niet geleefd hebt met iemand die een grote liefde was en wel geleefd hebt met iemand die dat niet was. Hoe hebt u dan geleefd? Ongelukkig? Onbevredigd? Onvoldoende? Het is zo romantisch-verleidelijk om met driewerf 'ja' te antwoorden. Maar zo simpel ligt het met geluk niet. Een grote liefde tegenkomen kan, als je eerder niet goed op je relatietellen hebt gepast, gelijk staan aan je grote ongeluk in de armen lopen. Een van mijn vroegere collega's, een rustige, betrouwbare en wat saaie man, nam op een dag een student als assistent aan. Enige tijd later kochten hij en zijn vrouw een lang begeerd huis, verbouwden het geheel naar hun smaak en gaven een 'huiswarm'-feest. Behalve een aantal collega's werd ook de student-assistent uitgenodigd. Dat had die collega beter niet kunnen doen. Nog diezelfde avond sprongen er chemische vonken tussen zijn vrouw en de student over. Binnen een maand verliet zij de nieuwe echtelijke woning en ging met de student samenwonen op een paar kamers, haar man en twee kinderen verbijsterd achterlatend. De relatie met de student duurde een jaar. Toen verliet hij haar voor een vrouw van zijn eigen leeftijd. Zij was doodongelukkig. Maar ze wilde niet terug naar haar man, die haar wel graag terug wilde. 'Ik vind het een lieve man,' zei ze. 'Hij is eigenlijk veel beter dan ik, maar ik weet nu wat hartstocht is en ik doe het nooit meer voor minder.' Het offer dat ze voor die keuze moest brengen, was bepaald niet mis. Een grote financiële achteruitgang, het verlaten van een mooi huis dat ze zelf met zorg had ingericht, een stroeve relatie met een van haar kinderen, haar zoon, die vond dat ze zijn vader niet goed behandeld had en bonje met, natuurlijk, haar (ex)schoonfamilie en ook met haar eigen familie, althans met haar vader. Gesteld voor de keuze tussen zekerheid en hartstocht had ze voor het laatste en tegen het eerste gekozen. En dat heeft ze geweten. De meeste mensen zouden haar keuze niet maken. Waarom niet? Laten we voor het antwoord nog eens teruggrijpen op Sternbergs driehoekstheorie van de liefde. Opmerkelijk is, aldus Sternberg dat althans in de Verenigde Staten en Groot-Brittannië, en voor ons land zal wel ongeveer hetzelfde gelden, de meeste mensen die trouwen in de periode rondom hun huwelijkssluiting geloven dat hun relatie hoog scoort op al de drie hoeken van de driehoek, namelijk commitment, intimiteit en hartstocht. Met andere woorden, als mensen huwen dan doen ze dat, of ze zeggen althans dat ze dat doen, omdat ze denken een grote liefde te pakken hebben. Maar opmerkelijk is ook dat daar bij nader onderzoek dikwijls niet zo heel veel van klopt. Jonggehuwden scoren over en weer meestal wel hoog op 'commitment' of betrokkenheid en na twee jaar huwelijk is dat meestal nog zo. Maar wat betreft emotionele intimiteit ligt de situatie heel anders. Ze zijn op het stadhuis al vaak niet erg goed in staat ten opzichte van elkaar hun gevoelens accuraat onder woorden te brengen. Dat is heel wat anders dan kunnen zeggen 'Ik hou van jou'. Na twee jaar huwelijk blijkt dat ze meestal wel beter zijn geworden in het uiten van wat ze niet goed vinden, en dat doen ze ook vaker, maar niet in wat ze wel goed vinden. Bovendien blijken de meeste stellen niet veel vooruitgang geboekt te hebben in het over en weer bespreken van emotionele problemen of het openlijk aan de orde stellen van wat ze als goed en niet goed aan de relatie ervaren. Voor lichamelijke aantrekkelijkheid of hartstocht geldt dat die wat betreft seksuele omgang in het eerste huwelijksjaar relatief hoog is, maar daarna vrij snel afneemt. Aan het eind van het tweede jaar is de frequentie van seksuele omgang, in de vorm van coïtus, met ruim de helft tot tweederde gedaald tot het niveau waarop het vaak tientallen jaren later nog staat, namelijk de volksstandaardfrequentie van ongeveer 6 keer per maand. Voor sensualiteit, dat wil zeggen de frequentie van lichamelijke aanrakingen of strelingen als uitingen van genegenheid los van seksualiteit in de strikte zin van het woord, geldt eveneens dat die bij de meerderheid rondom de periode van de huwelijkssluiting tweemaal zo hoog is als na twee jaar huwelijk.

De conclusie hieruit is dat de twee zwakste schakels in de partnerrelatieketting meestal zijn: emotionele intimiteit en hartstocht. Precies die combinatie die Sternberg als *romantic love* aanduidt. De sterkste schakel is vaak 'commitment' of de bereidheid de relatie overeind te houden. Als partners bij elkaar blijven is dat dus vaak niet zozeer omdat ze zo'n emotioneel-intieme en hartstochtelijke relatie hebben, maar omdat de relatie hun zodanig veel materiële en sociale zekerheid verschaft dat ze de gebrekkige toestand van die andere twee kenmerken op de koop toe nemen.

Als relaties worden opgebroken is het dus meestal om redenen van gebrekkige (intieme) communicatie en onbevredigende sensualiteit/seksualiteit en vooral de combinatie van beide.

Terwijl een scheiding vaak een grote financiële, sociale en emotionele aderlating is, investeren gehuwden toch vaak veel te weinig in de twee factoren die hun relatie het meest bedreigen – gebrekkige communicatie en haperende sensualiteit/seksualiteit. Ondertussen zijn ze voortdurend bezig met het verfraaien en comfortabeler maken van huis en tuin en huren allerlei deskundigen in om hen daarin met raad en daad bij te staan. En als het huis dan eindelijk klaar is, gaan ze uit elkaar, zoals mijn collega en zijn vrouw. En waarom? Meestal omdat een van hen ergens anders hartstocht of emotionele intimiteit heeft gevonden.

Psychologisch onderzoek uit de laatste tien jaar heeft aangetoond dat emotionele intimiteit en hartstocht met de nodige aandacht, onderhoud en deskundige advisering in heel veel relaties een hoge mate van ontwikkeling kunnen bereiken.[1] Maar gesteld

---

1. Zie Gottman, J., *Seven Principles to Making Marriage Work*, New York, 2000 (Crown Publishing Group).

voor de keuze tussen een groot huis en een grote liefde blijken veel mensen nog altijd een voorkeur te hebben voor het werken aan het eerste ten koste van het tweede. Het gevolg is voorspelbaar: een groeiend leger thuis- en daklozen, wat de liefde betreft.

Overigens is dat het enige leger in de wereld waarin veel meer vrouwen dan mannen dienen.

9 Jong voor oud

Een van de levenswetten is dat oud wordt ingeruild voor jong. Het meest ontnuchterende en pijnlijke bewijs voor die wet is wel het inruilen van oudere vrouwen voor jongere. Het is een feit waar een groot deel van de oudere vrouwen mee wordt geconfronteerd en waar de rest zich regelmatig door bedreigd voelt.

Het epidemische karakter van dit patroon waar ook ter wereld en van hoog tot laag, toont tenminste de 'halve waarheid' aan van wat Ernest Becker in zijn boek *De ontkenning van de dood* keihard zegt: 'Het is nu eenmaal zo dat de man gewoonlijk alleen het lichaam wil en dat de totale persoonlijkheid van de vrouw wordt teruggebracht tot niet meer dan een dierlijke rol.' Zelfs als mannen meer bewondering hebben voor de 'persoonlijkheid' van hun oudere vrouw dan die van een 'nieuwere', belet dat hen vaak niet om de relatie met de eerste te verbreken en die met een tweede te beginnen.

De meeste vrouwen zijn zich er van jongsaf al min of meer van bewust dat hetgeen een vrouw, iedere vrouw, tot een uniek wezen maakt, namelijk haar geschiedenis en persoonlijkheid, in de waarneming van veel mannen vaak veel minder gewicht in de schaal legt dan haar lichaam en de beloftes die dat suggereert met betrekking tot lustbevrediging en voortplanting. 'Daarom,' zo zegt Becker, 'vraagt een vrouw om de verzekering dat de man "mij" wil en niet "alleen mijn lichaam"; ze is zich er pijnlijk van bewust dat haar eigen kenmerkende innerlijke persoonlijkheid bij de geslachtsgemeenschap overbodig is.'

De natuur of de evolutie of misschien zelfs wel de menselijke cultuur heeft voor dit probleem een uiterst slimme oplossing bedacht: de liefde. Als een man tegen een vrouw in alle oprechtheid kan zeggen 'Ik hou van jou' ook al hebben de daarmee aangeduide gevoelens grotendeels hun basis in haar lichamelijke aantrekkelijkheid, kan de vrouw zich geven. In de woorden van Becker kan ze zich nu zonder angst en schuldgevoelens aan seksualiteit met die man overgeven omdat ze het vertrouwen en de verzekering lijkt te hebben dat de 'lichamelijke lustbevrediging' geen ontkenning inhoudt van haar uniekheid. In zekere zin gaat het daar dan ook al mis. Want hartstocht en commitment, de driehoekscombinatie waar veel mannen bij voorkeur voor gaan, geeft geen enkele garantie dat de derde hoek van de driehoek waarin het met name gaat om persoonlijkheid, interesse daarin en de waardering daarvoor, namelijk intimiteit, tot stand komt.

Het traumatische van een inruil van een oudere voor een jongere vrouw is voor de eerste daarom vooral gelegen in de angstaanjagende bevestiging van het vermoeden dat ze zich vergist heeft. Dat ze zichzelf bedrogen heeft toen ze dacht dat het om haar persoon en niet om haar lichaam ging.

Zolang ze jong was, geen rimpels had, een strakke, gladde huid en stevige borsten, buik en billen en tot voorplanting in staat was, ook al werd daar geen gebruik van gemaakt, was ze voor haar man ook 'uniek'. Maar met de toename van haar lichamelijke veroudering nam ook haar persoonlijke aantrekkelijkheid af, zo lijkt het althans, en daarmee de kans dat ze werd afgedankt toe. Financiële regelingen bij een scheiding zijn daarom, hard gezegd, voor een groot deel toch niet veel meer dan het uitkopen van de ouderdom en het inkopen van jeugd.

Overigens wordt ook de jongere vrouw die wordt 'ingekocht' op vrijwel dezelfde manier door de man en door zichzelf misleid. Een voorbeeld. Toen Diana met kroonprins Charles trouwde, was ze volgens Andrew Morton[1] in zijn biografie over haar, zo verliefd op haar echtgenoot dat ze haar ogen niet van hem kon afhouden. Maar zijn liefdesverklaringen aan haar, zijn 'ik hou van jou's, waren voor een belangrijk deel formules die noodzakelijk waren om de toegang te krijgen tot een jong en voor de koninklijke voortplanting geschikt lichaam. Want hij hield ook toen al van een ander (Camilla Parker-Bowles). Maar voor Diana

1. Morton, A., *Diana: Her True Story*, London, 1998.

hadden Charles' formules de betekenis van een koninklijke uniekheidsverklaring. Hij was 'de zon in haar leven die haar zicht op de werkelijkheid verblindde'. Het is haar daarom in zekere zin vergaan als de vlinder in de fabel van Leonardo da Vinci, die door Drewermann zo fraai is beschreven[1]:

Op een avond als zij in het donker heen en weer fladdert, ziet de vlinder een lichtje. Het is voor haar een groot wonder. Ze fladdert eromheen en bewondert het. Wat een prachtig licht, denkt ze, terwijl ze met haar vleugels nog dichterbij komt. Ze wil erop gaan zitten als op een grote geurige bloem en strijkt door de vlam. Verdoofd komt zij weer tot haar positieven en ontdekt tot haar grote schrik dat ze een poot mist en dat haar vleugeltoppen verschroeid zijn. Niet in staat te begrijpen dat zoiets schoons als die vlam haar zo zou kunnen schaden, poogt ze zich opnieuw op de vlam te zetten. Ze verbrandt en valt uiteindelijk in de olie van de lamp, waarop de vlam brandt.

Stervend zucht de vlinder: 'Vervloekt licht, ik dacht in jou mijn geluk te vinden, maar ik vond er mijn ondergang.'

'Ach, arme vlinder,' antwoordt de vlam, 'ik ben de zon niet. Wat naïef van je om dat te denken. Ik ben maar een lamp en wie mij voor de zon aanziet, verbrandt.'

En daarmee is het dilemma van veel ontwrichte relaties treffend weergegeven. De zon kunnen we niet bereiken – andere mensen kunnen niet de zon en zin van ons leven zijn – terwijl we ook niet volledig zonder licht kunnen, anders zou ons leven helemaal donker zijn. Maar de lichtjes die we wel kunnen bereiken, de partners die we wel kunnen vinden, hebben zelf brandstof nodig en vormen zeker geen plaatsen waar we zonder risico neer kunnen strijken. Een relatie beginnen is daarom per definitie een dilemma: het vraagt het schenken van vertrouwen in het besef levensgrote risico's te nemen: kiezen met altijd open ogen voor de mogelijkheid van verliezen. Van pijn dus.

---

1. Drewermann, E., *Beelden van verlossing*, Den Haag, 1990 (Meinema).

En toch, er is geen gezond alternatief voor vertrouwen.

10 Vertrouwen of niet: dat is de kwestie

Zaterdagochtend, ongeveer kwart voor negen. Ik zit in het KLM-toestel op weg naar Frankfurt om er om elf uur een lezing te geven, als de gezagvoerder door de intercom met de mededeling komt dat er een technisch mankement is. Dat mankement, zo legt hij uit, is de reden dat we niet op de gebruikelijke kruishoogte maar veel lager vliegen. Omdat het beter te verhelpen is in Amsterdam dan in Frankfurt, zullen we, zo sluit hij af, naar Schiphol terugkeren. Terwijl ik nog druk bezig ben zijn woorden op mij in te laten werken, trekt de zwarte, naar later blijkt uit Ghana afkomstige, vrouw naast mij met een ruk aan mijn arm en vraagt met een stem die verraadt dat ze onraad heeft geroken: 'What did he say?' (Wat zei hij?)

Nog voor ik uitgesproken ben, slaat ze haar beide handen voor haar gezicht en roept: 'Oh god, my children!' (O god, mijn kinderen!) Die uitroep alarmeert een tweede Ghanese vrouw, vermoedelijk een familielid van de eerste, die aan de andere kant van het gangpad zit. 'What's wrong?' (Wat is er mis?) vraagt ze geschrokken. Daarop ontspint zich een gesprek tussen beide vrouwen, waar de emoties voortdurend als bliksemschichten doorheen schieten.

Dan wendt de vrouw naast mij zich weer tot mij en vraagt: 'Are you not afraid?' (Bent u niet bang?) De vraag overvalt me, ik ben nog druk bezig mijn gevoelens uit te sorteren. Zonder op mijn antwoord te wachten, bekent ze dat ze zelf heel erg bang is, slaat haar handen weer voor haar ogen, geeft vervolgens weer een heftige ruk aan mijn arm en vraagt met een stem waarin je de tranen al op de achtergrond hoort ruisen: 'Do you think we are going to make it back to Amsterdam?' (Denkt u dat we Amsterdam zullen halen?)

Het is precies die vraag, die me werkelijk aan het denken zet. Ik begin me te realiseren dat ik psychologisch twee mogelijkheden heb: of ik besluit de gezagvoerder mijn vertrouwen te schenken en zijn woorden te geloven, of ik besluit te betwijfelen of hij wel de hele waarheid vertelt. Doe ik het laatste, besluit ik hem niet te vertrouwen en te veronderstellen dat we er veel beroerder aan toe zijn dan hij zegt, dan besluit ik ook om me heel angstig en gespannen te gaan voelen en dwing ik mezelf voortdurend op alles te gaan letten wat ook maar enigszins mijn wantrouwen kan bevestigen. Doe ik het eerste, namelijk hem wel vertrouwen, dan kan het zijn dat ik alsnog een zekere mate van spanning ervaar. Het is per slot van rekening een ongewone situatie en mijn hele reisschema gaat naar de filistijnen, maar ik vul mijn hoofd niet met allerlei overstuur makende gedachten over een vliegtuig waarvan ik zonder enig bewijs aanneem dat veel meer defect is dan het lijkt en over een piloot die niet te vertrouwen is.

'I decide to trust the pilot,' (ik besluit de piloot te vertrouwen) zeg ik dan tegen de vrouw. Onmiddellijk draait zij zich naar haar reisgenote en ik hoor haar fluisteren: 'He decides to trust the pilot.' Vervolgens praten ze een tijdlang druk met elkaar. En dat hoor ik ze tot mijn verbazing op een bepaald moment mompelen, alsof het een soort van mantra is: 'We decide to trust the pilot.' Voordat we in Amsterdam landen, meen ik het nog een paar keer te horen. Als het toestel weer bij de pier staat en we opstaan om onze spullen uit de bagagebakken te halen, kijken beide vrouwen me lachend aan en zeggen: 'We all decided to trust the pilot, no?'

Nog heel vaak zal ik me deze gebeurtenis herinneren, want hij raakt de kern van een cruciale kwestie waarvoor we voortdurend in het leven gesteld worden: vertrouwen of niet vertrouwen. En het is elke keer opnieuw weer een keuze die belangrijke consequenties heeft voor hoe we ons voelen, en wat we doen in een bepaalde situatie. En vooral ook voor hoezeer we ons verbonden voelen met anderen, of niet. Vertrouwen, schrijft Fukoyama, in

zijn boek *Trust* is 'the glue of society', de lijm van de samen-leving.[1]
Onderzoek, met name door de psycholoog Julian Rotter al ge-ruime tijd geleden uitgevoerd, laat zien dat de mensheid in ze-kere zin in te delen is in een groep 'vertrouwers' en een groep 'wantrouwers'.[2] Vertrouwers hebben, aldus Rotter, over het al-gemeen de verwachting dat ze zich op het gesproken of ge-schreven woord van anderen kunnen verlaten, terwijl wantrou-wers in het algemeen geloven dat ze daar niet op af kunnen gaan. In de volksmond worden degenen die in eerste instantie geneigd zijn anderen op hun woord te geloven, vaak voor naïef, zo niet dom, en gemakkelijk beïnvloed- en oplichtbaar ('gullible', zoals Rotter dat noemt) versleten. Diezelfde volks-mond zegt ook dat een flinke dosis wantrouwen jegens ande-ren je een hoop ellende kan besparen. 'Houd iedereen eerst voor een dief', zoals zowel een Japans als een Duits spreek-woord luidt. Maar is het ook werkelijk zo dat we het in begin-sel hebben van vertrouwen in anderen meestal duur moeten betalen?
Rotters werk heeft wat dat betreft naar mijn oordeel een belang-rijk misverstand weggenomen. Mensen die over het algemeen geneigd zijn anderen te vertrouwen, zijn, zo blijkt uit zijn onder-zoek, niet minder intelligent (gemeten met IQ-tests) en ook niet meer suggestibel dan de achterdochtigen onder ons. Wel is waar dat ze over het algemeen gelukkiger zijn dan de achterdochtigen. Maar belangrijker is, aldus Rotter, dat degenen die geneigd zijn anderen te vertrouwen, meestal ook zelf te vertrouwen zijn. Het omgekeerde is ook waar: degenen die ervan uitgaan dat anderen over het algemeen niet te vertrouwen zijn, blijken zelf minder te

---

1. Fukoyama, F., *Trust. The Social Virtues and the Creation of Prosperity*, New York, 1995 (Free Press).
2. Rotter, J.B., *Trust and Gullibility*. In: Psychology Today, oktober 1980. Rotter, J.B., *Interpersonal Trust, Trustworthiness, and Gullibility*. In: American Psychologist 1, 4 (1980).

vertrouwen te zijn en ook werkelijk vaker de onwaarheid te spreken.

Het spreekwoord 'Zoals de waard is, vertrouwt hij zijn gasten' blijkt wetenschappelijk gezien dus correct te zijn. Bovendien, zo stelde Rotter vast, blijkt dat als de waard zijn gasten niet vertrouwt, hij een groter risico loopt door diezelfde gasten te worden opgelicht of bedrogen dan een collega die wel goed van vertrouwen is. De reden daarvoor is eigenlijk betrekkelijk eenvoudig uit te leggen, zoals hij laat zien. Als in een relatie de ene partner altijd maar achterdochtig is jegens de ander, dan zet hij zoveel spanning op de relatie dat de kans dat zijn partner op een gegeven moment de ontspannende werking ontdekt van het zich begeven in de armen van een niet-achterdochtige vreemdeling, groot wordt.

Waarom zijn sommige mensen vertrouwensvoller dan anderen? Volgens Rotter spelen daarbij twee factoren een hoofdrol. De ene is ervaring. Met name, maar niet uitsluitend, ervaringen in de vroege kinderjaren. De andere is persoonlijkheid. Wat het laatste betreft, er zijn aanwijzingen dat de neiging tot achterdochtigheid mede erfelijk bepaald kan zijn. Maar het gaat dan uitdrukkelijk om de 'neiging tot'. Of die neiging zich ook werkelijk sterk ontwikkelt, hangt onder meer van levenservaringen af. Het lijkt erop dat ervaringen in onze eerste levensjaren een belangrijke rol kunnen spelen in de vorming van wat psychologen noemen 'basic trust': het basale geloof in de goedheid van anderen en in de welwillendheid van de wereld, de schepping.

Het is beter te worden bedrogen dan nooit te hebben vertrouwd

De bekende psycholoog Erik Erikson heeft vertrouwen ooit gedefinieerd als: 'Een fundamenteel geloof in de goedheid van anderen en in de welwillendheid van de wereld waarin we leven'. Hij duidt die houding aan met de veelzeggende uitdrukking *basic trust*. Erikson is van mening dat de eerste levensjaren beslissend zijn voor het al dan niet ontwikkelen van *basic trust*. Maar een hele reeks wetenschappelijke studies wijst erop dat de geneigdheid tot vertrouwen of wantrouwen waarschijnlijk over een veel langere periode gevormd wordt. In een artikel dat heel recent is verschenen in een Amerikaans tijdschrift voor psychiatrie geeft John Livesley op basis van tweelingenonderzoek een overzicht van de bijdragen die erfelijkheid en omgeving aan de vorming van persoonlijkheidseigenschappen leveren en laat zien dat voor een eigenschap als achterdochtigheid die bijdragen ongeveer gelijk zijn. Met andere woorden, we worden blijkbaar geboren met een meer of minder sterke geneigdheid tot vertrouwen of wantrouwen, maar wat er werkelijk van die geneigdheid wordt, hangt voor een groot deel af van wat we op ons levenspad tegenkomen. Twee belangrijke verschillen in reactiepatronen tussen 'vertrouwers' en 'wantrouwers' zijn de volgende. Op de eerste plaats is er een groot verschil in bereidheid om de betrekkelijk onbekende ander te vertrouwen. De 'vertrouwer' heeft de houding van: 'ik zal hem vertrouwen tot ik duidelijk bewijs van het tegendeel heb'. De 'wantrouwer' heeft de houding van: 'ik vertrouw hem niet totdat ik duidelijk bewijs van het tegendeel heb'. Het tweede verschil is dat de 'vertrouwer' meer geneigd is om anderen een tweede kans te geven en daarmee om de rechten van anderen, zoals het recht op een (faire) behandeling, te respecteren. Toch zijn vertrouwers niet slechter dan wantrouwers in het onderkennen van wie ze mogelijk wel en wie niet kunnen vertrouwen, maar ze zijn eerder geneigd het voordeel van de twijfel te geven. Dat betekent weliswaar dat vertrouwers vaker door bedriegers worden beetgenomen, maar wantrouwers nemen minstens zo vaak zichzelf beet doordat ze eerlijke mensen wantrouwen en afwijzen en daarmee de voordelen verspelen die het schenken van vertrouwen gebracht zou hebben. Zoals Samuel Johnson het ooit zei: 'Het is gelukkiger om soms bedrogen te worden dan om niet te kunnen vertrouwen.'

Sommige kinderen hebben het geluk op te groeien bij ouders die dit vertrouwen weten aan te kweken, terwijl anderen dat geluk niet hebben. Rotter stelde vast dat latere levenservaringen overigens dit basale vertrouwen kunnen aantasten. Kinderen tussen vijf en tien jaar wier ouders scheidden, bij wie op een bepaalde dag een van hen gewoon zijn of haar boeltje pakte en voorgoed verdween, bleken later in hun leven vaak grote moeite te hebben met het vertrouwen van hun eigen partner. Ook andere traumatische ervaringen, zoals suïcide van een ouder of seksueel misbruik van een kind door een ouder, kunnen een jaren- en soms zelfs levenslange periode van gebrek aan vertrouwen in en achterdocht jegens anderen inluiden.

Er zijn overigens geen aanwijzingen dat de op die manier aangerichte vertrouwensschade altijd onherstelbaar is. Een van de factoren die in dat opzicht preventief of curatief kunnen werken, is de keuze van een levenspartner die precies de tegenovergestelde houding heeft, namelijk de *basic trust*-houding. Anders gezegd, wie zelf de neiging tot achterdocht heeft, doet er goed aan een partner te kiezen die dat absoluut niet heeft. Of, als dat niet meteen lukt, op zoek te gaan naar een hulpverlener die in staat en bereid is lange tijd vol vertrouwen beschikbaar te blijven ondanks het feit dat hij of zij door de patiënt/cliënt regelmatig met allerlei achterdochtigheden wordt bestookt. Of, als dat allemaal ook niet lukt, zelf de hand aan de achterdocht te slaan.

Toen aan Rotter in een interview werd gevraagd wat hij iemand zou adviseren die anderen maar moeilijk vertrouwt, antwoordde hij ongeveer het volgende: 'Ik zou zeggen: "Ga experimenteren". Als iemand iets tegen u zegt wat u niet gelooft zonder dat u daar enig bewijs voor hebt, dan zeg ik: "Gedraag u alsof u hem of haar wel gelooft en zie maar wat er gebeurt".' Vervolgens vertelde Rotter dat hij zichzelf op deze manier geleerd had anderen meer te vertrouwen: 'Als ik nu een klusjesman inhuur en hij begint mij, als ik naar de prijs vraag, te vertellen wat de materialen kosten die hij moet gebruiken, dan onderbreek ik hem en zeg: "Luister, ik vertrouw u. Doe het zoals u denkt dat het het beste is en dan zie ik wel". Hoewel ik er geen hard bewijs voor heb, ben ik er tot nu toe steeds van overtuigd dat mijn vertrouwen niet beschaamd is geworden.'

Rotter verwoordde hiermee op zijn manier wat een van de levensmotto's was van Henri David Thoreau, de schrijver van *Walden*[1]: 'We moeten een oneindig vertrouwen in elkaar hebben. Als we het niet hebben, moeten we niet laten blijken dat we het niet hebben. Het leven is te kort voor lang wantrouwen.'

---

1. Thoreau, H.D., *Walden*, New York, 1971 (Princeton University Press).

11 Het opzeggen van vertrouwen

In de loop van de tijd heb ik ervaren dat nogal wat mensen mijn pleidooi voor vertrouwen gelijkstellen aan de houding dat je altijd alles maar pikt van anderen. Maar dat is een misverstand. Als het vertrouwen dat je in iemand hebt gesteld geschonden wordt, dan kan het heel terecht zijn om de verbinding met hem of haar te verbreken. Dat is dan geen motie van wantrouwen maar van realiteitszin.

Maar wat betekent het als je het vertrouwen in iemand opzegt? Laat ik eens een voorbeeld nemen. Stel voor dat je het vertrouwen in je huisarts opzegt. Wat zeg je daar eigenlijk dan mee tegen hem of haar? In haar boek *The Dilemmas of Trust* legt Trudy Govier dat glashelder uit.[1] Vertrouwen, zegt ze, is in wezen een houding van positieve verwachting ten aanzien van andere mensen, zowel wat betreft hun bedoelingen als wat betreft hun mogelijkheden of competenties. De meeste mensen hebben vertrouwen in hun huisarts omdat ze geloven dat het iemand is met goede intenties en met competenties. Zeg je het vertrouwen in je huisarts op dat kan dat dus om drie redenen. Gebrek aan goede bedoelingen, gebrek aan competentie of gebrek aan beide. Daarom is het opzeggen van vertrouwen in iemand meestal ook zo'n ingrijpende gebeurtenis. Want je zegt daarmee tegen de ander ofwel 'Je hebt goede bedoelingen maar je kan ze niet waarmaken (dus heb ik niets aan jou)' ofwel 'Je weet wat juist of nodig is en je kan het ook, maar je doet dat niet, omdat je geen goede bedoelingen hebt' (= je benadeelt mij willens en wetens). Ten slotte kan het ook betekenen: 'Niet alleen zijn je bedoelingen onzuiver maar je kan er ook nog eens niets van.'

Bij het opzeggen van vertrouwen in partners of vrienden staat er precies hetzelfde op het spel. Een partner kan goede bedoelingen

1. Govier, T., *The Dilemmas of Trust*, 1998 (McGill's-Queen University Press).

hebben, lief en aardig zijn, maar toch niet in staat zich in jou in te leven of hartstochtelijk met je te zijn. Of een partner kan geen goede bedoelingen hebben, maar heel hartstochtelijk met je zijn, waardoor je steeds weer voor hem of haar valt, hoewel je je zelf daarmee uiteindelijk steeds weer benadeelt of beschadigt. Een partner kan ook heel goede bedoelingen hebben, maar zich toch niet kunnen inhouden voor wat betreft het aangaan van relaties met anderen. Het kunnen allemaal redenen zijn om terecht het vertrouwen in een relatie met deze persoon op te zeggen. Als ik het heel precies formuleer dan is er voldoende reden om te overwegen het vertrouwen in de ander op te zeggen:
– als de ander herhaaldelijk heeft bewezen geen goede bedoelingen te hebben;
– als de ander herhaaldelijk heeft laten zien niet die mogelijkheden of vaardigheden aan boord te hebben (in termen van commitment, intimiteit of hartstocht) die voor jou wezenlijk zijn in een relatie; en vooral:
– als allebei herhaaldelijk duidelijk is geworden.

Overigens, tussen de conclusie dat je het vertrouwen zou moeten opzeggen en ermee kappen, en dat ook daadwerkelijk doen, gaapt vaak een hele kloof. Een kloof die behalve heel groot ook heel veel tijd kan vergen om te overbruggen. Sommige mensen doen er hun hele relatieleven over. De reden is meestal eenvoudig deze: het vermijden van de pijn van het verlies. Maar het gevolg van het niet doorsnijden van de verbinding is ook eenvoudig te beschrijven: nooit ontdekken wat het nemen van het verlies voor leegte, voor ruimte in je leven schept om nieuwe dingen, nieuwe ervaringen, nieuwe relaties te scheppen.
Ik denk vaak dat mensen niet gemaakt zijn om afscheid te nemen, wat gelijk staat aan je verlies nemen, en dat daarom het moeilijkste woord voor hen dit is: vaarwel. Maar als dat het moeilijkste, pijnlijkste woord is, dan moet het ook vaak het belangrijkste zijn.

12 Het moeilijkste woord: vaarwel

Enige tijd geleden ontving ik een brief waarin onder andere het volgende stond: 'Ik ben een vrouw van 52 jaar en zie er niet echt piep meer uit. Een maand of wat geleden is mijn man bij mij weggegaan voor een veel jongere vrouw. Ik ben de laatste jaren, sinds de kinderen het huis uit zijn, vanwege de overgang en andere ongemakken beslist niet de aardige, meegaande partner voor hem geweest die ik vroeger was. Ik ben bang dat ik het aan mezelf te wijten heb dat hij is opgestapt. Ik kan mezelf wel voor mijn kop slaan, want ik weet zeker dat er voor mij nooit een andere man zal zijn dan hij.'

De rest van de brief beschreef de gevoelens van verslagenheid, emotionele verlatenheid en rouw die haar leven sindsdien kenmerkten en liet slechts één duidelijke conclusie over: voor deze vrouw was met het vertrek van haar man ook ieder toekomstperspectief uit haar leven vertrokken. Ze was, zoals ze het zelf beschreef, vastgevroren in de immense kou van het heden.

Verlating of afwijzing door iemand van wie we houden, is vrijwel altijd een belediging van, een aanslag op onze psyche, omdat deze gedwongen wordt te worstelen met de vraag of we het verdienden in de steek gelaten te worden en of we wel recht van spreken, recht van protest hebben. Die worsteling is het rechtstreekse gevolg van de gevoelens van pijn en vernedering die samengaan met verlaten of afgewezen worden. Als wij pijn voelen terwijl onze ex-partner zich gelukkig voelt met een ander en met die ander dingen doet die we samen nooit gedaan hebben of al heel lang niet meer gedaan hebben, dan ligt voor de hand dat we op zoek gaan naar onze gebrekkigheid, feilbaarheid. En die zullen we onvermijdelijk vinden. Die confrontatie vergroot de pijn. Want niet alleen worstelen we nu met boosheid op de ander die ons verlaten heeft, maar ook op onszelf. We hebben het immers ook voor een deel aan onszelf te wijten. Althans zo lijkt het. Niet alleen ons vertrouwen in anderen, maar ook ons zelfvertrouwen, en met name het gedeelte van dat vertrouwen dat te maken heeft met onze 'relatiecompetentie', loopt een stevige deuk op. Dat is het gecompliceerde van verliezen. Ze komen nooit alleen. Verliezen we een ander, verliezen we ook een deel van onszelf. Verliezen we het vertrouwen in anderen, verliezen we meestal ook een deel van ons zelfvertrouwen.

Dat geldt niet alleen voor verlating of afwijzing door een partner, het geldt evenzeer voor verlating of afwijzing in andere relaties. Een groot aantal mensen herinnert zich een of beide van hun ouders vooral als veroordelend of negatief-kritisch. Vaak gaat die herinnering gepaard met een gevoel van boosheid of van 'slachtoffer' geweest te zijn. Maar die boosheid heeft vrijwel altijd een dubbele bodem. Het is zelden alleen maar boosheid op de ouder. Het is meestal ook boosheid op zichzelf.

De schrijver Frans Kafka, mijns inziens een van de grootste nietuniversitaire psychologen van de vorige eeuw, heeft een belangrijk deel van zijn leven met dit conflict geworsteld. In een lange brief aan zijn vader spelde hij alle kwesties uit die verkeerd zaten in hun relatie. Aan het einde van die brief, die hij overigens nooit heeft verzonden, zegt hij dat hij weet wat het antwoord van zijn vader zal zijn. 'Hij zal zeggen: "Hiermee, zoals met alle andere dingen, heb je voor mij weer eens aangetoond dat al mijn verwijten aan jou terecht waren, en dat een bijzonder gerechtvaardigd verwijt nog ontbrak: namelijk het verwijt van onoprechtheid, kruiperigheid en klaploperij".' In zijn antwoord op deze veronderstelde reactie van zijn vader, schrijft Kafka aan hem: 'Zelfs je wantrouwen ten opzichte van anderen is niet zo groot als mijn wantrouwen ten opzichte van mezelf, dat jij in mij gekweekt hebt.'

Die laatste paar woorden zijn een treffend voorbeeld van het gegeven dat veel mensen met zichzelf doen wat anderen met hen gedaan hebben. Anderen wijzen hen af en dus wijzen ze zichzelf af. Anderen wantrouwen hen en dus wantrouwen ze zichzelf. Anderen bekritiseren hen en dus bekritiseren ze zichzelf.

Maar juist dat, het overnemen van wat een belangrijke ander met jou doet en dat ook met jezelf doen, betekent het vasthouden aan, het niet kunnen doorsnijden van de relatie. Voor veel mensen die verlating of afwijzing door een ander interpreteren als een bewijs van hun eigen minderwaardigheid, geldt dat ze de relatie met de afwijzende ander, hoe slecht die ook is, niet kunnen verbreken omdat daarmee hun verlangen dat ooit... dat ooit de afwijzing wordt teruggenomen, voorgoed moet worden opgegeven. Nog liever een negatieve, boze, of destructieve relatie dan helemaal geen, want dan is echt alle hoop verdwenen.

Kafka vermeed zijn vader in de werkelijkheid, maar in zijn innerlijk bleef hij een intensieve relatie met hem onderhouden. Hij was boos op zijn vader, maar richtte die boosheid niet tot hem. Franz kon de relatie met zijn vader, hoe slecht die ook was en zou blijven, niet verbreken. Dat is de manier waarop anderen tot hel worden.

De New Yorkse psychiater Christ Zoist schrijft ergens dat het moeilijkste woord in onze taal 'good-bye', 'vaarwel', is. Maar ons vermogen om afscheid te kunnen nemen, om 'vaarwel' te zeggen is een van de hoekstenen van onze psychische gezondheid. Het is het vermogen om de onvermijdelijke verliezen die we tijdens ons leven oplopen, te nemen. Wie 'vaarwel' kan zeggen, accepteert de pijn en het verdriet die afwijzing en verlating met zich meebrengen, maar accepteert niet dat ze even zovele bewijzen zijn van eigen minderwaardigheid. Wie 'vaarwel' durft te zeggen tegen de ander, schept daarmee de leegte, de ruimte om nieuwe lading en nieuwe passagiers aan boord te kunnen nemen en nieuwe horizonten te ontdekken.

Wie 'vaarwel' durft te zeggen tegen een ander, spreekt daarmee ook tegen zichzelf. Roept als het ware ook zichzelf op om, voortaan met andere bemanning, zo goed mogelijk verder te varen.

Vaarwel

Nawoord

Uit angst voor de leegte

'Uit klei worden potten gevormd, maar
de bruikbaarheid van het vaatwerk
berust op zijn leegte.' – Tao-Teh-King, vers 9[1]

Dit boek is van begin tot einde anders dan zijn voorganger, de editie van 1990. Het eindigt niet met de dood, of de angst daarvoor. Blijkbaar heb ik in de tussenliggende jaren te veel met de dood van doen gehad om er nog veel angst voor te hebben. Sterker nog, ik vind de dood niet zo'n bijster interessant thema meer. Ik geloof ook niet meer dat het de dood is die de kern vormt van wat bestaansangst of existentiële angst wordt genoemd.

Wat dat betreft is er iets vreemds aan de hand met het woord 'doodsangst'. Voor alle angsten – of het nu gaat om fobieën als die voor dieren, bloed of onweer of om meer algemene angsten als die voor controleverlies of voor pijn – geldt dat ze betrekking hebben op 'dingen' die je kunt ervaren. Doodsangst daarentegen, is de enige angst voor iets dat je níet kunt ervaren. Je zou immers niet dood zijn als je de dood wel zou kunnen ervaren. Je kunt dus ook niet bang zijn voor de dood. Je kunt alleen bang zijn vóór de dood. Angst vóór de dood is anticipatieangst.

Een prachtig woord: 'anticipatie'. Het komt van het Latijnse woord *anticipare*, dat zoiets betekent als 'vooruitgrijpen'. Angst vóór de dood is 'vooruitgrijpende angst'. Het is angst die voorbij het heden grijpt, naar gevoelens die je denkt te zullen hebben als...

Maar in de dood zijn er geen gevoelens, is er geen 'als'. Angst vóór de dood is angst voor het niets, voor het verlies van alles.

1. *Tao-Teh-King* (toegeschreven aan Lao-Tse, bewerking R. Houwink) Baarn.

Het is daarom dat mensen die denken alles verloren te hebben, ook vaak denken dat ze net zo goed dood kunnen zijn. Ook voor mij gold dat in de periode van mijn leven dat ik alles dreigde te verliezen of althans dacht dat dat ging gebeuren. Hoewel, ik dacht eigenlijk niet dat ik net zo goed dood kon zijn. Ik dacht dat ik beter dood kon zijn. Als je leven leegloopt en je leeft, dan moet je ook de pijn daarvan beleven. In de dood, zo greep ik vooruit, is er geen pijn. Is er absolute leegte. Pijnloze leegte. Vergeleken met de pijnlijke leegte van het leven een perspectief dat lokt. Dat zelfs in de rede ligt. Ik was blijkbaar niet de enige die dat toen vond. Ook anderen, die mij over dat perspectief schreven op de manier waarop de stoïcijnse filosofen van de rede dat ooit aan Romeinse burgers deden, vonden dat.

'In welke richting je ook kijkt, daar ligt het middel om een eind te maken aan je pijnen. Zie je die afgrond daar? Daar naar beneden loopt de weg naar vrijheid. Zie je die zee, die put? Daar zetelt vrijheid op de bodem. Zie je die boom, beknot, gehavend, kaal? Toch hangt aan zijn takken vrijheid. Zie je die keel van jou, je slokdarm, je hart? Dat zijn wegen om te ontsnappen aan de slavernij. Zijn de uitgangen die ik je wijs, te lastig, vereisen ze te veel moed of kracht? Vraag je wat de snelweg naar vrijheid is? Iedere ader in je lichaam.'[1]

Als leven pijn doet, en vooral als het verdomde pijn doet, is dat een bijna niet af te slaan aanbod. Bijna. Want de dood is geen eenmalig aanbod. De dood is een aanbod dat altijd staat. Het leven niet. Het leven is een eenmalig, een uniek aanbod. Het is één keer maar nooit weer. Bovendien moet het vroeg of laat voor het aanbod van de dood wijken. Het leven is dus niet alleen weerlozer, het is ook kostbaarder dan de dood. Je kunt dus maar beter niet dood zijn. Aangenomen dat je de kunst verstaat van het omgaan met pijn, met verlies, met leegte. Want dat is het wezen van

1. Seneca, *De Ira*, 3.15. 4 (eigen vertaling).

levenskunst, het kunnen omgaan met, het kunnen waarde geven aan, kunnen waarderen van leegte.

Voor de meeste mensen is leegte, bijna instinctief, een woord met een twijfelachtige of zelfs negatieve klank. Zoals de leegte in huis, of in bed, of van binnen. We maken zelfs vaak onderscheid tussen mensen aan de hand van hoe ze met leegte omgaan. Of ze een glas half vol of half leeg noemen. Degenen die het laatste doen, noemen we pessimisten, zwartkijkers, mensen die het zichzelf altijd zo moeilijk maken. Degenen die het eerste doen, krijgen het compliment van optimistisch te zijn, zoveel mogelijk de positieve kant van dingen en mensen te zien.

Maar zoals zo vaak is de tweedeling misleidend, ligt de werkelijke wijsheid ertussenin. De essentie van een glas is de leegte die ze omspant, de mogelijkheid die ze biedt om vol te doen, de mogelijkheid tot voldoening. Zonder leegte geen voldoening.

Zonder leegte ook geen vrijheid. Wat dat betreft spreekt, ook als zo vaak, de herkomst van het woord boekdelen. 'Leeg' komt van woorden uit het Oudnederlands, Fries en Noors die 'vrij', 'onbelemmerd', 'onbezet' betekenen. Een deel van het glas is onvervuld, onbezet, en voor dat deel bestaat nog of bestaat weer de vrijheid tot invulling.

Mijn leven was te lang te vol. Er kon nauwelijks meer iets bij en wat erbij kwam gaf ook nauwelijks voldoening. Te weinig leegte is te weinig vrijheid, is te weinig wijsheid. Toen mijn glas werd omgestoten en de inhoud alle kanten uitstroomde, kon ik de leegte dan ook alleen maar als een onwijs groot verlies en een pijnlijke afgang ervaren.

Ik was, zoals vermoedelijk veel mensen van mijn generatie, altijd bang voor de leegte. Ik moest altijd bezig zijn, altijd iets te doen hebben. Daarom was ik ook zo bang voor de dood, de absolute leegte. En daarom ook kreeg die angst zo'n opvallende plaats aan het einde van de eerste editie.

Ik ben niet zo bang meer voor de dood, want ik ben niet zo bang meer voor de leegte. De gebeurtenissen hebben me gedwongen, of eigenlijk moet ik zeggen verleid, om ermee te leren omgaan. Ik zal niet ontkennen dat het aanvankelijk moeilijk was. Ik weet nog goed hoe pijnlijk het bijvoorbeeld was toen mijn beste vriend me een brief liet lezen, die een vroegere collega en ooit goeie kennis van mij hem had gestuurd. Daarin drukte ze haar verbazing uit over het feit dat hij nog steeds met mij omging en stelde dat ik nooit in Nederland nog ergens aan de bak zou komen. Ik begreep dat het niet alleen een voorspelling van haar was. Het was ook haar voornemen. De leegte die haar woorden schetsten, deden mijn gedachten en gevoelens letterlijk de kant van de dood opgaan.

Zij en anderen zijn inderdaad in hun opzet geslaagd mijn leven een tijdlang leeg te houden. En ik wist die leegte maar niet te vullen, omdat ik terug wilde hebben wat me ten onrechte afgenomen was. Omdat ik mijn verliezen ongedaan wilde maken. De vraag of dat de beste, de meest wijze invulling van de leegte was, kwam aanvankelijk eenvoudig niet bij mij op.

Dat veranderde toen iemand, mijn vrouw, op een dag de enige juiste vraag stelde: 'Als je nou nooit kunt terugkrijgen wat je bent kwijtgeraakt,' zo vroeg ze, 'maar je mag ook niet uit het leven weg, hoe zou je dan het liefst de rest van je tijd doorbrengen?'
Het antwoord schoot eruit voordat ik het goed en wel in de gaten had. 'Schrijvend,' zei ik.
'Doe dat dan,' zei ze.
Ik heb heftig geprotesteerd, onder andere met als argument dat een vooraanstaande media-adviseur mij had gezegd dat ik dat, schrijven, juist niet meer moest gaan doen. Want daarop had ik nou net zoveel kritiek gekregen. Maar ze was onverbiddelijk: 'Als jij de vrijheid hebt te kiezen om de rest van je leven schrijvend door te brengen – en die heb je – en als je dat nog het liefst wilt ook, dan is toch duidelijk wat je moet doen?'

Het heeft nog een aantal dagen geduurd. Toen heb ik mijn verliezen en mijn vrijheid genomen.

Lees ook van Karakter Uitgevers B.V.

RENÉ DIEKSTRA

De kwestie van geluk

Is geluk maakbaar? Of is geluk een kwestie van geluk hebben? deze vragen behoren tot de belangrijkste waarmee de psychologie zich bezighoudt. Of zich zou moeten bezighouden.

In dit boek worden inzichten en ervaringen van de psychologie over geluk op een herkenbare, praktische en toepasbare manier beschreven. Over geluk in de vijf voornaamste gebieden van ons leven: werk, relaties, gezondheid, vrije tijd en zingeving of spiritualiteit.

Leven is als het bewonen van een huis met vijf kamers, een voor elk van die vijf gebieden. Gelukkig leven is het goed onderhouden van het hele huis, van alle kamers.

De kwestie van geluk is een selectie en bewerking van de honderd beste columns op dit gebied van de hand van René Diekstra.

ISBN 90 6112 811 0